A Ventura de Amar

Obras da autora publicadas pela Editora Record

Acidente
Agora e sempre
A águia solitária
Álbum de família
Amar de novo
Um amor conquistado
Amor sem igual
O anel de noivado
O anjo da guarda
Ânsia de viver
O apelo do amor
Asas
O beijo
O brilho da estrela
O brilho de sua luz
Caleidoscópio
Casa forte
A casa na rua Esperança
O chalé
Cinco dias em Paris
Desaparecido
Um desconhecido
Desencontros
Doces momentos
Entrega especial
O fantasma
Final de verão
Forças irresistíveis
Galope de amor
Honra silenciosa
Imagem no espelho
Jogo do namoro
Jóias
A jornada
Klone e eu
Meio amargo
Mergulho no escuro
Momentos de paixão
Um mundo que mudou
Passageiros da ilusão
Pôr-do-sol em Saint-Tropez
Porto seguro
Preces atendidas
O preço do amor
O rancho
Recomeços
Relembrança
Resgate
O segredo de uma promessa
Segredos de amor
Segredos do passado
Tudo pela vida
Uma só vez na vida
Vale a pena viver
A ventura de amar
Zoya

DANIELLE STEEL

A VENTURA DE AMAR

Tradução de
DENISE ROLLEMBERG

9ª EDIÇÃO

EDITORA RECORD
RIO DE JANEIRO • SÃO PAULO

2008

CIP-Brasil. Catalogação-na-fonte
Sindicato Nacional dos Editores de Livros, RJ.

Steel, Danielle
S826v A ventura de amar / Danielle Steel; tradução de
9ª ed. Denise Rollemberg. – 9ª edição – Rio de Janeiro:
Record, 2008.

Tradução de: Loving
ISBN 978-85-01-02935-5

1. Romance norte-americano. I. Araripe, Isabel
Paquet de. II. Título.

CDD – 813
93-1147 CDU – 820(73)-3

Título original norte-americano
LOVING

Impresso no Brasil

ISBN 978-85-01-02935-5

PEDIDOS PELO REEMBOLSO POSTAL
Caixa Postal 23.052
Rio de Janeiro, RJ – 20922-970

PARA BEATRIX

Que você seja sempre
orgulhosa de ser
você mesma, porque
acontece que você
é a menina mais
maravilhosa que eu
conheço.

Com todo o meu amor,
mamãe.

Sempre esperançoso,
cheio de sonhos
brilhantes,
novíssimos,
auspiciosos,
em tons pastéis
e azuis de anil,
primeira luz
do amor
em seus olhos
logo a obscurecer
e então você foge,
me deixando
sozinha
comigo,
as coisas que temo
as coisas que você disse
rios incandescentes
em minha cabeça,
privado de tudo
que dividimos,
minha alma
tão velha,
tão jovem,
tão nua,
com medo de você,
de mim,
da vida,
dos homens...

até que
os novos sonhos
comecem novamente.
A paisagem, nunca
mais a mesma,
eventualmente
um jogo diferente,
última sabedora
do que conheço
e penso
e sou
e sinto,
o prêmio do amor
que,
finalmente,
é
real.

DANIELLE STEEL

— Real não é como é feito — disse o Cavalo de Pano. — É uma coisa que acontece com você. Quando uma criança te ama por muito, muito tempo, não só para brincar, mas realmente *te ama, aí você se torna real.*

— E isso dói? — perguntou o coelho.

— Às vezes — disse o Cavalo de Pano, porque ele era sempre sincero. — Quando você é real, não se importa em ser magoado.

— E acontece de uma só vez como se fosse pego num redemoinho, ou acontece aos poucos?

— Não é de uma só vez — disse o Cavalo de Pano. — Você se torna. Demora muito tempo. É por isso que não acontece com freqüência para aqueles que se quebram com facilidade ou têm extremidades pontiagudas, ou têm que ser guardados com muito cuidado. Geralmente, quando se torna real, a maioria de seu cabelo se solta, e seus olhos caem e suas juntas ficam fracas e você está muito surrado. Mas estas coisas não têm importância nenhuma porque, uma vez que você é real, não pode ser feio, a não ser para as pessoas que não entendem... mas, uma vez que você é real, não pode mais ser irreal. Dura para sempre.

De "O Coelho de Pelúcia"
por Margery Williams

1

Bettina Daniels entrou em seu banheiro de mármore rosa, deu um sorriso e suspirou. Tinha exatamente meia hora. Até que era bastante tempo. Geralmente dispunha de menos tempo para a transformação de garota, estudante e uma mortal comum para a ave-do-paraíso, a anfitriã perfeita. Esta era uma metamorfose que ela estava bastante acostumada a fazer. Há quinze anos era o braço direito de seu pai. Ia com ele para todos os lugares, respondia às perguntas dos repórteres, anotava recados de suas namoradas e lhe dava apoio, ficando nos bastidores dos programas de entrevista onde ele promovia seu livro. Ele nem precisava se esforçar para fazer a promoção. Seus sete últimos livros dispararam, assim que lançados, na lista dos mais vendidos do *The New York Times*, mas mesmo assim, a promoção devia ser feita. E ele adorava os aplausos, que alimentavam seu ego, e as mulheres que o achavam irresistível, confundindo-o com heróis de seus livros.

Era fácil confundir Justin Daniels com os heróis de seus livros. De certa forma, a própria Bettina vinha fazendo isso há anos. Era tão vibrante e inegavelmente charmoso, tão esperto e engraçado, além de excelente companhia. Às vezes era difícil lembrar quão rude, egoísta e desumano ele podia ser. Bettina conhecia os dois lados deste homem, e o amava assim mesmo.

Justin era seu herói, seu companheiro e seu melhor amigo. Bettina conhecia todas as suas falhas e fraquezas, seus pecados e seus medos, mas também conhecia a beleza deste homem, seu brilhantismo, sua alma gentil e o amava com todas as suas forças, sabendo que sempre o amaria. Ele falhara com ela e a machucara, esquecera de ir à escola em quase todos os momentos importantes, nunca aparecera para um campeonato ou uma peça de teatro. Ele lhe garantira que as pessoas jovens eram chatas e a arrastara para junto de seus amigos. Ele a magoara por muitos anos, principalmente por perseguir seus próprios sonhos excitantes. Nunca lhe ocorrera que ela tinha direito a uma infância, a piqueniques e praias, festas de aniversário e tardes no parque. Seus piqueniques eram no Ritz ou no Plaza-Athénée, em Paris. Suas praias eram South Hampton e Deauville, seu aniversário era comemorado com os amigos do pai no Clube 21, em Nova York, ou no Bistro, em Beverly Hills. Em lugar de tardes no parque, ele insistia em levá-la aos constantes cruzeiros de navio para os quais era convidado. A vida de Bettina não merecia pena, mas os amigos mais chegados de Justin sempre o repreendiam pela maneira como ele a educava e pelas coisas de que ele a privava, lembrando como devia ser solitário andar grudada a um pai solteirão, eternamente à espreita de alguma coisa. Era impressionante como ela ainda conseguia manter um ar jovial aos dezenove anos, ainda inocente, com seus enormes olhos verde-esmeralda, que também refletiam a sabedoria da idade. Não pelo que a menina tivesse feito, mas pelo que vira. Naquela idade, ainda era uma criança, mas vira a opulência e a queda numa vida que poucos homens e mulheres com o dobro de sua idade teriam visto.

Sua mãe morrera de leucemia logo depois de seu quarto aniversário. Ela não era mais do que um rosto no porta-retrato da sala, com um grande sorriso, belos olhos azuis e cabelos louros. Havia pouco de Tatianna Daniels em sua filha. Bettina não se parecia com Justin nem com Tatianna. Justin passou para a filha a vasta cabeleira escura e alguma semelhança nos olhos verdes. Os cabelos de Bettina eram castanho-avermelhados como um bom conhaque. O grande corpo de Justin contrastava com a figura delicada da filha, pequena, quase infantil em suas suaves proporções, que ajudavam a lhe dar um ar de fragilidade, principalmente quando prendia os cachos cor de conhaque no alto da cabeça, como fazia agora, olhando mais uma vez o relógio.

Bettina fez um rápido cálculo. Vinte minutos. Daria tempo. Rapidamente afundou na água quente da banheira, tentando relaxar um pouco enquanto olhava a neve caindo lá fora. Era novembro, e a primeira vez que nevava naquele inverno.

Era também a primeira festa que ofereciam naquela temporada, por isso tinha que ser um sucesso. E cuidaria para que fosse. Deu uma passada na lista de convidados, que sabia de cor, pensando se a neve atrapalharia a chegada de alguém. Mas não acreditava nisso. As festas de seu pai eram muito concorridas, e seu convite ansiosamente aguardado; ninguém se arriscaria a não ser convidado para a próxima. Festas eram uma parte essencial na vida de Justin Daniels. Enquanto não estava trabalhando em nenhum livro, aconteciam toda semana e eram sempre um grande evento, fosse pelas pessoas que compareciam, as roupas que vestiam ou pelos incidentes e negócios realizados. Acima de tudo, eram ímpares. Uma noite com os Daniels era como uma visita a uma terra de sonhos.

O ambiente luxuoso refletia o esplendor do século XVII. Enquanto mordomos serviam e os músicos tocavam, Bettina, como anfitriã, circulava magicamente entre os grupos, sempre parecendo estar onde era necessária. Era uma criatura indefinível. Bonita, persistente e rara. Justin era o único que não compreendia o quão notável ela era, imaginando que as jovens deveriam ser naturalmente graciosas como Bettina. Sua maneira descuidada de ver a filha há muito tempo irritava seu amigo mais chegado. Ivo Stewart adorava Justin Daniels, mas brigava com ele por não perceber o que acontecia com a moça, como ela o idolatrava, e o quanto significava para ela a atenção e os elogios do pai. Ante os comentários freqüentes de Ivo, Justin ria, balançava a cabeça e gesticulava a mão, cuidadosamente tratada, para o amigo.

— Não seja ridículo. Ela adora o que faz por mim. Dando festas, me acompanhando a *shows*, encontrando pessoas interessantes. Ela ficaria sem jeito se eu cismasse em lhe dizer o quanto aprecio o que faz. Ela sabe. E quem não saberia? Ela faz um trabalho maravilhoso.

— Então diga a ela. Puxa vida, homem, ela é sua secretária, governanta, garota-propaganda! Faz tudo o que uma esposa faria, até mais.

— E melhor! — acrescentou Justin sorrindo.

— Falo sério. — Ivo parecia irritado.

— Eu sei que você fala sério. Você se preocupa demais com ela.

O que Ivo não ousava dizer era que se ele não se preocupasse com Bettina, ninguém mais o faria.

Justin possuía um ar brincalhão, contrastando com o jeito sério com que Ivo encarava o mundo. Editor de um dos maiores jornais do mundo, o *New York Mail*, mais velho que Justin, não era mais um jovem. Perdera uma mulher, divorciara-se de outra e intencionalmente nunca teve filhos. Achava injusto trazer crianças a este mundo tão complicado. Aos 62 anos, não se arrependia desta decisão... a não ser quando via Bettina. Nestes momentos, alguma coisa parecia mexer com seu coração. Pensava se afinal não cometera um erro. Mas isso não importava mais. Era muito tarde para se pensar em crianças, e ele estava feliz. E, de seu próprio jeito, tão livre quanto Justin.

Juntos, os dois amigos iam a festas, concertos e óperas. Passavam alguns fins de semana em Londres, encontravam-se no sul da França por algumas semanas em julho e possuíam diversos amigos ilustres. Era uma amizade sólida que perdoava todas as falhas e permitia críticas assim como elogios, e por isso Ivo falava tão abertamente sobre o comportamento de Justin com a filha. Haviam discutido o assunto recentemente no restaurante La Côte Basque.

— Se eu estivesse no lugar dela, eu o abandonaria — Ivo censurava Justin. — O que você lhe oferece?

— Empregados, conforto, viagens, pessoas fascinantes, um guarda-roupa de vinte mil dólares...

Ele ia continuar, quando Ivo o interrompeu:

— E daí? Você acha que ela liga para isso? Pelo amor de Deus, olhe sua filha. Ela é linda, mas a maior parte do tempo vive num outro mundo sonhando, pensando, escrevendo. Você acha mesmo que ela liga para este exibicionismo idiota que é tão importante para você?

— Claro que sim. Foi isto que teve a vida toda.

A infância de Bettina fora completamente diferente da que Justin tivera, crescendo pobre e enriquecendo rapidamente com seus livros e filmes. Tiveram bons, maus momentos e alguns muito difíceis, mas ao longo dos anos as despesas de Justin só seguiam em uma direção: para cima. Era vital para ele a opulência. Reafirmava a si mesmo quem era.

Ainda discutiam o assunto enquanto Justin terminava o cafezinho após o almoço.

— Sem tudo que lhe dou, ela não sobreviveria nem uma semana.

— Não tenho tanta certeza. — Ivo tinha mais confiança nela do que o pai. Um dia ela seria realmente uma grande mulher, e sorria sempre que pensava nisso.

Secando rapidamente o corpo com uma grande toalha rosa contendo seu monograma, Bettina se apressava. Já tinha separado a roupa: um vestido justo de seda em um suave tom lilás que caía dos ombros até o tornozelo acompanhando suas formas. Vestiu com presteza as rendas e sedas adequadas, colocou o vestido e calçou cuidadosamente as sandálias lilases de salto baixo dourado. Por ele mesmo, o vestido já era lindo. Ela o admirava mais uma vez enquanto ajeitava os cabelos pela última vez, observando bem se o tom de seus olhos era o mesmo do vestido. Colocou um cordão de ametistas no pescoço e outro no pulso esquerdo, enquanto pequenos diamantes brilhavam em suas orelhas. Depois, cuidadosamente, retirou do cabide a túnica de veludo verde-escuro e colocou por cima da seda lilás. A túnica era debruada com a mesma cor estonteante do vestido. Estava tão harmoniosa como uma sinfonia em seu conjunto lilás e verde-renascença. Era uma roupa divina, que o pai trouxera de Paris no inverno anterior. Ela vestia com a mesma natural simplicidade com que usaria um par de *jeans* desbotados. Após prestar ao vestido as devidas homenagens, podia esquecer-se dele, pois tinha outras coisas em mente. Deu uma rápida olhada no quarto estilo provençal francês, conferiu se a tela estava em frente à lareira acesa e deu mais uma olhada pela janela. Ainda nevava. A primeira neve era sempre a mais bonita. Sorriu e desceu rapidamente.

Precisava checar a cozinha e ter certeza de que tudo estava no lugar certo para o *buffet*. A sala de jantar estava uma obra de arte, e ela sorriu com a perfeição com que os canapés estavam arrumados em bandejas de prata, como se fossem confetes espalhados para uma festa de fim de ano. Tudo estava em ordem na sala. A mobília do estúdio fora retirada de acordo com sua ordem e os músicos afinavam seus instrumentos. Os empregados estavam impecavelmente vestidos, o apartamento divino com seus ambientes decorados com antigüidades Luís XV, consoles de mármore, peças de bronze e, distribuídas pela casa, maravilhosas peças diante das quais as pessoas pasmavam. Os vários tecidos adamascados tendiam para os tons creme e os veludos caíam mais para o café-com-leite, abricó ou pêssego. O apartamento inteiro resplandecia calor e carinho, mostrando o bom gosto de Bettina em todos os detalhes. Era o seu cuidado que estava sendo tão esplendorosamente exibido.

— Por Deus, querida, você está linda!

Ela virou-se em direção à voz e sorriu.

— Não é aquele vestidinho que eu trouxe de Paris no ano passado?

Justin Daniels sorriu para a filha, ela também riu. Somente ele chamaria de 'vestidinho' este Balenciaga luxuoso que lhe custara uma fortuna.

— O próprio. Que bom que você gosta. — E, quase timidamente, acrescentou: — Eu também gosto.

— Ótimo. Os músicos já chegaram? — disse, observando os cômodos da casa.

— Estão afinando os instrumentos. Acho que vão começar a qualquer momento. Quer tomar um drinque?

Ele nunca pensava no que ela precisava. Era sempre ela que perguntava.

— Vou esperar um pouco. Nossa, como estou cansado hoje!

Ele se espalhou numa confortável *bergère* enquanto Bettina o observava. Podia dizer que também estava cansada. Levantara às seis horas da manhã para cuidar dos detalhes da festa, foi à faculdade às oito e meia e depois correu para casa para tomar banho, vestir-se e ver se tudo estava no lugar.

— Você está trabalhando no novo livro?

Ela o olhava com devoção e interesse. Justin fez que sim com a cabeça, sorrindo.

— Você sempre se preocupa com os livros, não é?

— Claro que sim. — Ela sorriu afetuosamente.

— Por quê?

— Porque me importo com você.

— E esta é a única razão?

— Claro que não. Os livros são ótimos e eu os adoro. — Ela

levantou-se e sorriu enquanto se abaixava para beijar-lhe a testa. — Mas também porque o amo.

Ele respondeu com um sorriso e um carinho no braço, enquanto ela se afastava ao ouvir o som da campainha.

— Parece que alguém está chegando.

Estava preocupada. O pai realmente parecia mais cansado do que o normal.

Em meia hora a casa se encheu de gente rindo, falando, bebendo e se divertindo, tudo junto. Havia muitos metros de vestidos de gala em todos os matizes, rios de jóias e um verdadeiro exército de homens de *black-tie* com suas camisas brancas fechadas por alfinetes de pérolas, ônix, pequenas safiras ou diamantes. Havia quase cem rostos famosos na multidão. Ao lado das celebridades, mais duzentos desconhecidos bebendo champanhe, comendo caviar, dançando, admirando Justin Daniels e outros nomes que esperavam ver ou talvez até conhecer.

Bettina passava despercebida, movimentando-se e controlando tudo para que não houvesse problemas, para que todos se conhecessem, tomassem champanhe e fossem bem servidos. Ela cuidava para que o copo de *scotch* de seu pai estivesse sempre cheio e para que, mais tarde, o *brandy* e os charutos estivessem à mão. Procurava se afastar quando ele flertava com alguma mulher, e era rápida em apresentar-lhe um convidado importante que tivesse chegado. Era brilhante no que fazia, e Ivo a achava a mulher mais bonita da festa. Não era a primeira vez que ele desejava que Bettina fosse sua filha.

— Vejo que está representando seu papel de sempre, Bettina. Exausta ou apenas pronta para desmaiar?

— Não seja bobo. Eu adoro isto.

Mas ele podia ver que, no fundo, seus olhos mostravam um pouco de fadiga.

— Gostaria de mais um drinque?

— Pare de me tratar como um convidado, Bettina. Posso lhe convidar para sentar um pouco?

— Talvez mais tarde.

— Não. Agora.

— Está bem, Ivo, está bem.

Ela olhou nos profundos olhos azuis daquele rosto gentil que aprendera a amar ao longo dos anos e deixou-se levar para um lugar perto da janela onde olharam silenciosos a neve por uns momentos antes que ela o encarasse novamente. A vasta cabeleira branca de Ivo Stewart parecia mais bem penteada do que nunca. Sempre estava perfeito. Alto, magro, elegante, aparência jovial, com seus olhos azuis que sempre pareciam sorrir e as pernas mais compridas que ela jamais vira. Quando pequena, ela o chamava de Ivo Comprido. Aos poucos ela revelou uma pequena ruga de preocupação.

— Você notou como papai parece cansado hoje?

— Não, mas percebi que você parece cansada. Algo errado?

Ela sorriu:

— Apenas as provas. Por que é que você repara em tudo?

— Porque amo vocês dois e às vezes seu pai é um idiota completo, que não repara em nada. Escritores! Você pode cair morto na frente deles, que eles passam por cima murmurando alguma coisa sobre a segunda parte do capítulo 15. Seu pai não é diferente disso.

— Não, apenas escreve melhor.

— Suponho que o esteja desculpando.

— Ele não precisa de desculpas. — Bettina olhou-o nos olhos e falou-lhe de forma gentil: — Ele é maravilhoso no que faz.

"Mesmo que não seja um pai tão maravilhoso", pensou ela, "ele é um escritor brilhante." Mas estas eram palavras que não ousaria falar em voz alta.

— Você é que é maravilhosa.

— Obrigada, Ivo. Você sempre diz coisas tão gentis. E agora — levantou relutante e ajeitou o vestido — tenho que voltar a ser a anfitriã.

A festa continuou até as quatro da manhã. Seu corpo todo doía quando subiu as escadas para o quarto. Seu pai ainda estava no estúdio com alguns amigos íntimos, mas ela terminara seu trabalho. Os empregados já haviam arrumado a maior parte da bagunça, os músicos foram pagos e dispensados, já havia acompanhado os últimos convidados à porta e se despedido enquanto as mulheres se enrolavam em seus *visons*, esperando que os maridos buscassem as limusines que aguardavam na neve. Ao andar calmamente em direção ao quarto, parou por um momento para olhar pela janela. Estava bonito. A cidade parecia pacífica, silenciosa e branca. Entrou no quarto e fechou a porta.

Pendurou o Balenciaga cuidadosamente e vestiu a camisola de cetim rosa antes de escorregar por entre os lençóis floridos que uma das empregadas tinha arrumado mais cedo. Deitada na cama, pensava em como fora a noite. Tudo correra bem. Sempre fora assim. Suspirou sonolenta pensando em quando seria a próxima festa. Seu pai falara na próxima semana ou na outra? Será que gostou dos músicos desta noite? Esquecera de perguntar. E o caviar... será que estava de seu agrado... era tão bom quanto...? Suspirou mais uma vez e caiu no sono com seu jeito frágil e pequenino.

2

"Quer se juntar a nós para o almoço hoje? Clube 21, ao meio-dia."

Bettina leu o bilhete enquanto terminava o café e pegava seu grosso casaco vermelho que usava para ir à faculdade. Vestia calças de gabardine azul-marinho combinando com o suéter de *cashmere* também azul e botas que esperava resistirem à neve. Pegou uma caneta e rapidamente rabiscou um bilhete do outro lado do papel.

"Gostaria de ir mas não dá... provas. Divirta-se. Vejo você à noite. Beijos, B."

Há uma semana que ela lhe falava sobre suas provas, mas não esperava que o pai lembrasse de detalhes sobre sua vida. Ele já estava pensando no seu próximo livro e isso era o bastante. E, até hoje, nada sobre sua vida escolar fora importante a ponto de justificar sua atenção. Isto não era difícil de entender. A escola não era fascinante para ela também. Comparado com a vida que levava com ele, tudo o mais parecia chato.

Secretamente, ela se sentia aliviada pela vida normal da faculdade, mas de certa forma lhe parecia distante. Sempre se sentia como uma observadora. Nunca se misturava aos colegas. Muitos tentavam entender quem era ela. Tornou-se motivo de curiosidade, alvo de olhares e fascinação. Mas Bettina não se sentia digna de interesse. Não era a escritora. Era apenas a filha.

Saiu para a aula mentalizando as anotações que fizera sobre a matéria da prova. Fora difícil se sentir desperta com apenas duas horas e meia de sono, mas se sairia bem, como sempre. Estava com notas bastante altas, outro motivo para ser discriminada. Nem sabia por que se havia deixado convencer pelo pai de entrar na faculdade. Gostaria apenas de achar um cantinho em algum lugar para escrever uma peça de teatro. Só isso... Quando o elevador chegou ao térreo, forçou um sorriso para si mesma. Na verdade, possuía um sonho bem maior. Queria escrever uma peça de sucesso, mas isso levaria mais tempo... uns vinte ou trinta anos.

— Bom dia, dona Bettina.

Cumprimentou o porteiro, e por um momento ela quase voltou correndo para o edifício. Era um daqueles dias gelados, quando a primeira aspirada de ar frio parecia cortar os pulmões. Rapidamente acenou para um táxi e entrou. Não era um dia para bancar a heroína tomando ônibus. Que se dane! Ela preferia ficar aquecida. Afundou no assento e releu com atenção as anotações.

— Bettina não pôde vir?

Ivo olhou surpreso para Justin enquanto este se acomodava ao seu lado no enorme bar do Clube 21, onde sempre se encontravam.

— Aparentemente, não. Esqueci de lhe perguntar ontem à noite, e ela deixou um bilhete pela manhã. Alguma coisa sobre provas. Espero que seja só isso.

— O que quer dizer?

— Quero dizer que espero que ela não esteja envolvida com algum idiota na faculdade.

Ambos sabiam que até agora não houvera outro homem na vida de Bettina. Justin não lhe dava tempo para isto.

— E você espera que ela não se envolva com ninguém para o resto da vida? — Ivo olhou-o de forma maliciosa por cima de seu martíni.

— Seria impossível. Mas espero que ela faça uma escolha inteligente.

— O que o faz pensar o contrário? — Ivo observava o amigo com interesse, e podia perceber o olhar cansado que Bettina mencionara na noite anterior.

— Geralmente as mulheres não fazem escolhas sensatas, Ivo.

— E nós fazemos? — falou com um jeito divertido. — Você tem motivos para imaginar que ela encontrou alguém?

Justin Daniels balançou a cabeça.

— Não, mas nunca se sabe. Eu odeio estes pequenos bastardos que vão para a faculdade só para comer menininhas.

— Igual a você, não é?

Ivo ria abertamente, enquanto Justin lhe lançava um olhar enfurecido e pedia outro uísque.

— Chega desse assunto. Eu me sinto péssimo hoje.

— Ressaca? — Ivo não parecia surpreso.

— Eu não sei. Talvez. Estou com indigestão desde ontem à noite.

— O motivo é obviamente velhice.

— Como ele está engraçadinho hoje!

O olhar de Justin deixou claro para Ivo que bastava de brincadeiras, e os dois riram. Apesar das divergências sobre Bettina, os dois amigos sempre se deram bem. Ela era o único pomo de discórdia entre eles.

— Mudando de assunto, será que consigo atraí-lo para uma viagem a Londres no próximo fim de semana?

— Para quê?

— Como é que eu vou saber? Paquerar, gastar dinheiro, ir ao teatro. O de sempre.

— Pensei que já estivesse trabalhando no novo livro.

— Estou, mas estou sem inspiração, e quero me divertir um pouco.

— Verei se posso ir. Talvez não tenha notado, mas estão acontecendo diversas pequenas guerras pelo mundo, sem falar nos escândalos políticos. O jornal pode precisar de mim por aqui.

— Não vai fazer diferença nenhuma se você for passar um fim de semana fora. Além disso, você *é* o chefe e pode correr seus próprios riscos.

— Obrigado. Vou procurar me lembrar disto. Quem vai almoçar conosco hoje?

— Judith Abbott, a teatróloga. Bettina vai ter um ataque quando souber o que perdeu.

Olhou melancolicamente para Ivo e pediu mais um uísque. Ivo não pôde deixar de notar um olhar apreensivo em seu rosto.

Pensou por um momento e depois tocou gentilmente no braço do amigo e sussurrou:

— Justin... você está sentindo alguma coisa?

Houve um momento de silêncio.

— Eu não sei. Estou sentindo algo estranho de repente...

— Quer se sentar?

Mas já era tarde. Em segundos, ele caía no chão. Duas mulheres gritaram. Seu rosto estava todo contraído como se lutasse contra uma dor insuportável. Ivo gritava ordens freneticamente. Pouco antes da equipe médica chegar, segurou a mão do amigo e rezou para que não fosse muito tarde. Mas era. A mão de Justin Daniels caiu no chão, sem vida, no momento em que Ivo a soltou. A polícia procurava afastar os curiosos enquanto os médicos tentavam, durante meia hora, salvar a vida de Justin. Foi inútil. Justin Daniels estava morto.

Ivo observava impotente, enquanto bombeavam o coração, davam oxigênio, respiração artificial, tudo que podiam. Não fazia nenhuma diferença. Finalmente, cobriram-lhe o rosto, enquanto lágrimas escorriam pela face de Ivo. Perguntaram se ele queria acompanhar o corpo para o necrotério do hospital. "Necrotério? Justin?" Era inacreditável, mas era verdade. E eles foram.

Ivo sentia-se trêmulo e deprimido ao sair do hospital, uma hora depois. Nada mais devia ser feito, a não ser contar para Bettina. Sentia-se enjoado ao pensar nisso. "Deus... como falaria para ela? O que aconteceria a ela? Bettina não tinha mais ninguém no mundo. Ninguém." Bettina possuía a lista de convidados mais importante de Nova York e conhecia mais celebridades que a colunista social do *Times*, mas isto era tudo que lhe restava. Fora isso, não sobrava mais nada. Exceto Justin. E agora ele se foi.

3

O relógio sobre a lareira batia ininterruptamente enquanto Ivo, que esperava no estúdio, olhava fixo para o parque. Já estava anoitecendo e a claridade diminuía aos poucos. Lá embaixo, na rua, o tráfego furioso se arrastava pela Quinta Avenida. Era hora do *rush* e a rua estava coberta de neve, bom motivo para um maior atraso no horário de Bettina voltar para casa. Os carros quase não andavam enquanto seus motoristas buzinavam ferozmente. No apartamento dos Daniels, estes barulhos eram como um som surdo. Ivo não escutava nada enquanto aguardava pelos passos de Bettina, sua voz, a sua risada, ao chegar da faculdade. Ivo olhava em volta, pela sala, observando os troféus e os artefatos arrumados cuidadosamente nas prateleiras da estante, junto com os livros encadernados em couro que Justin tanto amava. Haviam comprado muitos deles nos leilões de Londres quando estavam juntos nas viagens ocasionais durante o ano. Igual às que faziam a Paris, Munique e Viena. Foram tantos anos, tantos bons momentos que passaram juntos. Fora com Justin que ele havia celebrado, chorado e farreado, por trinta e dois anos de amizade, todos os casos amorosos, os divórcios e as vitórias de todas as espécies... Fora a ele que Justin pedira que lhe fizesse companhia na noite em que Bettina nasceu, quando tomaram um porre de champanhe, celebrando pela cidade... Justin, que de repente não existia mais. Tudo parecia tão irreal. Foi quando Ivo percebeu que era por Justin que ele esperava, e não por Bettina... a voz de Justin no longo e vazio *hall*... sua figura elegante à porta com um sorriso no olhar, pronto para se divertir. Era Justin, e não Bettina, a quem Ivo desejava ver enquanto esperava sentado, quieto, na sala revestida de madeira, olhando fixamente para uma xícara de café que o mordomo lhe trouxera uma hora antes. Eles sabiam. Todos já sabiam. Ivo lhes contara ao chegar. Também avisara aos advogados e ao agente literário de Justin. Ninguém além deles. Não queria que aparecesse na televisão ou no rádio antes que Bettina soubesse. Os empregados sabiam que não deviam falar nada a ela. Apenas deviam lhe mostrar onde Ivo esperava... no silêncio, que um dos dois chegasse em casa... se ao menos Justin chegasse, seria tudo mentira então, e ele não teria que contar a ela... não seria necessário... não seria verdade que... Sentiu as lágrimas escorrerem mais uma vez enquanto passava os dedos pela xícara de Limoges azul e dourada.

Distraído, mexia no guardanapo de renda quando ouviu a porta da frente se abrir.

Ouviu a voz grossa do mordomo e depois, uma suave. Ivo quase podia vê-la sorrindo, tirando o casaco grosso, dizendo alguma coisa ao mordomo que não sorria para mais ninguém a não ser para a 'senhorita'. Todos sorriam para a 'senhorita'. A não ser Ivo. Ele não podia sorrir esta tarde. Levantou-se e caminhou devagar para a porta sentindo o coração disparado enquanto esperava por ela. "Ó Deus! O que vou lhe dizer?"

— Ivo? — Bettina parecia surpresa ao se aproximar dele. Disseram a ela que Ivo a esperava no estúdio. — Aconteceu alguma coisa?

Seu olhar demonstrou instantânea compaixão e ela estendeu as mãos para Ivo. Era muito cedo para ele estar fora do escritório. Raramente deixava sua mesa antes das sete ou oito horas. Isso era um problema algumas vezes, quando o convidavam para jantar. Mas era uma falha facilmente perdoável. O editor do *New York Mail* tinha o direito de deixar pessoas esperando, e mesmo assim era perseguido por todas as anfitriãs da cidade.

— Você parece cansado! — Olhou para Ivo com jeito repreensivo e segurou-lhe a mão para sentarem-se. — Papai não está em casa?

Ele balançou a cabeça e seus olhos se encheram de lágrimas quando Bettina beijou-lhe o rosto.

— Não, Bettina... — E acrescentou, odiando a si mesmo. — Ainda não.

— Você gostaria de beber alguma coisa além desse café horrível?

Seu sorriso era tão gentil e suave que lhe cortou o coração ver que seus olhos captavam cada detalhe. Se preocupava com ele e isso o fez sorrir. Parecia tão jovem, graciosa e inocente, que ele desejava qualquer coisa menos contar a verdade. Seus cabelos estavam arrumados numa auréola de cachos por cima da cabeça. Seus olhos eram brilhantes, o rosto rosado pelo frio e ela parecia menor do que nunca, mas o sorriso se apagou ao olhar para Ivo. De repente, sabia que algo de grave acontecera.

— Ivo, o que está acontecendo? Você quase não disse nada desde que eu cheguei.

Os olhos de Bettina não paravam, e Ivo, calmamente, segurou-lhe a mão.

— Ivo!

Bettina empalidecera ao observar que o amigo, apesar de não querer, chorava enquanto a puxava para seus braços. Ela não ofereceu resistência. Era como se soubesse que precisaria dele e ele, dela. Abraçava Ivo com firmeza enquanto esperava pela notícia.

— Bettina... é Justin...

Sentiu um nó na garganta e tentou lutar contra isso. Tinha que ser forte. Por Justin. Por ela. Bettina ficou nervosa com o abraço e soltou-se bruscamente.

— O que você está tentando dizer?... Ivo... — Olhou-o com um jeito angustiado, suas mãos nervosas mexiam-se sem parar. — Um acidente?

Ivo fez que não com a cabeça. Vagarosamente, olhou para ela e em seus olhos Bettina viu toda a força de seu medo.

— Não querida, ele se foi.

Por um instante nada se mexeu na sala, enquanto o choque tomava conta dela e seus olhos encaravam os de Ivo sem entender corretamente e também não querendo entender.

— Eu... eu não entendo... — Suas mãos estavam agitadas e seu olhar movia-se de Ivo para as mãos. — O que você quer dizer, Ivo?... Eu...

E então, com angústia e horror, ela levantou-se e cruzou a sala, como se quisesse afastar-se de Ivo e da verdade.

— Que diabos você quer dizer com isso?

Ela gritava, sua voz trêmula e raivosa, seus olhos cobertos de lágrimas. Mas Bettina parecia tão frágil, tão delicada que Ivo desejava tomá-la em seus braços outra vez.

— Bettina... querida...

Dirigiu-se para ela, que o afastou inconscientemente. Mas de repente, procurou seu abraço, agarrando-se a ele enquanto todo o seu corpo era sacudido pelos soluços.

— Oh, Deus, não... oh, não... papai...

Por muito tempo ela chorou como uma criança. Ivo a segurava com força em seus braços. Ele era tudo que tinha.

— O que aconteceu? Oh, Ivo... o que aconteceu?

Mas não queria saber. Só queria ouvir que não era verdade. Mas era. O rosto de Ivo mostrava mais uma vez isso.

— Foi um ataque do coração. No almoço. Eles mandaram uma ambulância imediatamente, mas já era tarde. — Ivo demonstrava sua angústia ao falar.

— E eles não fizeram nada? Pelo amor de Deus...

Bettina soluçava e sua pequena figura tremia enquanto Ivo mantinha o braço sobre seus ombros. Era impossível de acreditar. Justamente na noite anterior eles haviam dançado naquela sala.

— Bettina, eles fizeram tudo, realmente tudo que podiam. Foi apenas... — Por Deus, que agonia era contar-lhe tudo. Era quase insuportável para ele. — Aconteceu muito rápido. Tudo acabou em alguns minutos. Eu juro a você que eles fizeram tudo o que foi possível, mas não lhes restava muito a fazer.

Ela fechou os olhos e balançou a cabeça e, aos poucos, deixou o conforto de seus braços, indo para o outro lado da sala. Ficou de pé, suas costas viradas para Ivo, olhando para a neve e as árvores secas do Central Park, do outro lado da rua. Como lhe pareciam feias, agora, solitárias e nuas enquanto na noite anterior pareciam lindas, como num conto de fadas, enquanto ela se aprontava para a festa, esperando os primeiros convidados. Como os odiava agora. Todos eles, por lhe terem roubado a última noite que passaria só com seu pai... Sua última noite... e agora ele se fora. Fechou os olhos bem apertados e tomou coragem para perguntar o que precisava saber:

— Ele... ele disse alguma coisa, Ivo... quer dizer... para mim? — Sua voz quase não era perceptível quando falou, olhando ainda pela janela, sem poder ver a negativa na expressão de Ivo

— Não deu tempo.

Bettina assentiu em silêncio, e no momento seguinte respirou fundo. Ivo não sabia se se aproximava ou se a deixava sozinha. Sentia como se fosse quebrá-la ao meio ante o menor toque, tão tensa e frágil ela parecia, sofrendo e só. Estava sozinha agora e sabia disso. Pela primeira vez em sua vida.

— Onde está ele agora?

— No hospital. — Ivo odiava ter que dizer. — Eu queria falar com você antes de tomar alguma providência. Você tem alguma idéia do que gostaria que fosse feito?

Aproximou-se dela devagar e virou seu rosto para que o olhasse. Seus olhos pareciam ter envelhecido cem anos e era o rosto de uma mulher, não mais de uma menina.

— Bettina. Eu... eu sinto muito ter que lhe perguntar estas coisas, mas você tem alguma idéia do que seu pai gostaria que fosse feito?

Ela sentou-se, balançando suavemente os cachos cor de conhaque.

— Ele nunca falava sobre estas coisas, nem era religioso. — Fechou os olhos e duas grandes lágrimas escorreram pesarosas. — Suponho que devemos fazer algo íntimo. Eu não quero... — Ela mal conseguia falar — um monte de estranhos olhando para ele e...

Mas tudo que pôde fazer foi baixar a cabeça enquanto seus ombros tremiam desesperadamente, e Ivo a tomou nos braços mais uma vez. Foram mais cinco minutos antes que ela se recompusesse. Depois, olhou para Ivo com um olhar desamparado:

— Quero vê-lo agora, Ivo.

Ele concordou e se levantaram, caminhando em silêncio para a porta.

Estava assustadoramente calada no caminho para o hospital, sentada ereta, com os olhos secos, no banco da limusine de Ivo. Parecia uma menininha, com seu casaco de raposa prateado, os olhos bem abertos e infantis embaixo de um chapéu combinando com o casaco.

Saltou do carro na frente de Ivo e rapidamente cruzou a porta, esperando impaciente por ele para ser levada para perto de seu pai. No fundo do coração, ela ainda não tinha entendido a realidade e esperava encontrá-lo ansioso por vê-la e muito vivo. Foi apenas quando chegaram à última porta que ela pareceu diminuir o ritmo e os saltos de suas botas pretas silenciaram. As luzes além da porta eram poucas e seus olhos se arregalaram ao entrarem no necrotério, devagar. Justin estava lá, coberto por um lençol, e Bettina aproximou-se pé ante pé, tentando tomar coragem para puxar o lençol e ver seu rosto. Ivo observou-a por um momento e aproximou-se.

Sussurrou em seu ouvido, pegando gentilmente em seu braço:

— Você gostaria de ir embora agora?

Mas ela balançou a cabeça. Precisava vê-lo. Tinha que dizer adeus. Gostaria de dizer a Ivo que preferia ficar sozinha com seu pai, mas não sabia como fazê-lo e no fim, foi melhor assim.

Com as mãos trêmulas, pegou a ponta do lençol. Devagar, bem devagar, foi puxando até que pudesse ver a ponta da cabeça. Por um segundo pareceu que ele estava brincando com ela, como se ela fosse uma criança e estivesse brincando de esconde-esconde. Rapidamente, puxou o lençol e deixou-o cair sobre o peito do pai. Os olhos estavam fechados e o rosto ligeiramente pálido, parecia em paz quando ela o olhou com o olhar cheio de tristeza de quem agora entendia. Era como Ivo dissera. Seu pai partira. Lágrimas rolavam em seu rosto quando se abaixou para beijá-lo e depois deu um passo para trás, sendo amparada por Ivo e levada para fora da sala.

4

Mas a realidade dos fatos não atingiu Bettina até depois do funeral. Entre o dia da morte do pai e o do funeral, dois dias de surrealismo frenético se passaram, pegando uma roupa para vesti-lo, checando sempre com a secretária que contratou para ajudar, falando com Ivo sobre quem foi avisado e quem deveria ser, organizando os empregados e tranqüilizando os amigos. Havia algo muito reconfortante em tomar providências. Era uma forma de fugir de suas emoções e da verdade. Corria do apartamento para a funerária e finalmente estava no cemitério, uma figura frágil em preto, carregando uma rosa branca que, silenciosamente, colocou sobre o caixão enquanto o resto do grupo observava, afastado. Apenas Ivo estava por perto. Podia ver sua sombra na neve. Apenas Ivo preenchia o vazio dos dolorosos dias que ela viveu após a morte do pai. Apenas Ivo fora capaz de chegar-se a ela. Apenas Ivo estava lá para mostrar que alguém ainda se preocupava, que ela não estava totalmente sem proteção no mundo, sozinha e assustada.

Em silêncio, pegou-a pela mão e levou-a de volta para seu carro. Meia hora depois, Bettina estava segura em seu apartamento, trancada neste pequeno e seguro mundo que sempre conhecera. Ela e Ivo bebiam café e do lado de fora brilhava o sol claro de novembro sobre a neve fresca. A neve do inverno chegou cedo e o único lugar que parecia bonito era o parque. O resto da cidade estava soterrado por uma camada de lama há três dias. Bettina suspirou, tomou um gole de café e observava, com um ar ausente, o fogo arder na lareira. Era uma estranha comparação, mas se sentia como o pai, quando ele terminava um livro. De repente, havia perdido seus companheiros e estava sem emprego. Não havia mais ninguém para cuidar, para se preocupar, para fazer os pedidos no restaurante, colocar os charutos por perto, fazer lista de convidados que lhe agradasse e reserva no vôo para Madri da forma que ele gostava. Não havia mais ninguém de quem cuidar, a não ser ela mesma. E isso não sabia como fazer. Sempre estivera tão ocupada tomando conta dele!

— Bettina!

Houve uma longa pausa enquanto Ivo colocava sua xícara na mesa e passava a mão pelos seus cabelos brancos. Só fazia isso quando estava sem jeito, e ela tentou imaginar o motivo agora.

— É um pouco cedo para tocarmos neste assunto, querida, mas você tem que se encontrar com os advogados esta semana.

Ivo se sentiu sem respiração quando ela virou seus enormes olhos verdes em sua direção.

— Por quê?

— Para falar sobre o testamento e... vários outros assuntos de negócios.

Justin o nomeara seu testamenteiro e os advogados estavam atrás dele há dois dias.

— Mas já? Não é muito cedo?

Seu olhar era de estranheza ao se encaminhar para perto do fogo. Sentia-se cansada e agitada ao mesmo tempo. Não sabia se devia correr em volta do quarteirão cento e cinqüenta vezes ou ir para a cama e chorar. Mas o olhar de Ivo refletia, com desânimo, os negócios.

— Não, não é muito cedo. Existem algumas coisas que você vai ter que saber e algumas decisões a serem tomadas. Algumas imediatamente.

Ela suspirou, concordando e voltando para se sentar no sofá.

— Está bem. Vamos falar com eles, mas não entendo por que a pressa.

Olhou para Ivo com um sorriso e ele estendeu-lhe a mão. Nem mesmo Ivo sabia a extensão do problema sobre que os advogados queriam conversar. Mas doze horas depois eles descobriram.

Ivo e Bettina olharam-se em estado de choque. Os advogados estavam sérios. Não havia ações, investimentos ou capital. Em resumo, não havia dinheiro. Segundo eles, Justin não se preocupava com isso porque sempre esperava que as coisas se resolvessem. Mas a solução ainda não havia aparecido. Na verdade não apareceu por muito tempo, pois ele vivia há vários anos em débito. Tudo que ele possuía estava penhorado ou fora cedido como garantia, e, além disso, tinha enormes empréstimos a pagar. Seus últimos adiantamentos foram gastos em carros, como o novo Bentley, e pouco depois dele o Rolls-Royce 1934, antigüidades, cavalos de corrida, mulheres, viagens, casas, peles, com Bettina e com ele mesmo. No inverno anterior comprara de um amigo o mais caro purosangue do país. Os papéis indicavam que ele pagou dois milhões e setecentos mil dólares pelo cavalo, mas na verdade fora um pouco mais, e o amigo permitira que adiasse o pagamento por um ano. O ano não havia terminado ainda, e a dívida não estava paga. Justin sabia que poderia pagar, pois haveria mais adiantamentos e ele tinha os direitos autorais que recebia sempre em cheques de seis dígitos. Os recebimentos estavam comprometidos como pagamento de empréstimos feitos com seus amigos milionários. Estava endividado até o pescoço, com todo mundo. Banqueiros, amigos a quem empenhou propriedades, futuros recebimentos e sonhos. O que teria acontecido aos investimentos de seu pai, às conversas esporádicas que ouvia quando falavam de 'lucros certos'? Enquanto as horas passavam com os advogados, percebiam que as únicas coisas certas eram os débitos astronômicos. Justin manteve a maioria de seus empréstimos em segredo. Dispensara seus agentes financeiros há anos, por considerá-los tolos. Tudo era cada vez mais confuso e Bettina estava desconcertada e chocada. Era impossível compreender a extensão do que eles falavam, exceto que levaria meses para esclarecer tudo e que a grande fortuna do famoso, charmoso e tão celebrado Justin Daniels não era a fortuna de um rei, mas uma montanha de dívidas.

Bettina virou-se confusa para Ivo, que a olhava em desespero. Ele se sentia como se tivesse envelhecido mais de dez anos.

— E as casas? — Ivo olhou para o advogado, apreensivo.

— Vou estudar o assunto, mas imagino que todas terão de ser vendidas. Há quase dois anos que recomendamos ao sr. Daniels que tomasse esta atitude. Na verdade é bem possível que após vendermos as casas e... — Houve um momento de embaraço e ele deu um pigarro. — A maioria das antigüidades do apartamento de Nova York, consigamos normalizar os negócios.

— Vai sobrar alguma coisa?

— É difícil responder agora. — Mas seu olhar dizia outra coisa.

— Então o que está dizendo é... — A voz de Ivo estava tensa e furiosa e ele não tinha certeza se estava furioso com Justin ou com os advogados. — Que depois de tudo esclarecido, nada mais restará além do apartamento de Nova York? Nenhuma ação, letra ou investimentos? Nada?

— Acredito que esta será a verdade dos fatos.

O homem mais velho tirava os óculos com desconforto enquanto o outro pigarreava, tentando não olhar para a linda menina.

— Não foram feitas provisões para a srta. Daniels?

Ivo não podia acreditar. Mas o advogado respondeu em uma palavra.

— Não.

— Entendo.

— Mas havia — o advogado mais velho olhava alguns papéis sobre a mesa — a soma de dezoito mil dólares na conta bancária do sr. Daniels no dia em que ele morreu. Temos que liberar o dinheiro, é claro, mas teremos prazer em adiantar alguma coisa para que a senhorita possa pagar suas despesas neste meio tempo.

Ivo ficou mais furioso:

— Isso não será necessário! — Fechou sua pasta com força e pegou seu casaco. — Quanto tempo acha que será preciso para nos dizer em que pé estão as coisas?

Os dois advogados trocaram olhares.

— Uns três meses?

— Que tal um mês?

O olhar de Ivo não permitia rodeios e, insatisfeito, o advogado mais velho concordou.

— Tentaremos. Compreendemos que a situação é bastante difícil para a senhorita. Tentaremos fazer o melhor possível.

— Obrigado.

Bettina apertou a mão dos advogados e rapidamente saiu do escritório. Ivo quase não disse nada no caminho até o carro, apenas olhava ocasionalmente, com ansiedade, para Bettina. Ela estava pálida como marfim, mas estava quieta e parecia muito controlada. Quando estavam de volta ao carro, Ivo suspendeu a janela entre eles e o motorista e virou-se para ela com um olhar de compaixão.

— Bettina, você entendeu o que acabou de acontecer?

— Acho que sim.

Enquanto ele a observava, percebia que até seus lábios estavam assustadoramente pálidos.

— Parece que vou ter que aprender algumas coisas sobre a vida.

Enquanto se aproximavam de seu sofisticado edifício, Ivo perguntou:

— Você me deixa ajudá-la?

Ela fez que sim com a cabeça, beijou-lhe o rosto e saiu do carro. Ivo ficou olhando para ela até que desaparecesse dentro do edifício, pensando no que seria dela agora...

5

A campainha tocou justamente quando Bettina olhava no relógio. Ivo era sempre pontual e ela sorriu enquanto corria para a porta. Saudou-o com um beijo e ele entrou, muito elegante, com seu casaco preto e chapéu Homburg. Bettina, por sua vez, vestia uma blusa de flanela vermelha e calças *jeans*.

— Você está uma graça esta noite, srta. Daniels. Como foi seu dia?

— Interessante. Passei o dia todo com o homem de Parke-Bernet, o leiloeiro.

Bettina sorriu com ar de cansada, e Ivo pensou por um momento como sentia falta de vê-la em suas roupas elegantes. Parecia que ela abandonara o outro guarda-roupa neste mês, desde a morte de Justin. E também não fora a lugar nenhum a não ser ao escritório dos advogados para escutar mais más notícias. Tudo que ela queria agora era se livrar de toda esta maldita confusão. Começaria a se encontrar com *marchands*, corretores de imóveis, joalheiros, todos que pudessem tirar bens de suas mãos e deixá-la com algo que pudesse reduzir seus débitos.

— Eles vão tirar todas estas coisas daqui. — Ela apontou vagamente para as antigüidades. — Assim como tudo da casa de South Hampton e da casa de Palm Beach. Já mandaram alguém olhar estas coisas. Estou me livrando da mobília do sul da França por lá mesmo e — suspirou distraída enquanto pendurava o casaco — acho que a casa de Beverly Hills será vendida com tudo dentro. Algum árabe está interessado nela e ele deixou tudo que tinha no Oriente Médio... Então deve resolver o problema para nós dois.

— Você não vai ficar com nada?

Ivo olhou-a assustado, mas estava se acostumando com esta sensação e ela, com este olhar em seu rosto.

Bettina balançou a cabeça.

— Não posso, Ivo. Estou lidando com a dívida nacional. Quatro milhões e meio de dólares não é fácil de sanar. Mas vou conseguir.

Ela sorriu novamente e isso mexeu com o coração de Ivo. Como Justin pôde fazer isso? Como não imaginou que alguma coisa podia acontecer e que a filha ficaria com a obrigação de limpar esta bagunça? A injustiça partia-lhe o coração.

— Não fique tão preocupado, querido. — Ela sorriu para ele. — Um dia tudo estará resolvido.

— É, e enquanto isso eu fico parado sem fazer nada, vendo você desmontar toda a sua vida.

Agora era difícil lembrar que ela tinha apenas 19 anos. Parecia e falava como alguém muito mais velha. Mas, ocasionalmente, ainda havia um olhar travesso no seu rosto.

— E o que você gostaria de fazer, Ivo? Me ajudar a fazer as malas?

— Não, eu não gostaria de fazer isso.

Ele respondeu de maneira brusca e depois desculpou-se com o olhar. Mas foi ela quem falou primeiro.

— Desculpe. Sei que você quer ajudar. Não sei! Acho que estou cansada. Parece que isso não vai acabar nunca.

— E quando terminar, o que vai acontecer? Não me agrada a idéia de você ter largado a faculdade.

— Por que não? Estou sendo educada aqui mesmo e além disso, a mensalidade é muito alta.

— Bettina, pare com isso!

Ela falava de modo tão amargo e de repente seus olhos demonstraram uma profunda exaustão.

— Quero que me prometa uma coisa.

— O que é?

— Quero que me prometa que quando o pior tiver acabado e você já tiver resolvido o problema do apartamento e das mobílias e tudo mais que tiver que fazer, que você vai sair um pouco daqui e descansar.

— Você fala como se eu tivesse cem anos.

Mas ela não perguntou como ele imaginava que ela pagaria uma viagem. Quase não havia mais nada. Cozinhava para si mesma na enorme cozinha. Não comprava nada, não ia a lugar nenhum. Na verdade, esta manhã até pensara em vender suas roupas. Pelo menos as roupas de noite. Tinha dois armários cheios delas, mas sabia que se contasse a Ivo ele teria um ataque.

— Falo sério. Quero que você saia para algum lugar. Você precisa. Tem sido uma fase de enorme tensão. Nós dois sabemos disso. Se eu pudesse, você iria agora mesmo. Promete que vai pensar sobre isso?

— Vamos ver.

Ela sobrevivera ao Natal, esquecendo-o completamente, e passou a maior parte dos feriados empacotando os livros do pai. Por algum motivo, agora não podia pensar em mais nada. Os livros raros voltariam para Londres, de onde vieram, para serem leiloados e, com sorte, conseguiriam um bom preço. O avaliador disse que eles valiam algumas centenas de milhares de dólares. E ela torcia para que ele estivesse certo.

— O que disse Parke-Bernet?

Ivo também parecia cansado. Vinha vê-la diariamente, mas odiava as novidades. Vendendo, empacotando, livrando-se de tudo, era como vê-la desmontando a própria vida.

— O leilão será em dois meses. Vão arrumar um espaço para mim no programa. E eles gostaram muito das nossas coisas.

Entregou a Ivo seu copo de uísque com soda, como sempre.

— Posso tentá-lo com um jantar?

— Sabe de uma coisa, estou muito impressionado com seus dotes culinários. Nunca soube que você cozinhava.

— Nem eu. Estou descobrindo que posso fazer um monte de coisas. Falando nisso — ela sorriu, enquanto Ivo tomava um grande gole de seu uísque — estou querendo lhe perguntar uma coisa.

Ele ajeitou-se no sofá e sorriu.

— O que é?

— Preciso de um emprego.

A maneira segura como ela falou quase o fez estremecer.

— Agora?

— Não neste minuto, mas quando tudo tiver terminado. O que acha?

— No *Mail*? Bettina, não é o que você quer. — Após alguns segundos, ele concordou. Ao menos podia fazer isso por ela. — Como minha assistente?

Ela riu e balançou a cabeça.

— Sem nepotismo, Ivo. Eu me refiro a um emprego de verdade, para o qual eu esteja qualificada. Que tal auxiliar de redação?

— Não seja ridícula. Não a deixarei fazer isso.

— Então não vou pedir a você.

Seu olhar era determinado. E a agonia da situação sempre o surpreendia. Mas a verdade era que ela precisaria de um emprego. Aceitava o fato, e ele teria de fazê-lo também.

— Vamos ver. Deixe-me pensar um pouco. Talvez eu tenha alguma idéia melhor do que algo no jornal.

— O quê? Casar com um velho rico?

Ela ironizou e ambos riram.

— Não sem pedir para mim primeiro

— Você não é suficientemente velho. E agora, que tal jantarmos?

— Boa idéia.

Trocaram mais um sorriso e ela entrou na cozinha para preparar alguns bifes. Rapidamente, arrumou a longa mesa de refeitório que seu pai trouxera da Espanha e colocou um vaso de flores amarelas sobre a toalha azul-escura. Quando alguns minutos mais tarde Ivo foi ver a cozinha, tudo estava em andamento.

— Sabe de uma coisa, Bettina? Você vai me mimar. Estou me acostumando a passar por aqui todas as noites antes de ir para casa. É muito melhor do que comida congelada ou sanduíches de pão dormido.

Ela virou-se para rir dele enquanto falava ajeitando os cabelos com as costas da mão.

— Ah! Quando é que você comeu um jantar congelado, Ivo Stewart? Aposto que você não jantou em casa uma só vez nos últimos anos. Falando nisso, o que aconteceu com a sua vida social desde que você resolveu ser minha babá? Você não sai mais?

Ivo olhava vagamente para as flores no centro da mesa.

— Não tenho tido tempo. Tenho andado muito ocupado no escritório. — Após alguns segundos, olhou novamente para ela. — E você? Também não sai há muito tempo.

Sua voz era gentil e ela virou-se, balançando ligeiramente a cabeça.

— É diferente. Não poderia... não posso... — Os únicos convites vinham dos amigos de seu pai e ela não podia encará-los agora. — Eu não posso.

— Por quê? Justin não esperaria que você ficasse em casa de luto, Bettina.

Mas será que havia outro motivo? Será que ela estava envergonhada de encarar as pessoas agora que a verdade fora revelada nos jornais? Será que era isso? Não conseguiram esconder a verdade sobre as finanças de Justin.

— Apenas não quero, Ivo. Me sentiria muito estranha.

— Por quê?

— Não pertenço mais a esse mundo.

Ela falou de forma tão desamparada que Ivo encaminhou-se para o seu lado.

— Que diabos você quer dizer com isso?

Seus olhos se encheram de lágrimas quando olhou para ele e de repente voltava a se parecer com a menina.

— Eu me sentiria uma fraude, Ivo. Eu... oh, Deus, a vida de papai era uma enorme mentira. Agora todo mundo sabe. Eu sei. Eu não tenho nada. Não tenho mais o direito de desfilar em festas sofisticadas ou sair com a elite e figuras ilustres. Eu quero apenas vender todas essas coisas, sair daqui e trabalhar.

— Isso é ridículo, Bettina. Por quê? Porque Justin se endividou você vai se privar do mundo onde viveu toda a sua vida? Isto é uma loucura, sabia?

Mas ela fez que não com a cabeça enquanto secava os olhos com a ponta da blusa.

— Não, não é loucura. Papai também não pertencia àquele mundo se foi preciso se endividar em quatro milhões de dólares para ficar lá. Ele deveria ter levado uma vida muito diferente.

Toda a dor e desilusão das últimas semanas apareceram de repente em sua voz, mas Ivo a puxou gentilmente para si e amparou-a com um braço. Era como uma garotinha novamente. Por um momento ela quis se aninhar em seu colo.

— Espera aí, Justin Daniels era um grande escritor, Bettina. Ninguém pode tirar esse mérito dele. Foi um dos grandes cérebros de seu tempo. E ele tinha todo o direito de estar em todos os lugares que esteve com as pessoas com que esteve. O que ele não devia ter feito era perder desta forma o controle da situação, mas este é outro assunto. Ele era uma estrela, Bettina. Uma estrela rara e especial como você é. Nada poderá mudar isso. Nem dívidas, pecados, fracassos ou erros. Nada vai mudar o que ele foi ou o que você é. Nada. Você está entendendo?

Ela não tinha certeza se entendia, mas o olhava agora com um misto de confusão e dor.

— Por que você diz que também sou especial? Porque sou filha dele? É por isso? Pois este é outro motivo que me faz sentir que não pertenço mais a este mundo, Ivo. Meu pai se foi. Que direito tenho eu de voltar ao convívio com estas pessoas? Principalmente agora que não tenho nada. Não posso mais lhes oferecer festas maravilhosas ou apresentações a pessoas famosas. Não posso fazer nada ou oferecer nada... não tenho nada... — E sua voz embargou. — Não *sou* nada.

A voz de Ivo foi dura em seu ouvido e seus braços mais apertados em seu corpo.

— Não, Bettina, você está errada. Você é alguma coisa. Sempre será e nada, nunca, poderá mudar isso. E não porque você é filha de Justin, mas porque é você. Será que não percebe quantas pessoas vinham aqui por sua causa, para conhecer você? Não apenas por ele. Você tem sido uma lenda, desde que era uma garotinha e nunca percebeu isso, o que era parte do charme. Mas é importante que entenda agora que *você é* alguém. Você, Bettina Daniels. Por falar nisso, não vou mais aceitar esta sua reclusão.

Ele parecia decidido ao pegar uma garrafa de vinho. Procurou dois copos, abriu a garrafa e derramou o Bordeaux vermelho no copo, dando-o para Bettina.

— Acabo de tomar uma decisão, srta. Daniels. Você vai jantar comigo e depois vamos à ópera, amanhã à noite.

— Vou? Oh, Ivo, não... — Ela parecia em pânico. — Não posso... Talvez mais tarde... outra hora.

— Não. Amanhã. — E sorriu gentilmente para ela. — Minha menina, você não percebeu que dia é amanhã?

Ela balançou a cabeça sem entender enquanto tirava os bifes do *grill*.

— É dia de ano-novo. E não interessa o que está acontecendo, nós vamos comemorar. Você e eu. — Ivo levantou o copo de vinho. — O ano de Bettina Daniels. É hora de percebermos que sua vida não acabou, querida, apenas começou.

Ela sorriu devagar e tomou o seu primeiro gole do vinho.

6

Bettina permaneceu de pé na sala escura olhando o tráfego descendo impacientemente a Quinta Avenida. A rua estava apinhada de carros encostados uns nos outros desde que as festividades começaram. Buzinas berravam, sirenes zumbiam, pessoas gritavam e em algum lugar desta noite, pessoas riam. Mas Bettina permanecia completamente quieta enquanto esperava. Era uma sensação estranha e excitante, como se sua vida toda fosse começar novamente. Ivo tinha razão. Ela não devia ter-se isolado tanto.

Talvez esta estranha sensação fosse causada por todas estas mudanças em sua vida. Não era mais uma criança. Estava sozinha agora. E ela se sentia estranhamente crescida de uma forma que nunca havia sentido antes. Seu comportamento adulto não era mais emprestado, era real.

A campainha tocou um momento depois e de repente todos estes sentimentos adultos pareciam bobos. Era apenas Ivo, e o que havia de tão incomum em ir à ópera com ele? Correu para abrir a porta.

Lá estava Ivo sorrindo, esbelto, elegante, com sua vasta cabeleira branca salpicada de flocos de neve e com um cachecol de seda branco em volta do pescoço, em contraste com o casacão de *cashmere* preto que vestia sobre a casaca. Ela recuou um pouco sorrindo para ele e então bateu as mãos como uma criança enquanto ele entrava.

— Ivo, você está lindo!

— Obrigado, querida. Você também está.

Ele sorriu gentilmente enquanto ela abaixava sua cabeça graciosamente usando o capuz estilo frade do seu casaco de veludo azul-escuro.

— Você está pronta?

Ela balançou a cabeça em resposta, e Ivo deu-lhe o braço. Com um sorrisinho, ela colocou a mão com luvas brancas no braço de Ivo e o seguiu até a porta. A casa estava assustadoramente silenciosa. Não havia mais empregados para segurarem a porta ou guardarem os casacos. Não havia mais reverências educadas, os serviços rápidos, a proteção... da realidade... do mundo. Por um momento Bettina ficou quieta enquanto procurava a chave em sua pequena bolsa de seda azul. Sorriu para Ivo quando a achou e trancou a porta.

— Parece que as coisas mudaram, não?

Ela estava melancólica apesar do sorriso. Ivo apenas mexeu a cabeça sentindo aquela dor.

Mas Bettina parecia mais ela mesma enquanto conversavam no elevador e depois no carro. O motorista conduzia o carro pacientemente no violento tráfego dos feriados. No banco de trás, Bettina fazia Ivo rir com histórias sobre pessoas que conhecera na faculdade.

— E você quer dizer que não sente falta disso? — Ivo a olhava de alto a baixo e seu olhar ficou sério. — Como é possível não sentir falta?

— Muito fácil. — Seus olhos também ficaram sérios. — Na verdade não ter mais que ir à faculdade é um alívio.

O olhar de Ivo demonstrava que ele não a entendia, e ela afastou os olhos.

— A verdade é que meu pai deu um jeito para que eu nunca estivesse com pessoas de minha idade. Eles são estranhos para mim agora. Eu não sei sobre o que falam e o que falar com eles. Falam coisas que eu não entendo. Não me enquadro.

Olhando para ela, Ivo percebeu mais uma vez o al o preço que Bettina teve que pagar por ser filha de Justin Daniels.

— E como é que você fica agora?

Parecia chateado, mas ela deu um grande sorriso.

— Falo sério, Bettina. Se você não se adapta a pessoas de sua idade, com quem vai conviver?

Ela sorriu gentilmente e murmurou:

— Com você!

Virou-se para o outro lado e deu-lhe um tapinha na mão. Por um momento uma sensação estranha percorreu o corpo de Ivo. Não tinha certeza se era excitação ou medo, mas não era pena ou arrependimento, e logo se repreendeu. Devia sentir uma dessas ou ambas. Devia ter pena dela, preocupar-se com ela, mas não deixar-se excitar assim como inegavelmente se sentia. Isto era uma loucura. E pior do que isso, era muito errado. Ele lutou contra o que sentia, sorriu e deu um tapinha em suas mãos suavemente. Havia um ar malicioso em seus olhos quando falou:

— Você deveria estar brincando com crianças de sua idade.

— Vou pensar nisso. — E após uma pausa que os levou praticamente à porta do Metropolitan Opera House, ela virou-se para ele e disse:

— Sabe de uma coisa, Ivo. Esta vai ser a primeira ópera a que vou assistir sem interrupções.

— Fala sério? — Estava surpreso.

Ela balançou a cabeça enquanto ajeitava as luvas.

— Geralmente eu corria para a sala Belmont para ver se tudo estava pronto para papai e suas festas. E sempre tinham recados. Eu checava as reservas do jantar e via se tudo estava certo por lá. Isto geralmente gastava toda a segunda metade do primeiro ato. No segundo ele se lembraria de trinta e sete outras coisas que não me dissera antes, o que significava mais ligações, mais recados. E finalmente, eu nunca via o final do terceiro ato porque ele gostava de sair cedo para evitar a multidão.

Por um momento Ivo a olhou com estranheza.

— Por que fazia isso? — Será que ela o amava tanto assim?

— Fazia porque era a minha vida. Porque não era só organizações, arranjos e servidão, como você deve estar pensando agora. Era especial, excitante e glamouroso e — ela parecia envergonhada — me fazia sentir importante, como se eu valesse alguma coisa e sem mim ele não pudesse continuar...

Nesse momento ela gaguejou e olhou para outra direção. A voz de Ivo era suave.

— E provavelmente é verdade, sabia? Sem você ele não poderia continuar. Certamente não tão feliz, confortável ou com tudo em ordem. Mas nenhum ser humano merece ser paparicado assim, Bettina. Não à custa de outra pessoa.

Os profundos olhos verde-esmeralda faiscaram:

— Não foi à minha custa. — E irritada, tentou abrir a porta e gritou para ele. — Você não entende!

Mas ele entendia. Entendia mais do que contara a ela; muito mais do que ela queria que ele soubesse. Compreendia a solidão e a dor da vida com o pai. Não era sempre *glamour* ou noites nas arábias. Para ela, era tristeza e também solidão.

— Posso ajudar?

Ele estendeu a mão para ajudá-la com a maçaneta da porta e ela virou-se para ele com os olhos em fogo, pronta para dizer não, afastar sua mão e insistir em se arranjar sozinha. Era um gesto simbólico e ele se esforçou para não rir. Sem resistir, acabou rindo e estendeu a mão para mexer com um dos cachos do cabelo de Bettina que saía do capuz.

— Ajudaria se você destrancasse a porta, senhorita independência. Ou você prefere quebrar a janela com o sapato e se arrastar para fora?

De repente ela também estava rindo. Tentou olhá-lo furiosa ao destravar a porta, mas o momento de raiva já havia passado. O motorista esperava do lado de fora para ajudá-los e ela saiu do carro ajeitando seu casaco e colocando o capuz para se proteger do vento forte.

Ivo abriu a porta de seu camarote para Bettina. Por um momento ela se lembrou daquela noite que estivera ali com seu pai, mas forçou-se para não pensar nisso e olhou para os olhos azuis de Ivo. Ele estava encantador, elétrico e vivo e era ótimo poder apenas olhar para estes olhos azuis.

Ela o olhou candidamente, acariciou seu rosto e ele sentiu alguma coisa agradável dentro dele.

— Estou feliz de ter vindo com você hoje, Ivo.

Por um instante tudo parou enquanto ele a olhava e sorria.

— Também estou, pequenina, também estou.

E então, com decoro e cavalheirismo, Ivo ajudou-a com seu casaco, e desta vez foi Bettina quem sorriu. Ainda se lembrava da primeira vez em que ele fez isso quando veio à ópera com Ivo e o pai há mais de dez anos. Vestia um casaco cor de vinho com gola de veludo, um chapéu combinando, luvas brancas e sapatos Mary Jane. A ópera era *Der Rosenkavalier* e ela ficou muito impressionada em ver mulheres se vestirem como homens. Ivo lhe explicara tudo, mas ela ainda ficou envergonhada. Enquanto pensava nisso, descobriu-se rindo ao tirar o casaco de veludo azul.

— Posso saber o que há de tão engraçado?

Ele já começava a rir.

— Estava pensando na primeira vez em que estive aqui com você. Lembra-se da mulher fingindo que era um homem?

Ivo riu com ela da lembrança e de repente ela percebeu uma coisa diferente em seus olhos. Ele olhava para o vestido que ela usava e ao fazê-lo, a noite de *Der Rosenkavalier* desapareceu de sua mente. O vestido que usava sob o casaco era do mesmo tom azul-marinho e parecia flutuar em volta dela como uma nuvem de *chiffon*. As mangas compridas davam-lhe um toque mágico e a pequena cintura explodia em camadas de tecido flutuante que caíam até seus pés. Ela estava infinitamente delicada e impressionantemente bonita ao postar-se em frente a ele com seus olhos tão brilhantes quanto as safiras e diamantes de seus brincos.

— Você não gosta do vestido?

Olhou-o inocentemente sem esconder o claro desapontamento e de repente o riso voltou a seus olhos ao estender-lhe as duas mãos. Como ainda era infantil em alguns momentos. Isto sempre o surpreendia. Era difícil de entender como ela mantinha este jeito inocente sob a aparência de conhecimento, apesar de estar constantemente exposta a homens que certamente não podiam deixar de ter os mesmos pensamentos que Ivo tinha agora.

— Eu adorei o vestido, querida. É lindo. Fiquei apenas um pouco... surpreso.

— Ficou mesmo? — Ela piscou o olho para ele. —E você nem viu tudo.

Deu uma pirueta e virou-se de costas. Contrastando com as mangas longas, gola alta e saia comprida, não havia parte de trás no vestido e tudo que via em sua frente eram as mais lindas e devastadoras costas brancas.

— Por Deus, Bettina, isso não é decente.

— Claro que é, não seja bobo. Vamos nos sentar. A música está começando.

Ivo suspirou ao sentar-se. Não sabia para qual imagem de Bettina devia se dirigir ou qual devia ter em mente. A criança da qual se lembrava ou a mulher sentada ao seu lado. Podia oferecer muitas coisas à criança. Podia instalá-la em sua casa. Mas com a mulher o problema era bem mais complicado... O que fazer, então? Dar-lhe um emprego no jornal? Uma noite na ópera como amigos? O problema era realmente insuportável. Quando o primeiro ato terminou ele percebeu quão pouco tinha ouvido.

— Não é maravilhoso, Ivo? — Seus olhos ainda sonhavam quando baixaram a cortina.

— Sim, é lindo. — Mas ele não pensava na ópera, apenas nela. — Gostaria de alguma coisa do bar?

Os outros já estavam formando filas nas saídas. A ida ao bar era uma obrigação para os *habitués* de ópera, não pela bebida, mas pelas pessoas que viam. Ivo percebeu que ela hesitava.

— Você prefere ficar aqui?

Satisfeita ela concordou e ambos sentaram-se.

— Você vai ficar muito chateado?

Seu ar era de desculpas, mas Ivo gesticulava indiferente.

— Claro que não, não seja boba. Você gostaria que eu lhe trouxesse alguma coisa aqui?

Mas Bettina apenas balançou a cabeça e riu.

— Você vai me deixar tão mimada quanto eu deixei meu pai, Ivo. Cuidado! Fica muito difícil viver com pessoas assim.

Falaram um pouco sobre Justin quando Ivo se lembrou das histórias que este lhe mostrara. As que Bettina tinha escrito.

— Um dia, se você quiser, poderá ser melhor escritora do que Justin.

— Está falando sério?

Ela olhou para ele como se estivesse muito assustada para respirar, esperando para ouvir sua resposta, mas também com muito medo.

— Estou. As últimas cinco ou seis histórias, você sabe, aquelas que escreveu no último verão, na Grécia... eram fantásticas. Você poderia publicá-las se quisesse, na verdade ia mesmo lhe perguntar isso um dia, se é no que está pensando.

— Claro que não. Eu apenas escrevi por... por escrever. Por nada. Papai mostrou para você?

— Mostrou.

— E ele achava que eram boas?

Sua voz tinha um ar de sonhadora e parecia que até esquecera que Ivo estava lá. Ele a olhou espantado.

— Ele não lhe disse?

Ela fez que não com a cabeça.

— Isso é um crime, Bettina. Ele adorou. Nunca lhe disse isso?

— Não. — E olhou para ele com sinceridade. — E nem o faria. Esse tipo de elogio não era do seu feitio.

Não, mas de ouvir ele gostava. Ah, sim, e como gostava. Ivo ficou novamente chateado ao pensar nisso.

— Basta dizer então que ele realmente adorou suas histórias.

Ela sorriu mais uma vez.

— Fico feliz.

Talvez essa fosse uma maneira pela qual pudesse ajudá-la.

— Vai tentar publicá-las?

— Eu não sei. — Deu de ombros com jeito infantil. — Eu lhe disse. Sonho em escrever uma peça. Mas isso não quer dizer que ainda escreva.

— Poderia, se quisesse. Um sonho bom e forte é suficiente, se você se agarra a ele, cuida dele e o constrói. Se nunca abandonar este sonho, não importa o que aconteça.

Por um longo momento Bettina não disse nada e desviou os olhos. Ele se aproximou e ela podia senti-lo perto, com as mãos próximas às suas.

— Não abandone estes sonhos, Bettina... nunca, nunca faça isso.

Quando ela finalmente o fitou era com olhos sábios e cansados.

— Meus sonhos já se acabaram, Ivo.

Mas ele balançou a cabeça com firmeza.

— Não, pequenina, eles apenas começaram.

Dito isso, aproximou-se dela e beijou-lhe suavemente a boca.

7

Foi uma estranha e maravilhosa noite com Ivo. Após a ópera, foram jantar no La Côte Basque e dançar no Le Club. Ivo e Justin eram sócios desde que o clube abriu e anos mais tarde ainda era um bom clube e o lugar perfeito para a passagem do ano. Estavam de volta aos bons termos de amizade, apenas o beijo confundiu Bettina por uns instantes, mas ela afastou qualquer pensamento de sua cabeça. Ele era um amigo muito querido. A maior parte da noite foi como nos bons tempos. Conversaram, riram e dançaram. Tomaram champanhe e ficaram fora até três da manhã, quando finalmente Ivo confessou sua exaustão e anunciou que a estava levando para casa. Os dois estavam estranhamente quietos na limusine no caminho de volta para o apartamento. Bettina pensando no pai e como era estranho não estar com ele ou ao menos não ter lhe telefonado para desejar um feliz ano-novo. Dirigiram vagarosamente pelo lado leste até chegarem à porta do prédio.

— Você quer subir para tomar um conhaque?

Ela perguntou quase por hábito, entre bocejos, mas já eram quase quatro horas e Ivo sorriu.

— Você faz com que pareça bastante tentador. Acha que pode ficar acordada até chegar lá em cima?

Ajudou-a a sair do carro e entrou com ela.

— Não tenho certeza... de repente... fiquei com tanto sono... — Mas ela estava sorrindo enquanto subiam pelo elevador. — Tem certeza de que não quer mais um drinque?

— Absoluta.

— Bom. Porque eu quero dormir.

Ao dizer isso parecia ter doze anos de idade e ambos riram. A casa estava assustadoramente vazia quando ela abriu a porta e acendeu a luz.

— Você não tem medo de ficar aqui sozinha, Bettina?

— Às vezes.

O coração de Ivo apertou-se mais uma vez.

— Me promete uma coisa? Se você tiver algum problema, qualquer problema, você me liga? Eu quero dizer, imediatamente, e eu venho correndo.

— Eu imaginei que viria. Mas é bom saber.

Ela bocejou novamente e sentou na cadeira Luís XV do *hall*, chutando seus elegantes sapatos azuis de cetim. Ivo sentou-se numa cadeira em frente à dela.

— Você está linda esta noite, Bettina. E terrivelmente adulta.

Ela encolheu os ombros parecendo mais com a garotinha que era.

— Suponho que eu seja adulta agora. — E com uma risadinha, jogou um dos sapatos de cetim no ar. Pegou-o antes que, por pouco, quebrasse um vaso caríssimo que estava na mesa de mármore. — Sabe o que é mais estranho de tudo, Ivo?

— O que é?

— Sem falar na solidão, é ser responsável por mim. Não há ninguém, ninguém mesmo, para me dizer o que fazer, me passar sermão, me dar castigo, resolver os meus problemas... nada disso... Se eu tivesse quebrado esse vaso, seria apenas problema meu, de mais ninguém. É uma sensação de solidão também, como se ninguém ligasse para mim.

Olhou pensativamente para seu sapato e jogou-o no chão, mas Ivo a observava.

— Eu me importo.

— Eu sei disso. E me importo com você também.

Por um momento não lhe deu nenhuma resposta, apenas olhou-a.

— Fico feliz. — Levantou-se e aproximou-se dela. — E agora, contrariando sua teoria, vou dizer-lhe para ir para a cama como uma boa menina. Quer que eu a acompanhe até seu quarto?

Bettina hesitou por alguns minutos e depois sorriu.

— Você não se importaria?

Ele pareceu estranhamente sério quando fez que não com a cabeça. Ela se encaminhou para as escadas descalça. Seus sapatos ficaram esquecidos no chão do *foyer*, e levava seu casaco de veludo azul nos braços enquanto Ivo a acompanhava de frente para aquelas costas nuas. Mas estava controlado, agora. Durante a noite havia decidido o que faria. Ela virou-se para olhá-lo por sobre os ombros ao chegarem no alto da escada.

— Você vai me colocar na cama?

Parte dela estava ironizando e parte estava séria e Ivo não sabia mais o que via em seus grandes olhos verdes. Mas não faria perguntas.

Bettina passou a mão sobre os olhos com ar cansado e de repente parecia muito envelhecida.

— Tenho tanta coisa para fazer, Ivo. Às vezes não tenho certeza se vou conseguir.

Ivo lhe deu uns tapinhas no ombro.

— Você vai, querida. Você vai. Mas precisa primeiro, *mademoiselle*, de uma boa noite de sono. Então, boa noite, pequenina. Não precisa me acompanhar até a porta.

Ela o ouviu descer o *hall* acarpetado, depois de um momento de silêncio, sabia que tinha chegado às escadas e finalmente ouviu o ruído de seus sapatos no mármore de baixo, e ele gritou ''Boa noite'' pela última vez antes de fechar a porta.

8

Bettina seguiu a mulher até o andar de cima, sorrindo gentilmente, abrindo portas de armários e ficando perto enquanto a corretora exaltava as qualidades do apartamento e mencionava de passagem suas falhas. Bettina não precisava estar presente para essa apresentação, mas queria estar. Queria saber o que falavam de seu lar.

Finalmente acabou, após quase uma hora, e Naomi Liebson, que já estivera lá três vezes naquele mês, se preparava para sair. Houve outras visitas, com outros corretores, mas até agora esta cliente parecia a mais interessada.

— *Eeeuuu* não sei, querida. *Euuu* não estou realmente, realmente segura.

Bettina tentou sorrir, mas a graça de mostrar o apartamento já estava se esgotando. Era muito cansativo acompanhar pela casa este batalhão de possíveis compradores, diariamente. E não havia ninguém para ajudá-la a aliviar a tensão. Ivo estava na Europa a negócios há três semanas. Houve uma conferência internacional na China e como era a primeira do gênero, ele teve que ir. E depois disso, tinha negócios marcados na Europa: Bruxelas, Amsterdam, Roma, Milão, Londres, Glasgow, Berlim e Paris. Seria uma longa viagem. Parecia que ele partira há anos.

— Srta. Daniels?

A corretora teve que tirá-la de seus pensamentos com um toque no braço.

— Desculpe-me, eu estava longe... Tem mais alguma coisa?

Naomi Liebson havia entrado na cozinha outra vez, tentando imaginar como ficaria se ela derrubasse duas paredes. Pelo jeito que falava, iria revirar o lugar todo, no andar de cima e de baixo. Isso fez Bettina pensar em por que aquela senhora não comprava alguma coisa mais do seu agrado, mas aparentemente fazia isso para se divertir. Realizara mutilações semelhantes em cinco apartamentos de condomínio em alguns anos e os revendeu com um enorme lucro. Talvez não fosse tão louca, afinal. Bettina olhou com curiosidade para a corretora e sorriu.

— Acha que ela vai comprar?

A moça deu de ombros.

— Não sei. Estou trazendo mais duas pessoas ainda hoje. Mas não acho que sejam as pessoas para este tipo de apartamento. É muito grande para uns, o casal é mais velho e aqui tem muitas escadas.

— Então por que trazê-los?

Bettina olhou para ela cansada, parando de forçar o sorriso. Mas não conseguiu resistir a perguntar. Por que eles vinham? Alguns queriam mais quartos, velhos que não queriam escadas, famílias grandes que precisavam de mais quartos de empregados. Havia pessoas para as quais o apartamento nunca seria adequado, mas os corretores continuavam a trazê-los aos montes, mostrando o apartamento quando este parecia adequado somente para uns poucos. Era um monstruoso desperdício de tempo, mas tudo fazia parte do jogo.

Mas também, é claro, era o apartamento de Justin Daniels, o que já era emocionante... Por que estariam vendendo?... Diversas vezes Bettina ouviu sussurros. Depois a resposta. "Ele morreu e deixou a filha na miséria." Na primeira vez que ouviu isso, encolheu-se de vergonha e lágrimas de indignação escorreram de seus olhos. *Como podiam dizer isso? Como ousavam?* Mas podiam e ousavam. Já não se importava mais. Só queria vender o apartamento e sair fora. Ivo tinha razão, era muito grande, muito solitário e de vez em quando ela sentia medo. Mas o pior é que não podia mantê-lo, e a cada mês, quando o condomínio vencia, tremia ao exaurir suas minguadas economias ainda mais. Já era tempo de alguém comprá-lo. Naomi Liebson ou quem quer que fosse.

Todas as outras casas foram vendidas antes de primeiro de janeiro. Teve uma sorte incrível com a casa de Beverly Hills poucas semanas antes. Um rapaz do Oriente Médio comprou-a com porteiras fechadas, com tapetes, cômodas, espelhos do século XVIII, pinturas modernas e tudo. Aquela casa sempre fora uma mistura estranha entre o muito exibicionista e o muito refinado e Bettina não gostava tanto de lá quanto gostava do apartamento de Nova York. Quase nem doeu assinar os papéis... Tudo que restava fora do país era o apartamento de Londres, mas, segundo Ivo, já estava quase vazio. Ivo ligou para Bettina de lá. O procurador de Justin em Londres tinha alguém em vista para comprar o lugar. Avisaria a ela até o final da semana. Sobrava apenas o da Quinta Avenida para ser vendido. E este não pareceria o mesmo em duas semanas.

Suspirou outra vez ao lembrar do leilão. Conseguiram uma data mais próxima como favor a ela. E em dez dias, Parke-Bernet viria buscar tudo. Literalmente tudo! As três semanas de ausência de Ivo ela passara inspecionando cada mesa, estante, cadeira. No final sabia que não poderia ficar com nada, apenas algumas lembranças, alguns pequenos objetos que não tinham valor algum, mas que significavam muito para ela.

Além disso, não haveria mais nada que fosse dela após o leilão e esperava já ter vendido o apartamento. Acampar num apartamento vazio era mais do que podia suportar.

A corretora olhou curiosamente para ela, enquanto ambas esperavam que a sra. Liebson voltasse. Não era comum o vendedor ajudar a mostrar o apartamento, mas Bettina não era mesmo uma menina comum.

— Você já achou alguma outra coisa?

Ela olhou para Bettina com interesse. "Por Deus", pensou Naomi, "mesmo que Bettina estivesse quebrada, após vender este palácio ela poderia comprar alguma coisa pequena e graciosa, talvez um estúdio ou uma cobertura de quarto e sala de frente para o parque. Não lhe custaria mais de cem mil dólares." Mas não sabia que cada centavo da venda do apartamento, além de todo o lucro do leilão, seria necessário para saldar as dívidas do pai.

— Ainda estou procurando. Não quero começar antes de vender este.

— Mas está errada. Você sabe como é quando se vende. Os compradores se arrastam para decidir por três semanas e de repente compram e querem que você saia da noite para o dia.

Bettina tentou sorrir, mas não conseguiu. Ela pretendia mudar-se para o hotel Barbizon para moças, que ficava na esquina de Lexington Avenue com a Rua 63. Lia diariamente o *New York Times* e, é claro, o *New York Mail* e esperava encontrar um lugar para alugar em questão de dias ou talvez semanas. Ela pensava até mesmo em dividir com alguém se fosse o caso. E depois disso procuraria um emprego. Decidira não discutir mais o assunto com Ivo. Ele iria certamente colocá-la num escritório chique, pagando um salário que ela não merecia e não queria. Ela queria ganhar o próprio sustento. Tinha de encontrar um emprego de verdade. Esta perspectiva já lhe era bastante extenuante. Nesse ínterim, a sra. Liebson voltou.

— Eu nem sei o que vou fazer com esta cozinha, meu bem, está um horror.

Olhou repreensivamente para Bettina enquanto tentava manter um sorriso. Olhou então para a corretora e acenou com a cabeça e, mal dizendo um adeus, elas se foram. Por um momento Bettina ficou imóvel, odiando-as, e fechou vagarosamente a porta. Nem queria saber se a mulher compraria ou não o apartamento. Não queria mesmo que ela ficasse com ele. Não queria que ela tocasse na cozinha ou qualquer outro cômodo. Era *sua* casa, e de seu pai. Não pertencia a mais ninguém. Calmamente, sentou-se na penumbra do inverno, olhando em volta e depois fixando-se nos tacos primorosamente decorados. Como ele pôde fazer isso com ela? Como pôde deixá-la no meio desta bagunça? Será que ele não sabia o que estava fazendo? Não poderia prever? O ressentimento contra o pai aflorou em sua garganta como bílis e ela deixou as lágrimas escorrerem. Eram lágrimas de raiva e exaustão e seus ombros começaram a tremer enquanto ela escondia o rosto com as mãos e começava a soluçar. Parecia que haviam se passado horas quando finalmente ouviu o telefone. Deixou que tocasse por algum tempo, mas era persistente e, afinal, levantou-se e foi até o pequeno móvel no vestíbulo onde ficava o aparelho. Já estava se acostumando a ter que atender o telefone diretamente, não importando o quanto se sentisse mal. Longe estavam os dias de glória, pensou ela, enquanto secava os olhos com um lenço.

— Alô?

— Bettina?

— Sim!

Ela mal podia ouvir a abafada voz masculina.

— Você está bem, querida? É Ivo. Estou ligando numa hora boa?

Seu rosto iluminou-se ao ouvi-lo e rapidamente secou as lágrimas que recomeçavam a cair.

— Oh, claro que é.

— O quê? Não posso ouvi-la, querida. Fale mais alto. Você está bem?

— Estou, sim.

Mas tinha vontade de contar-lhe a verdade, tudo... *Não, estou sozinha, sentindo-me péssima... Em algumas semanas não terei mais um lar.*

— O que está acontecendo com o apartamento? Conseguiu vendê-lo?

— Ainda não.

— Tudo bem. Mas vendemos o de Londres. Fechamos o contrato esta noite. — Ele disse os números. Eram suficientes para baixar bem o montante da dívida.

— Isto deve ajudar. Como está a sua viagem?

— Parece interminável.

Ela sorriu.

— Parece mesmo. Quando você volta para casa?

Não havia percebido quão ansiosa estava em revê-lo.

— Não sei. Eu deveria ter voltado alguns dias atrás, mas me prendi com novos assuntos por aqui. Talvez tenha que demorar mais um pouco.

Sentiu que estava fazendo um bico, mas não ligava a mínima se parecesse com uma menininha. Podia agir assim com ele. Ele entendia.

— Quanto tempo?

— Bem — ele pareceu gaguejar. — Acabei de me comprometer por mais duas semanas.

— Oh, Ivo! — Ele havia partido dois dias depois da comemoração de ano-novo. — Isto é horrível!

— Eu sei, eu sei. Me desculpe. Prometo me redimir quando voltar.

— Você vai chegar a tempo para a grande venda?

— Que venda?

— O leilão.

— Quando vai ser? Pensei que não seria tão cedo.

— Eles anteciparam para me ajudar. Será daqui a duas semanas. Sexta e sábado. Serão só das coisas do papai. Tudo.

— E você, pelo amor de Deus? Vai sair pelo mundo com uma mala e um nome?

Finalmente ela sorriu.

— De jeito nenhum. Você não viu meus armários. Vou levar mais do que uma mala.

— Não pode se desfazer de tudo. Que diabos vai fazer, dormir no chão?

— Já cuidei disso, e posso alugar uma cama. Ou faço tudo agora ou espero mais um ano para que Parke-Bernet tenha outra data para programar o leilão. E aí? Se eu conseguir vender este apartamento, terei que pagar um depósito para guardar os móveis... Não se preocupe, Ivo, é muito complicado. Tem que ser assim.

— Por favor, Bettina, gostaria que você esperasse eu voltar para casa antes de se meter em tudo isso.

Sua voz parecia perturbada e ela olhava para o quarto com desânimo. Ivo não podia fazer muito para impedi-la a uma distância de cinco mil quilômetros e na verdade ela estava certa em fazer o que pretendia. Apenas odiava ter que passar por tudo sozinha. Toda a sua vida, na verdade, Bettina enfrentou os momentos de dificuldade sozinha.

— De qualquer maneira, não se preocupe com isso, Ivo. Está tudo sob controle. Apenas sinto uma falta louca de sua presença.

— Eu volto logo. — Ele checou em seu calendário e lhe deu a data precisa.

— A que hora?

— Eu pego o vôo que sai de Paris às sete da manhã e que deve chegar em Nova York às nove, hora local. Estarei na cidade às dez horas.

Ela queria fazer-lhe uma surpresa e esperá-lo no aeroporto, mas lembrou-se de que não poderia de jeito nenhum.

— Por quê?

— Deixa pra lá. É o dia do leilão.

— A que hora começa?

— Às dez da manhã.

Ele fez uma anotação em sua agenda.

— Te encontro lá.

E, de repente, Bettina estava sorrindo. Diferente de seu pai, Ivo nunca a deixava na mão.

— Você tem certeza de que dá para fazer isso? Não tem que ir trabalhar?

E esta foi a vez dele sorrir.

— Depois de cinco semanas, um dia não faz diferença. Vou chegar o mais cedo possível. E te ligo antes disso, pequenina. Está mesmo tudo bem com você?

Mas como ela podia estar com corretores vasculhando todo o seu apartamento e com todos os seus pertences prontos para serem vendidos?

— Estou bem, juro.

— Não gosto que esteja aí sozinha.

— Eu lhe disse, estou bem.

Falaram por mais alguns minutos e ele teve que desligar.

— Eu te ligo, Bettina.

Houve uma estranha pausa em sua voz ao hesitar e o coração de Bettina tremeu.

— Sim?

— Deixa pra lá, pequenina. Se cuide.

9

Na manhã seguinte, o telefone tocou antes que Bettina tivesse acordado. Era a corretora. Cinco minutos depois estava sentada na cama com um olhar de desânimo.

— Puxa vida, estas são boas notícias.

A corretora falou com ela claramente irritada, e Bettina concordou. Eram boas notícias. Mas ainda era um choque. Acabara de perder seu lar. Por um bom preço, mas ela o perdera. O momento havia chegado.

— Eu acho que sim. É que... eu não... não esperei que acontecesse tão rápido...

Não encontrava palavras para responder e subitamente sentiu ódio da mulher do Texas. Estava comprando o apartamento e por um valor que deveria fazer Bettina pular de alegria, mas não sentia vontade de pular. A corretora continuava falando enquanto os olhos de Bettina encheram-se de lágrimas.

— Devo dizer que podemos assinar o contrato daqui a duas semanas? Isto vai dar a ambas duas semanas inteiras para se prepararem.

Depois de tudo combinado, Bettina desligou, sentando em silêncio no seu quarto, olhando em volta como se fosse a última vez.

Ela passou a semana seguinte arrumando as malas e parando para secar as lágrimas. Finalmente na quarta-feira vieram buscar as inúmeras preciosidades para levá-las para os benditos salões de Parke-Bernet. Foi no mesmo dia em que ela esteve com seus advogados fechando o contrato da venda do apartamento. Nem se deu ao trabalho de alugar uma cama. Descobriu um saco de dormir e dormiu no chão de seu quarto. Seriam apenas três noites. Ela podia ter ido para o hotel mais cedo, mas não quis. Queria ficar lá até o final.

No dia do leilão, Bettina acordou cedo. Começou a se mexer assim que a primeira luz do dia cruzou o quarto. Já nem se preocupava em fechar as cortinas. Gostava de acordar cedo e sentar-se no grosso carpete, tomando seu café.

Mas nesta manhã, estava nervosa demais para tomar café e caminhou pela casa como um gato, descalça e de camisola. Se fechasse os olhos ainda podia ver como esteve o apartamento até a semana anterior. Com os olhos abertos, o apartamento estava estranhamente árido e o chão de taco estava frio. Voltou para seu quarto pouco depois das sete e remexeu seu armário por quase uma hora. Este não era um dia para *blue jeans*. Ela não ia vestir roupas de trabalho ou se esconder na última fila. Ia entrar no salão com orgulho e com a cabeça em pé. Por esta última vez ela seria vista como a filha de Justin Daniels e estaria fabulosa. Como se nada tivesse mudado.

Finalmente descobriu um lindo conjunto Dior de veludo preto com ombreiras, cintura marcada e uma longa saia justa. Seu cabelo pareceria uma chama sobre uma vela negra. E ainda uma jaqueta abotoada até o pescoço fazendo uma gola chinesa. Não precisaria de blusa. Vestiria seu *mink* por cima e calçaria os sapatos Dior de salto alto.

Tomou seu banho no banheiro de mármore rosa pela última vez e saiu cheirando a gardênias e rosas. Escovou os cabelos até que brilhassem como mel escurecido, maquiou-se um pouco e vestiu-se com calma. Quando se colocou frente ao espelho, teve orgulho do que viu. Ninguém adivinharia que ela era uma garota de apenas dezenove anos que acabara de perder tudo o que tinha.

O salão do leilão já estava cheio de gente, com filas e filas de negociantes, colecionadores, curiosos, compradores e velhos amigos. Todas as conversas pararam quando ela entrou na sala. Dois homens pularam à sua frente e tiraram sua fotografia, mas Bettina nem vacilou. Andou majestosamente para uma das primeiras filas, quase em frente do leiloeiro e colocou o *mink* nas costas da cadeira. Seus olhos não sorriam e ela nem tomou conhecimento dos que tentavam chamar sua atenção. Estava uma linda visão em preto, com seu cabelo cor de cobre e a única jóia que usava era um longo colar de pérolas perfeitas que fora de sua mãe. Usava brincos combinando e nas mãos, apenas um anel de ônix e pérola. A única coisa que não havia vendido nestes três meses, desde a morte de seu pai, foram as jóias. Ivo havia lhe assegurado que ela poderia ficar com elas, e apesar disso saldar todas as dívidas do pai, e ele estava certo.

O palco estava diretamente à sua frente, de onde ela sabia que poderia ver os objetos familiares aparecerem ao serem leiloados. Nos cantos e ao longo da sala já podia ver algumas peças, aquelas que eram muito grandes para serem carregadas para o palco e depois de volta para o chão.

Cômodas altas, aparadores enormes, sua estante, e dois relógios carrilhões bem grandes. A maioria era Luís XV, alguns Luís XVI, alguns ingleses, mas todos raros e muitos assinados, e seria o que o catálogo definia como uma venda "importante", o que era bem adequado, pensou Bettina, porque Justin Daniels fora um homem importante. Sentiu-se também importante ao sentar-se lá, porque esta era a última vez que estaria em algum lugar como sua filha e não apenas como Bettina.

O leilão começou exatamente sete minutos depois das dez e Ivo ainda não havia chegado. Bettina olhou para o relógio Cartier simples que usava no pulso esquerdo e depois deixou seus olhos vagarem de volta ao pódio, ao leiloeiro e para a grande arca Luís XV com mármore por cima, que acabara de ser vendida por 22.500 dólares. A plataforma circular, no palco, girou vagarosamente e revelou outro artigo familiar. Era o grande espelho ornamentado do século XVIII que ficava no *hall* de entrada.

— As ofertas podem começar a dois mil e quinhentos... dois mil e quinhentos... três mil! Já tenho três mil... quatro... cinco... seis... sete... sete e quinhentos ali à esquerda... oito!... nove, na frente da sala... nove e quinhentos... dez!, lá no fundo... dez... dez... será que tenho onze?... onze e quinhentos... e doze! doze aqui na frente!

E, com isso, bateu o martelo. Tudo terminara em menos de um minuto, na velocidade de um raio, e tudo acontecia de forma quase invisível. Dedos quase não se mexiam, as mãos eram levantadas discretamente, valiam gestos de cabeça, sinais de olhos e o mais leve gesto com uma caneta. Os auxiliares eram treinados para verem tudo isto e avisar rapidamente ao leiloeiro, mas era raro o espectador ver quem estava fazendo a oferta. Bettina não fazia idéia de quem comprara o espelho antigo. Fez uma anotação em seu catálogo e recostou-se para ver qual era o próximo artigo.

Eram as duas *bergères* estofadas com uma delicada seda café-com-leite que ficavam no quarto de seu pai. Havia também uma *chaise longue* que combinava e que era o próximo artigo do catálogo. Bettina, com sua caneta pronta e esperando que as ofertas começassem, sentiu alguém sentar-se na cadeira vazia ao seu lado. Então, ouviu uma foz familiar em seus ouvidos.

— Você as quer?

Seus olhos pareciam cansados e sua voz, severa. Ao virar-se para ver Ivo, o ar de funeral que possuía minutos antes desapareceu.

Colocou os braços em volta de seu pescoço, e por um momento, o abraçou intensamente. O rosto de Ivo iluminou-se com um sorriso. Ela se afastou um pouco e sussurrou em seus ouvidos:

— Bem-vindo ao lar, estranho. Estou tão feliz que tenha vindo!

Ele acenou com a cabeça e com ar sério repetiu a primeira pergunta.

A oferta já estava em nove mil e quinhentos.

— Você as quer?

Mas ela apenas negou com a cabeça. E depois, inclinando-se para ela mais uma vez, Ivo pegou sua mão, gentilmente.

— Quero que você me diga o que quer de tudo isso. Qualquer coisa que tiver algum significado para você, me diga. Eu compro e guardo no meu apartamento. Você pode me pagar depois, se quiser, e eu não ligo se isto significar vinte anos... — e sorriu, inclinando-se para ela —... se eu ainda estiver por aqui para receber, o que eu duvido.

Ele sabia como Bettina era orgulhosa, por isso teve que fazer a oferta como fez.

Ela sussurrou novamente após venderem as duas cadeiras por treze mil e quinhentos.

— É bom que esteja, viu?

— Aos oitenta e dois? Pelo amor de Deus, Bettina, isto não.

Olharam-se como se estivessem juntos todos os dias durante um mês. Era difícil de pensar que ele esteve fora por cinco semanas.

— Você está bem?

Ela concordou com a cabeça.

— Estou bem. Você está cansado da viagem?

O casal sentado à frente reclamou do falatório, mas Ivo os olhou de forma maléfica e voltou-se para Bettina com um jeito cansado.

— Foi um longo vôo. Mas eu não queria que estivesse aqui sozinha. Por quanto tempo isto vai durar hoje? O dia todo? — Ele rezava para que não fosse, pois precisava de algumas horas de sono.

— Só até o almoço. E amanhã de manhã e de tarde.

Ivo gesticulou com a cabeça e virou-se para ver o que estava no palco. Bettina calara-se de forma estranha e ele apertou-lhe a mão. Era a escrivaninha de Justin.

Inclinou-se silenciosamente para ela e falou mais uma vez em seus ouvidos.

— Bettina!

Mas ela balançou a cabeça, olhando para o outro lado.

— Sete mil... sete... oito?... sete e quinhentos... oito!... nove!

Foi vendida por nove mil dólares, e Bettina pensou que para um colecionador deveria ser um bom preço. Mas para ela valia mais. Era a mesa onde seu pai trabalhara, onde escrevera seus últimos dois livros, onde ela o vira mergulhar em manuscritos... Sua mente vagou dolorosamente para o passado, mas Ivo a estava observando e ainda segurando sua mão com firmeza.

— Relaxe, pequenina... ainda é sua!

Ele falou com uma bondade infinita e ela olhou-o confusa.

— Eu não entendo.

— E não precisa. Conversamos depois.

— Você a comprou? — Ela o olhou estupefata e por um momento, querendo rir.

Ele concordou:

— Não fique tão surpresa.

— Por nove mil dólares?

Ela estava horrorizada e alguém atrás dela pediu que abaixasse a voz. Milhares de dólares de ofertas estavam em jogo, e este não era momento para distração na platéia. Era um grupo sério. Como jogadores, prestavam atenção ao que estavam fazendo e nada mais. Mas Bettina ainda encarava Ivo com surpresa.

— Ivo, você não fez isso!

Desta vez ela sussurrou mais suavemente e ele sorriu.

— Fiz!

Olhou novamente para o palco e levantou a sobrancelha, de forma questionadora. Era outra escrivaninha. Ele inclinou-se para ela.

— Onde estava aquilo?

— No quarto de hóspedes. Mas não é uma boa peça. Não compre.

Olhou-o com seriedade, pensando quantas peças ele pretendia comprar, e Ivo a observava divertindo-se.

— Obrigado pelo conselho.

Aparentemente os colecionadores e negociantes concordavam com ela sobre esta peça. Foi vendida por apenas mil e oitocentos dólares. Ao padrão do dia, era barato.

As formalidades pareceram continuar por horas, mas Bettina não o deixou comprar mais nada. Finalmente acabara. Pelo menos por aquele dia. Faltavam cinco para meio-dia. Levantaram-se junto com a multidão que se preparava para sair segurando seus catálogos e discutindo as ofertas com os amigos. Ela percebeu que Ivo a observava e isto a fez sentir um calor dentro do peito, ligeiramente desconfortável.

— O que está olhando?

— Você, pequenina. Porque é muito bom revê-la.

Sua voz soava como palavras de veludo. Ela queria dizer que sentira sua falta, mas em vez disto, com um leve corar no rosto, abaixou a cabeça.

Enquanto a observava, percebeu uma sombra em seus olhos. "Qual seria o problema agora? Já havia algo diferente nela." Novamente algo mudara enquanto esteve fora. Mas desta vez ele não sabia o que era e não tinha certeza se gostaria de saber.

— Você vem para casa comigo, Bettina, para almoçar?

Ela hesitou por um momento e depois concordou.

— Seria muito bom.

Ivo chamou o motorista, e logo seguiam em direção ao seu apartamento, doze quadras ao sul do de Bettina, na Park Avenue. Era confortável, bem menos grandioso, mas cheio de coisas bonitas e atraentes. Havia grandes cadeiras de couro e sofás macios, pinturas com cenas de caçadas e estantes repletas de livros raros. Havia muitos objetos de cobre perto da lareira e as janelas eram grandes, inundadas pela luz do sol. Era obviamente o apartamento de um homem, mas simpático, aconchegante e grande o bastante para mais de uma pessoa. Na parte de baixo havia uma sala de estar, a de jantar e a biblioteca. Na parte de cima, dois quartos e o estúdio. Havia também uma espaçosa cozinha revestida de madeira, no estilo *country*. Atrás da cozinha, quartos para duas empregadas, mas ele mantinha apenas uma. Seu motorista morava em algum outro lugar e era, na verdade, empregado do jornal. Bettina sempre gostou de ir àquele apartamento. Era como visitar alguém em sua casa de campo ou ver um tio favorito em sua 'toca'. Tudo cheirava a tabaco, colônia e bom couro. Ela gostava da decoração, das texturas e dos aromas.

Olhava em volta com a sensação de estar voltando para casa enquanto encaminhavam-se para a sala ensolarada. Ivo observava Bettina e percebeu que o olhar de medo parecia ter desaparecido de seu rosto.

— É bom estar aqui outra vez, Ivo. Eu sempre esqueço como é bonito o seu apartamento.

— É porque não vem aqui tantas vezes quanto deveria.

— Você não me convida.

Estava brincando e feliz ao desabar em um dos sofás.

— Se é apenas por isso que não vem aqui, vou convidá-la com freqüência. — Ele sorriu, mas não podia evitar a montanha de cartas. — Oh, Deus! Olhe só para isso, Bettina...

— Estava tentando não olhar. Me faz lembrar do papai quando voltava de viagem.

— E isto não é nada. Tenho certeza de que no escritório deve estar pior.

Passou a mão pelos olhos e encaminhou-se para a cozinha. Mathilde parecia ter sumido misteriosamente. Ivo pensou que ela o estaria esperando.

— Onde está Mattie?

Bettina leu seu pensamento. Ela a chamava assim desde que era uma menininha.

— Eu não sei. Posso oferecer-lhe um sanduíche? Estou esfomeado.

Ela o olhou com jeito frágil.

— Eu também. Estava tão nervosa no leilão e agora, de repente, estou faminta. — Então lembrou-se: — Por falar nisso, Ivo... e a escrivaninha? — Ela o olhou de forma acusadora, mas havia algo bem mais suave em seu olhar.

— Que escrivaninha? — Ele parecia desinteressado ao entrarem na cozinha. — Espero que pelo menos tenha algo para comermos.

— Conhecendo Mattie, deve ter o suficiente para um exército. Mas você não me respondeu, Ivo. E a escrivaninha?

— O que tem ela? É sua.

— Não, é de papai e agora, sua. Por que não fica com ela? Ele gostaria, e você sabe disso.

Ela o olhou com carinho e abriu a geladeira dando-lhe as costas.

— Não se preocupe com isso, você pode escrever nela a sua peça. Não vamos discutir. — Ainda era muito cedo para falar sobre o que ele tinha em mente.

Bettina suspirou. Deixaria para outro dia aquela discussão.

— Por que não deixa que eu faça o almoço?

Ele não pôde resistir a passar a mão pelos cabelos de Bettina. Sua voz, muito grave, estava gentil.

— Você está bonita hoje, pequenina... nesse conjunto preto.

Ela nada respondeu e passou por ele preparando-se para fazer o almoço. Ivo não parou de olhá-la e, quando ela se virou de costas, ele perguntou:

— O que está acontecendo que você não quer me contar, Bettina? Acho que alguma coisa te perturba.

Sentiu-se um bobo em dizer isto. Cada peça de mobília do pai de Bettina estava sendo vendida num leilão e era natural que ela se sentisse perturbada. Mesmo assim lhe parecia que havia algo mais. Percebera algo mais doloroso em seus olhos.

— Algo que não me contou?

— Vendi o apartamento.

— O quê? Já?

Bettina balançou a cabeça sem dizer uma palavra.

— E quando vai entregá-lo?

Bettina evitou seu olhar, tentando recuperar a respiração.

— Amanhã. Eu disse que sairia amanhã à tarde. Está no contrato.

— E quem foi o idiota que deixou você fazer isso? — Olhou para ela ameaçadoramente e depois estendeu-lhe os braços. — Não importa quem foi, posso adivinhar. Foi aquele advogado. Oh, Deus!

Tudo que ela queria saber era que ele a abraçava agora e não parecia que o mundo acabara.

— Oh, querida... pobre menina... toda a mobília... o apartamento. Oh, Deus, você deve estar se sentindo péssima.

Ele a embalava suavemente e em seus braços ela se sentia segura.

— E estou, Ivo... e estou... eu sinto... — As lágrimas desceram. — Sinto como se... estivessem levando... tudo... como se não sobrasse... mais nada. Só eu, sozinha no apartamento... tudo acabou. Não há mais passado... e eu não tenho nada, Ivo... nada mesmo!

Ela soluçava, e ele a envolveu mais.

— Será diferente um dia, Bettina. Um dia, você vai olhar para o passado e tudo vai parecer um sonho. Um sonho que aconteceu com outra pessoa. Vai passar, querida... vai passar...

Ele desejava eliminar rapidamente aquela dor. Já tomara uma decisão antes de partir para Londres, mas não sabia se era o momento certo para falar. Esperou até que se acalmasse antes de fazer-lhe alguma pergunta. Levou-a para a sala de estar e a sentou no sofá perto dele.

— O que você vai fazer amanhã, Bettina, quando você se mudar?

Ela respirou fundo e olhou para ele:

— Vou para um hotel.

— E esta noite?

— Quero dormir lá.

— Por quê?

Ela começou a dizer 'porque é meu lar', mas seria ridículo. Era apenas um apartamento vazio e não mais o lar de ninguém.

— Eu não sei. Talvez porque seja a última vez.

Ele a olhou com carinho.

— Isso não faz muito sentido, não acha? Você morou lá e guardou todas as boas recordações que ele tinha para dar. Agora está vazio, tudo se foi, como um tubo de pasta de dente acabado. Não faz sentido mantê-lo por mais um momento, não acha? — Fez uma pausa e olhou-a no fundo dos olhos. — Acho que faria muito mais sentido se você se mudasse hoje.

— Agora? — Ela pareceu surpresa e assustada como uma criança. — Esta noite?

— Sim, esta noite.

— Por quê?

— Confie em mim.

— Mas eu nem fiz reserva... — suas mãos tremiam.

— Bettina, eu estava esperando para lhe pedir uma coisa: gostaria que você viesse morar aqui.

— Com você?

Ela parecia em pânico e ele sorriu.

— Não exatamente. Não sou um aproveitador, querida. No quarto de hóspedes. Que tal?

Mas ela não entendeu nada. Subitamente sentia-se muito confusa.

— Eu não sei... acho que poderia... apenas por uma noite.

— Não. Gostaria que ficasse até resolver sua vida, até encontrar um bom lugar. Alguma coisa decente, e o emprego certo. Mattie tomaria conta de você. E eu me sentiria muito melhor em saber que está segura aqui. Não acho que seu pai teria alguma objeção. Na verdade, acho que ele esperaria isso de mim. Então, o que me diz?

Mas seus olhos se encheram de lágrimas.

— Não posso, Ivo. — Balançou a cabeça e olhou em outra direção. — Você está sendo muito bom para mim e eu nunca poderia retribuir. Só por hoje... a escrivaninha... eu nunca poderia...

— Shh... deixa pra lá. — Tomou-a novamente em seus braços e alisou seu cabelo. — Está tudo bem. — Afastou-se um pouco e tentou fazê-la sorrir. — Além disso, se você ficar chorando o tempo todo, eles vão expulsá-la do hotel por fazer muito barulho.

— Eu não fico chorando o tempo todo. — Fungou e aceitou o lenço para limpar o nariz.

— Eu sei disso. Na verdade, você tem sido inacreditavelmente corajosa. O que eu não quero é que seja boba. Ir para um hotel seria bobagem. — E acrescentou com mais firmeza: — Bettina. Quero que fique aqui. É tão ruim assim? Você odiaria realmente ficar comigo?

Tudo o que ela pôde fazer foi balançar a cabeça. Não odiaria. Na verdade esta era uma das coisas que mais a assustava. Queria ficar lá com ele. Talvez até demais.

Por um momento hesitou, suspirou, e finalmente deixou que seus olhos encontrassem os dele. Ele tinha razão. Sua proposta fazia mais sentido do que ir para um hotel. Se ao menos ela não se sentisse assim... se ele não fosse tão atraente apesar da idade. Precisava ficar lembrando a si mesma que ele não tinha 45 ou 52... tinha 62... 62... e era o amigo mais querido de seu pai... era quase incesto... não podia permitir que se sentisse assim.

— Bem? — Ele virou-se para olhar de onde estava, perto do bar, enquanto se repreendia pelo mesmo motivo que ela.

— Eu ficarei — falou quase sufocando.

Seus olhos se encontraram e eles sorriram. Era um final e um começo, uma promessa, e o nascer de uma esperança. Para ambos.

No sábado tudo já havia acabado. Foram ao apartamento pegar o resto dos pertences. Ela passou a noite no quarto de hóspedes de Ivo, paparicada pela alegre e carinhosa Mathilde, que preparou o jantar para eles e, pela manhã, trouxe o café numa bandeja para Bettina. Ivo estava feliz em poder lhe devolver o conforto. Devia ser um alívio após a solidão do apartamento vazio.

— Eu disse para a sra. Liebson que sairia antes das seis.

Bettina olhou nervosamente para o relógio e Ivo tocou-lhe o braço.

— Não se preocupe, temos tempo.

Ela deixara muito pouca coisa lá, na noite anterior. O coração de Ivo doera ao ver o saco de dormir aberto no chão do quarto. Agora faltavam apenas uma dúzia de malas e duas ou três caixas. Havia espaço no quarto que servia de depósito em seu apartamento, e Mathilde já esvaziara dois armários. Seria suficiente.

O motorista de Ivo estava à espera e os levou para a Quinta Avenida, chegando ao prédio de Bettina em poucos minutos. Ela saiu do carro correndo, Ivo sempre atrás dela. Olhou para ele e perguntou:

— Você quer realmente subir?

Logo ele entendeu o que se passava em sua mente.

— Quer ficar sozinha?

Ela hesitou.

— Não tenho certeza.

— Então eu vou.

Dois porteiros foram chamados para ajudar e num instante estavam de pé no vazio *hall* de entrada. Não havia luzes acesas e estava escuro do lado de fora. Ivo a observava olhando desolada para as salas.

Olhou rapidamente para Ivo, e depois para os dois homens.

— Está tudo no quarto da frente, no segundo andar. Eu já volto. Quero checar os cômodos.

Desta vez Ivo não a seguiu. Sabia que ela queria ficar sozinha. Os dois homens apressaram-se para subir e pegar as coisas, e Ivo ficou no *hall*, ouvindo os passos de Bettina de sala em sala fingindo estar checando se alguma coisa fora esquecida ou deixada fora de lugar.

Mas eram lembranças que estava procurando. Momentos com seu pai que queria sentir pela última vez.

— Bettina? — chamou Ivo suavemente.

Não ouvia o ruído de seus sapatos havia alguns minutos. Finalmente a encontrou de pé no quarto de Justin, encolhida, banhada em lágrimas.

Ele foi em sua direção e ela o abraçou, murmurando baixinho:

— Nunca mais eu volto aqui.

Parecia difícil de acreditar. Estava acabado.

Ivo a abraçava carinhosamente.

— Não, pequenina, não volta. Mas haverá outros lugares, outras pessoas que um dia significarão tanto para você quanto tudo isto.

Ela balançou a cabeça.

— Nada vai significar tanto, nunca.

— Espero que esteja errada. Espero que existam outros homens que você ame ao menos tanto quanto amava seu pai. — Sorriu para ela, gentilmente. — Ao menos um.

Bettina não respondeu.

— Ele não a deixou, pequenina, espero que saiba disso. Ele apenas seguiu seu caminho.

Isto pareceu atingi-la, pois virou-se e deixou o quarto solenemente. Ivo colocou os braços em seu ombro e a levou para a porta da frente, que ela fechou pela última vez, jogando a chave por baixo da porta.

10

O sol brilhava através das janelas da sala de jantar e Mathilde colocava mais café na xícara de Bettina, que estudava o jornal atentamente e de repente levantou o rosto, sorrindo.

— Obrigada, Mattie.

Um mês na casa de Ivo fora reconfortante. Ajudara a curar algumas feridas. Ivo tornara tudo fácil. Tinha um lindo quarto, três refeições diárias da maravilhosa comida de Mattie. Todos os livros que queria ler. E encontravam-se à noite para irem a óperas, concertos ou peças. Não era muito diferente da vida que tinha com o pai, mas muito mais pacífica. Ivo era menos excêntrico e todos seus pensamentos pareciam se concentrar nela. Passara quase todas as noites a seu lado, saindo ou apenas ficando em casa, em volta da lareira, conversando durante horas. Aos domingos, jogavam palavras cruzadas do *Times* e saíam para passeios no parque. Era março, e a cidade ainda estava fria e cinza, mas de vez em quando o ar exalava o perfume da primavera.

Ivo olhou-a por cima de seu jornal, com um sorriso.

— Você está extremamente alegre esta manhã, Bettina. Alguma razão especial, ou ainda pensando sobre a noite de ontem?

Haviam ido à estréia de uma peça de que os dois gostaram muito. Bettina falara apaixonadamente sobre ela no caminho de volta para casa. Ivo garantiu que algum dia ela escreveria algo melhor. Agora ela sorria para ele, com a cabeça inclinada para o lado. Esteve lendo o *Backstage*, um semanário sobre teatro que comprava do outro lado da cidade.

— Tem um anúncio aqui, Ivo. — Seus olhos estavam cheios de idéias e Ivo lhe deu total atenção.

— Que tipo de anúncio?

— Tem um novo grupo de teatro se formando, longe da Broadway.

— Como longe da Broadway?

Ivo ficou desconfiado. Quando ela falou o endereço, ficou ainda mais.

— Não é um pouco longe demais?

Era numa vizinhança sombria perto da Bowery, na região mais pobre da cidade, um lugar aonde Bettina nunca fora.

— Que diferença faz? Estão procurando pessoas, atores, atrizes e pessoal técnico, todos amadores. Talvez possam me dar uma chance.

— E fazendo o quê?

Ele sentiu um pavor percorrer sua espinha. Tinha medo de que algo assim acontecesse. Mais de uma vez oferecera um emprego no jornal, coisa boa, decente e com salário ligeiramente mais alto. Ela sempre recusara. Na última vez, com tanta veemência, que ele não ousaria oferecer novamente.

— Talvez eu pudesse conseguir alguma coisa técnica, ajudando a construir o cenário, abrindo as cortinas. Qualquer coisa, sei lá. Seria uma ótima oportunidade de saber como funciona o lado de trás do palco... você sabe, para quando eu escrever minha peça.

Por um instante ele quase riu. Ela era tão incrivelmente infantil, às vezes.

— Você não acha que aprenderia mais apenas indo assistir a peças de sucesso da Broadway, como ontem à noite?

— Mas é diferente. Não me mostra como as peças são montadas por trás das cortinas.

— E você acha que deve aprender isso?

Ele estava blefando e ela sabia. Sorriu-lhe gentilmente.

— Sim, Ivo, eu acho. — E então, sem dizer mais nada, foi até o telefone do estúdio, do outro lado do corredor, com o jornal em suas mãos. Voltou cinco minutos depois, exultante. — Disseram para ir lá hoje às três horas.

Ivo recostou-se na cadeira com um suspiro desanimado.

— Estarei em casa para o almoço. Você pode levar o carro.

— Para este teatro? Você está louco? Nunca vão me contratar se eu aparecer numa limusine.

— Eu não ficaria muito triste com isso, Bettina.

— Não seja bobo. — Ela abaixou-se para beijar-lhe a testa e fazer um carinho em seu cabelo. — Você se preocupa muito; estarei bem. E quem sabe eu consigo um emprego?

— E aí? Vai trabalhar naquele lugar horrível? Como pretende chegar lá todo dia?

— De metrô, como todas as pessoas que trabalham na cidade.

— Bettina... — Ele parecia quase ameaçador, só que por trás da ameaça havia medo. Medo do que ela estava fazendo, de onde estava indo e do que isto podia significar para ele.

— Ivo... — Balançou o dedo para ele, jogou-lhe um beijo e desapareceu dentro da cozinha para dizer alguma coisa a Mathilde.

Sentindo-se muito velho, Ivo dobrou seu jornal, gritou um até logo e saiu para o trabalho.

Às duas e meia da tarde, Bettina encaminhou-se para o metrô e ficou esperando, no frio úmido, o trem chegar. O trem cheirava mal, todo pichado e semivazio. Os únicos outros passageiros pareciam ser velhas com cabelos no queixo, meias elásticas grossas e bolsas de compras cheias de artigos misteriosos, que pareciam pesar como pedras em seus ombros frágeis. Havia alguns adolescentes passeando e, aqui e ali, um homem dormindo com o rosto escondido na gola do casaco. Bettina sorriu ao pensar no que Ivo diria. Mas ele teria dito muito mais se visse onde ela parou. Era um prédio em ruínas que havia sido um teatro há uns vinte anos. Neste meio tempo, ficou quase sempre vazio; abrigou algumas aventuras pornográficas sem sucesso e uma vez fora transformado em igreja. Agora estava arrumado para voltar a ser teatro, mas sem muito estilo. O grupo não gastaria nada para melhorar o exterior do prédio, porque precisava de todos os centavos para montar as peças.

Ao entrar no prédio, com os sentimentos confusos entre respeito, excitamento e medo, olhou em volta. Não parecia ter ninguém, e ela ouvia seus passos ecoando no chão de madeira vazio. Tudo parecia muito empoeirado e sentia um cheiro de sótão.

— Quem é?

Um homem de *blue jeans* e camiseta estava olhando para ela, com cínicos olhos azuis e uma grande boca sensual. O cabelo saía de sua cabeça numa profusão de cachos louros dando ao seu rosto uma suavidade que não correspondia com a dureza do olhar.

— O que quer?

— Eu-Eu vim... na verdade liguei de manhã... eu... tinha um anúncio no jornal... — Estava tão nervosa que mal podia falar, mas respirou fundo e prosseguiu. — Meu nome é Bettina Daniels. Estou procurando emprego.

Estendeu a mão quase como uma oferta, mas ele não correspondeu, mantendo suas mãos nos bolsos da calça.

— Não sei com quem você falou. Não foi comigo; eu teria lhe dito que nem se preocupasse em vir, pois a equipe está completa. Contratamos a última atriz esta manhã.

— Não sou uma atriz — disse ela radiante, e por um minuto o homem de cachos louros quase soltou uma gargalhada.

— Pelo menos você é a única sincera sobre isso. Talvez devêssemos ter contratado você. De qualquer jeito, gatinha, sinto muito.

Ele deu de ombros e começou a se afastar.

— Não, espera aí... na verdade, eu queria um emprego fazendo outra coisa qualquer.

— Como o quê?

Ele a olhou de cima a baixo com tamanha sem-cerimônia, que se Bettina não estivesse tão ansiosa, lhe daria um tapa na cara.

— Qualquer coisa... iluminação, cortinas... o que você tiver.

— Tem alguma experiência?

— Não, não tenho. Mas tenho vontade de aprender.

— Então por que não vai procurar trabalho como secretária?

— Eu não quero isso. Quero trabalhar no teatro.

— Por que é chique?

Os olhos cínicos riam dela, que começava a ficar irritada.

— Não. Porque eu quero escrever uma peça.

— Oh, não! Você é uma dessas! Suponho que estudou em Radcliffe e agora pensa que vai ganhar o prêmio Tony em um ano.

— Não. Abandonei a faculdade e tudo que quero é uma chance para trabalhar no teatro de verdade, só isso.

Mas ela se sentiu vencida. Sabia que já havia perdido e que o cara a odiara. Dava para perceber.

Ele a observou bastante tempo, até que, calmamente, aproximou-se.

— Conhece alguma coisa sobre iluminação?

— Um pouco. — Era uma mentira, mas estava desesperada. Sabia que era sua última chance.

— Quanto?

O olhar penetrava seus olhos.

— Bem pouco.

— Em outras palavras, você não sabe merda nenhuma. — Ela suspirou e concordou sem esperanças. — Está certo. Vamos treinar você. Se você não se tornar um estorvo, eu mesmo faço isso. — E de repente, num gesto inesperado, estendeu sua mão. — Sou o diretor de cena. Meu nome é Steve.

Ela balançou a cabeça sem ter certeza do que ele falava.

— Por Deus, relaxe. Você fica com o emprego.

— Fico? Cuidando das luzes?

— Trabalhando na mesa de luz. Você vai adorar.

Mais tarde ela aprendeu que lá era quente, cansativo, chato, um claustro. Mas naquele momento foram as melhores notícias que recebera.

Sorriu, radiante:

— Muito obrigada, mesmo.

— Não se preocupe com isso. Apenas você foi a primeira que apareceu. Se você for relaxada, vai pra rua. Sem nenhuma dúvida.

— Não serei.

— Bom, então é menos uma dor de cabeça. Esteja aqui amanhã. Vou lhe mostrar o lugar. Não tenho tempo hoje. — Ao dizer isso, olhou no seu relógio. — É, amanhã. E quando começarmos a ensaiar, no fim da semana, gatinha, são sete dias de trabalho por semana.

— Sete? — Tentou não demonstrar o susto.

— Você tem filhos?

Ela rapidamente negou com a cabeça.

— Bom. Então não tem com que se preocupar. Seu velho pode vir ver a peça pela metade do preço. E se você não se adaptar, não vai ter que se preocupar em trabalhar sete dias por semana. Certo? — Nada parecia perturbá-lo. — Ah, nós não pagamos nada. Tem sorte de ter o emprego. Nós dividimos o lucro da venda dos ingressos.

Bettina ficou novamente chocada. Teria que ter cuidado com os seis mil dólares que restavam.

— Então você estará aqui amanhã, certo, gatinha?

Ela balançou a cabeça obedientemente.

— Bom. Se não vier, darei o emprego a outro.

— Obrigada.

— De nada. — Ele zombava, mas havia algo suave em seus olhos. — Não devia contar isto, mas comecei como você. É uma merda. Só que no início eu queria ser ator, o que é pior.

— E agora?

— Quero ser um diretor.

A camaradagem do teatro já superava a situação inicial. Estavam se tornando amigos.

Bettina sorriu para ele, sentindo retornar seu antigo senso de humor.

— Se você for bom para mim, talvez eu o deixe dirigir minha peça.

— Não venha com basbaquice. Agora, suma. Te vejo amanhã.

E depois, quando os saltos de suas botas já faziam barulho no chão árido:

— Ei? Como é mesmo seu nome?

— Bettina.

— Certo. — Ele acenou, virou-se distraidamente, e caminhou rápido pelo teatro em direção ao palco.

Por um minuto Bettina ficou olhando para ele e depois correu de volta à luz do sol, soltando um grito de alegria. Conseguira o emprego!

11

— Sempre esqueço que não preciso mais olhar os classificados.

Bettina falou para Ivo por sobre o jornal de domingo, com um sorriso. Era a primeira vez que tinha tempo de sentar-se e relaxar em três semanas. Era domingo de manhã, e eles acabavam de sentar em seus lugares preferidos, ao calor da lareira. A peça havia começado, e Bettina tinha a tarde toda antes de ir para o teatro.

— Você gosta mesmo desse trabalho?

Ele ainda estava perturbado. Detestava aquele bairro, a idéia e o horário. E também não gostava de ver suas olheiras. Bettina sempre chegava em casa tão agitada que nunca ia deitar antes das três.

Mas ela o olhava com sinceridade agora, e Ivo podia ver que era verdade o que dizia.

— Ivo, eu o adoro. Na noite passada eu quase me senti como... — ela hesitou um pouco —... como papai com seus livros. Se vou escrever para teatro e criar uma peça decente, tenho que saber tudo sobre teatro. E esta é a única forma verdadeira.

— Acho que sim. Mas você não poderia escrever apenas histórias, como seu pai? — Ele suspirou com um sorriso frio. — Me preocupo com você voltando para casa à noite, vindo daquelas redondezas fedorentas altas horas da madrugada.

— Há muito movimento e estou segura. Nunca leva mais de um minuto para conseguir um táxi. — Ela não ousava pegar o metrô a essa hora.

— Eu sei, mas — ergueu os braços — o que posso dizer?

— Nada. Apenas deixe eu me divertir, porque é o que estou fazendo.

— Não posso discutir com qualquer coisa que a faça feliz.

Estava escrito em seu rosto. Ele tinha que admitir isso.

— Não pode, Ivo. — Olhou de volta para o jornal, dessa vez mais pensativa. — Agora tudo que tenho a fazer é encontrar meu próprio apartamento.

— Já? Por que a pressa?

Ela olhou para ele. Mostrava um olhar tranqüilo. Não queria se mudar, mas sabia que já era tempo.

— Você não está cansado de me ver por aqui?

Ivo balançou a cabeça, num gesto triste.

— Nunca, Bettina. Você sabe disto.

O menor pensamento sobre sua partida o deprimia, mas ele entendia que não tinha o direito de se opor.

Bettina não falou dos dois apartamentos que ia ver. Arriscaria deixá-los esperar até segunda-feira. Era óbvio que sua independência o aborrecia. Talvez ele ainda sentisse que devia algo a seu pai. Mas não podia brincar de babá para sempre. Ela ficara muito acomodada morando lá. Definitivamente, era hora de sair. Seria melhor. Do jeito que estava era muito fácil. Até aprendeu a controlar o que sentia por ele. Agora eram amigos, companheiros, e nada mais. Entendeu que aquelas suas estranhas sensações tinham que ser reprimidas.

Saíram para sua caminhada de domingo no parque, deixando o assunto da mudança para depois.

Pararam um pouco para apreciar os nova-iorquinos rodopiarem em torno deles, patinando, correndo e andando de bicicleta, no Central Park. Ela sentou-se no chão e mostrou na grama um lugar para ele ao seu lado.

— Sente aqui, Ivo — E, um minuto depois: — Você está chateado. Posso saber o que é?

Mas ele não podia contar. Esta era a merda toda. Evitou seu olhar:

— Negócios.

— Está mentindo. Agora diga a verdade.

— Oh, Bettina... — fechou os olhos e suspirou —... estou apenas cansado. E de vez em quando — abriu os olhos e sorriu — eu me sinto muito, muito velho.

E depois, sem entender por que, prosseguiu:

— Algumas coisas são reservadas para certas idades. Ter filhos, casar-se, ficar com cabelos brancos, apaixonar-se. E não importa quão normal esteja nossa vida, às vezes nos encontramos no tempo errado, na idade errada...

Ela estava intrigada. De repente, ironizou:

— Pode contar, Ivo. Você está grávido. Agora me diga a verdade.

Ele teve que rir enquanto ela gentilmente acariciava sua mão.

— Está bem. É a sua mudança. Não posso mais imaginar minha vida sem você. Não parece estranho? Você me acostumou mal. Esqueci até de como era antes.

— Eu também. — Ela brincava com a grama e falou um pouco mais alto que um sussurro: — Detesto ter que sair, mas é preciso.

— Por quê?

— Porque tenho que ser independente, tenho que crescer. Porque tenho que me sustentar. Não posso viver na sua casa para sempre. Não seria direito. E também não é muito adequado, eu acho.

— E o que tornaria isso adequado? — ele estava forçando. Queria que ela dissesse, mas pela primeira vez em tanto tempo, tinha medo.

— Você poderia me adotar.

Ambos riram e ele voltou a olhar sério para ela.

— Você vai pensar que estou louco e talvez eu não devesse falar, mas quando eu estava na Europa tive uma idéia que me pareceu esplêndida. A princípio, achei que estava fora de mim. — Sorriu, tenso, e desviou o olhar. — Você sabe o que eu ia fazer, Bettina?

Falou quase para si mesmo e deitou-se na grama apoiando-se nos cotovelos, olhando para o céu.

— Eu ia te pedir em casamento. Ia até insistir. Mas você vivia no apartamento de Justin e as coisas eram diferentes. De repente você se mudou para o meu e me senti como se estivesse nas minhas mãos. Não queria me aproveitar de você. Eu não...

Ele parou ao ouvi-la chorar e virou-se. Ela o olhava assustada. Sorriu suavemente e acariciou seu rosto molhado.

— Não fique tão assustada, Bettina. Eu não fiz nada, não é, sua boba? Pare de chorar.

— Por que não?

— Por que não, o quê? — Ele lhe deu o lenço.

— Por que não me pediu?

— Fala sério? Porque você nem fez vinte anos e eu tenho sessenta e dois. Esta não é uma boa razão? Eu nem devia estar falando estas coisas, mas é estranho, agora que você planeja se mudar. Suponho que é porque não quero me afastar de você. Quero poder lhe dizer tudo o que sinto e penso, como tenho feito nestas últimas semanas, e quero que você faça o mesmo.

— Por que diabos não me pediu?

Ela ficou de pé, num pulo, e encarou-o enquanto ele permanecia deitado na grama, um tanto surpreso.

— Para casar com você? — Estava abismado. — Está louca? Já lhe disse, sou muito velho, merda! — Irritado, ergueu o corpo para sentar-se.

Ela sentou-se novamente ao seu lado, olhando-o inquiridora:

— Você ao menos podia ter me dado uma chance. Não poderia perguntar como eu me sinto? Não, estava tão ocupado em me tratar como uma criança que tinha de tomar todas as decisões sozinho. Eu o amo desde... desde... que droga, sempre. E você me perguntou? Não, Ivo...

Ele sorria e, com um longo e apaixonado beijo, fê-la calar-se.

— Você está louca, Bettina?

Agora ela sorria também.

— Sim, estou. Estou louca por você. Deus, você não sabia? Não podia adivinhar? Na noite de ano-novo, quando me beijou, tudo ficou esclarecido; mas você se retraiu.

— Está querendo dizer, Bettina, que me ama? Quero dizer, amor mesmo, não apenas amizade pelo velho amigo de seu pai?

— É exatamente o que quero dizer. Eu te amo. Eu te amo... — Ficou de pé e gritou para as árvores: — EU TE AMO!

— Você está louca! — falou sorrindo, e a puxou para se deitarem no chão.

Suavemente, seus olhos se encontraram, e depois as mãos.

— Eu te amo... oh, querida, eu te amo... — Até que suas bocas se encontraram.

12

Entraram no apartamento na ponta dos pés, como dois ladrões, mas Bettina não parava de rir baixinho enquanto Ivo a ajudava com o casaco. Sussurrou para ela ao subirem as escadas ainda nas pontas dos pés:

— Mattie disse que ia visitar uma prima em Connecticut. Não vai chegar antes de anoitecer.

— E que diferença isso faz? — Ela o olhou provocante com seus enormes olhos verdes.

Subitamente, ele entendeu que não se importava mais que alguém soubesse. Nem se sentia culpado. Tudo que sabia era que a desejava em desespero, com todo o seu ser e seu corpo. Somente quando chegaram ao quarto foi que ele caiu na realidade, e seu olhar se tornou suave. Ela estava perto da porta, olhando-o, com um jeito de criança, descalça, de calça *jeans* e suéter vermelho. Aproximou-se com cuidado e pegou-a pela mão. Dirigiram-se a uma poltrona vermelha, onde ele se sentou, puxando-a para o seu colo. Lembrou-se das muitas ocasiões em que a teve no colo, quando criança.

— Bettina... querida...

A voz era terna, as mãos acariciaram-lhe o pescoço, e os lábios também. Mas ele se afastou bruscamente, olhando-a nos olhos.

— Quero que me diga uma coisa, e tem que ser sincera. Você já teve outro homem?

Ela fez que não com a cabeça, esboçando um leve sorriso.

— Não, mas está tudo bem, Ivo.

Queria lhe dizer que não tinha medo. Que ela o desejava há tanto tempo, que cada momento de dor valeria a pena, e que depois da primeira vez, ela lhe daria prazer pelo resto da vida. Era tudo em que podia pensar. No que faria por ele.

— Está com medo?

Ela negou com a cabeça. Ele então, sorriu:

— Pois eu estou, bobinha.

— Por quê?

— Não quero te machucar.

— E não vai. Você nunca me machucou.

Ele concordou e segurou sua mão. Então ela perguntou:

— Será que vou engravidar? — Mas não estava com medo, apenas pensando. Ouvira falar de garotas que engravidaram na primeira vez.

Ele negou com a cabeça sorrindo, surpreendendo-a:

— Não, querida, nunca. Não posso ter filhos. Dei um jeito nisso há muito tempo.

Ela concordou compreensiva, sem perguntar por quê. Ivo ficou de pé. Tomou-a nos braços como se fosse uma boneca e colocou-a sobre a cama. Depois começou a despi-la devagar. O quarto escureceu com a chegada da noite. Seus olhos, seus lábios e seus dedos acariciavam-na, à medida que ele despia cada centímetro, até que finalmente estava nua, pequena e perfeita. Ele desejava apertar seu corpo contra o dela e sentir o cetim de sua pele. Mas cobriu-a gentilmente com o lençol e virou-se para se despir. O quarto já estava totalmente escuro.

— Ivo? — a voz era muito jovem e infantil.

— Sim?

Mesmo no escuro ela podia sentir que ele sorria.

— Eu te amo!

Ficou ainda mais excitado ao ouvi-la, e entrou sob as cobertas logo atrás dela.

— Eu também te amo.

Com cuidado, acariciou-a, as mãos cobrindo todo o seu corpo, devagar, desejosas, suavemente, enquanto sentia-se tremer por inteiro. Aos poucos, virou-a para si e beijou-a longamente, na boca. Ivo queria que ela o desejasse tanto quanto ele, ou mais. Finalmente apertou seu corpo contra o dela. Bettina movia-se gemendo, agarrando-o, quase implorando, enquanto ele a segurava com firmeza, até que a penetrou, num movimento rápido, sentindo-a contrair-se, tensa, enquanto arranhava suas costas, e ele mergulhou mais e mais.

Ivo sabia que seria doloroso, mas queria lhe dizer o quanto a amava e, enquanto a abraçava, repetia isso infinitas vezes, até que ambos ficaram imóveis. Ele podia sentir o sangue quente de Bettina nos lençóis, mas não se importava. Apenas a abraçou mais forte, sentindo como tremia, segurando-a bem perto de si.

— Eu te amo, querida... oh, Bettina, como eu te amo... com todo o meu ser.

Mesmo no escuro, ela virou-se e mais uma vez ele a beijou, curtindo o momento e desejando deter a dor que ela sentia.

— Você está bem?

Ela concordou com a cabeça, até que finalmente recobrou as forças.

— Oh, Ivo... — Ao sorrir para ele, as lágrimas rolaram.

— Por que está chorando, pequenina?

Havia tanto tempo que ele não fazia aquilo, que de repente receou tê-la machucado. Olhou-a nos olhos, apreensivo. Mas ela sorria através das lágrimas.

— Estava pensando no que estivemos perdendo êste mês todo.

— Sua boba, eu te amo. — Ele também riu.

Ainda havia uma pergunta a fazer, mas era muito cedo. Mesmo assim ele queria falar com ela, perguntar-lhe "e agora?". Ajeitou-se sobre o braço. Ao fazer isso, Bettina pensou em como ele parecia jovem.

— Isto significa que a senhorita não vai mais se mudar?

Ela olhou-o travessa, deu de ombros e sorriu:

— É o que você quer? Que eu fique aqui?

Fez que sim com a cabeça, sentindo-se realmente rejuvenescido.

— E você? Quer ficar?

Bettina recostou-se nos travesseiros, mais feliz do que nunca:

— Sim, quero ficar.

Espreguiçou-se confortavelmente na cama. Não estava nem envergonhada. Expor seu corpo para ele era como abrir a outra parte de sua alma.

— Sabe de uma coisa, Ivo? Acho que você mente sobre sua idade. Acho que você deve ter uns trinta e cinco e tinge seu cabelo de branco... porque, depois de hoje, ninguém me convence que você seja um velho.

Ivo olhou-a com seriedade:

— Mas eu sou. Isto lhe incomoda?

— Não ligo a mínima.

— Não agora. Um dia vai ligar. E quando isso acontecer, quando eu estiver muito velho para você e quando você quiser um homem mais novo, eu me afastarei. Quero que se lembre disso, querida. Porque falo sério, de coração. Quando seu tempo comigo estiver terminado, quando eu não for mais o homem certo para você, quando quiser alguém mais novo, uma vida diferente, filhos, eu vou embora. E vou compreender, pois te amo, mas vou embora.

Os olhos de Bettina estavam cheios de lágrimas ao ouvi-lo.

— Não, você não vai.

Ele não disse nada e tomou-a novamente nos braços.

Sussurrou em seu ouvido:

— Está muito machucada, querida?

Ela negou com um movimento de cabeça. Gentilmente, Ivo abraçou-a, e desta vez ela gemeu calma, havia prazer nos seus olhos. Enfim, ao deitarem lado a lado, felizes e esgotados, ele lembrou-se de uma coisa:

— Espero que você esteja entendendo que quero me casar com você, Bettina.

Ela olhou-o, surpresa. Seus cabelos estavam totalmente desalinhados, mas ela parecia linda e sonolenta. Havia algo muito apaixonante nos seus olhos.

— Que bom, pois eu também quero.

— Sra. Stewart?

Com um suave sorriso, ela deu-lhe um beijo e murmurou:

— A Terceira.

Ivo olhou-a espantado, abraçando-a mais uma vez.

— Você está pronta?

Ele bateu na porta e esperou do outro lado, mas Bettina estava em pânico, ainda de anágua, nervosa e agitada.

— Não, não, espere.

Mathilde correu até o armário para pegar o vestido e vestiu-o em Bettina pela cabeça, ajudando-a a ajeitá-lo nos ombros, fechando ganchos, botões e o fecho-ecler que ia até em cima de forma imperceptível. Era um vestido que Bettina comprara em Paris junto com seu pai, mas nunca o usara, e era perfeito para a ocasião.

Afastou-se para olhar-se no espelho, e por sobre seu ombro esquerdo Mathilde sorria benevolente. Bettina estava linda naquele simples vestido de cetim creme. Caía longo até metade das pernas, tinha o colarinho alto e mangas curtas em forma de sino e uma jaqueta seguindo a mesma linha. Vestiu as pequenas luvas brancas, viu se usava os brincos de pérolas e olhou para as meias cor-de-marfim e os sapatos de cetim. Tudo estava perfeito, e olhou para Mathilde com um sorriso.

— Você está linda, *mademoiselle.*

— Obrigada, Mathilde.

Rapidamente deu um beijo na velha senhora e caminhou compenetrada até a porta. Hesitou por um momento, imaginando se ele ainda estava esperando.

— Ivo?

Quase sussurrou, mas ele a ouviu através da porta ainda fechada.

— Sim. Você está pronta?

— Estou. Mas você não tem que esperar chegarmos lá para me ver?

— E o que você sugere? Tapar meus olhos no carro?

A insistência na tradição, apesar das circunstâncias, o divertia. Na verdade, tudo que ela fazia naqueles dias o divertia. Era outra vez uma criança encantadora. Estava livre de preocupações e o desastroso inverno de tragédias havia, finalmente, terminado. Estava com ele agora, e uma nova vida a esperava, como sua mimada esposa.

— Vamos, querida. Não devemos nos atrasar. Que tal se eu fechar os olhos?

— O.K. Estão fechados?

— Sim. — Ele sorriu, sentindo-se um tolo, e fechou os olhos. Ouviu a porta abrir e um minuto depois sentia o seu perfume.

— Posso abrir agora?

Ela o fitou longamente e concordou:

— Sim.

Ele soltou um suspiro, imaginando por que o inverno de sua vida estava sendo tão abençoado. Com que mérito?

— Meu Deus, você está linda!

— Gosta?

— Você está divina!

— Será que me pareço com uma noiva?

Ele concordou e abraçou-a com carinho.

— Já pensou que daqui a uma hora será a senhora Ivo Stewart? O que lhe parece?

— Maravilhoso. — Beijou-o novamente e afastou-se de seu abraço.

— Ah, isso me lembra... — Ele pegou um envelope verde que estava na cadeira do *hall*. — Para você!

Ela pegou o envelope de suas mãos e o abriu. O perfume das flores do campo rapidamente encheu o ambiente.

— Oh, Ivo, onde as conseguiu?

Era um lindo buquê feito de rosas brancas e uma florzinha branca e delicada vinda da França.

— Foram enviadas para mim de Paris. Você gosta?

Ela balançou a cabeça alegremente e deu-lhe outro beijo. Mas ele a interrompeu e apresentou-lhe, orgulhoso, um pacotinho. Ela o abriu. Não havia palavras suficientemente grandes para expressar a beleza do anel de diamantes de nove quilates, brilhando num fundo de veludo azul-escuro.

— Oh, Ivo. Não sei o que dizer!

— Não diga nada, querida. Apenas use este anel e seja feliz e segura o resto de sua vida.

A cerimônia terminou em minutos. As palavras foram ditas e os anéis trocados. Bettina era agora a esposa de Ivo. Nem quis uma festa. Apesar de tudo, ainda estava de luto por seu pai. Jantaram no Lutèce, numa mesa tranqüila no fundo do salão, e depois foram dançar. Bettina precisou ficar nas pontas dos pés para sussurrar:

— Eu te amo, Ivo.

Parecia tão pequenina, tão frágil, uma garotinha. Mas não era. Era uma mulher, agora. Totalmente dele. Para sempre.

13

Com um jeito nervoso, Bettina colocou os brincos de brilhante e rapidamente passou uma escova no cabelo. Enrolou-o com habilidade nas mãos e arrumou-o num recatado coque. O tom avermelhado brilhou mais após escová-lo e, quando colocou o último grampo, levantou-se. Seu corpo parecia mais estreito e magro com o vestido de renda preta que caía até os tornozelos, combinando com os sapatos pretos de cetim. Podia ver seu reflexo através do quarto de vestir, na parede de espelhos. Ivo decorou o quarto especialmente para ela no apartamento novo que compraram, no primeiro aniversário de casamento, cinco meses atrás. Era perfeito para o estilo de vida deles, um dúplex com uma bela vista para o Central Park. Tinham uma bela varanda no quarto de dormir, cada um tinha seu quarto de vestir e havia um pequeno estúdio para Ivo no andar de cima. No andar de baixo ficavam a sala de estar, um salão revestido de madeira como sala de jantar, e a cozinha. Atrás dela havia um quarto, para Mathilde, de bom tamanho. Era perfeito. Não muito grandioso nem pequeno. Bettina o arrumou como queria, a não ser pelos leves toques sugeridos por Ivo como os quartos de vestir, uma sacada engraçadinha e um balanço antigo que ele prendeu num pedaço fino do telhado. Brincou com ela dizendo que se sentariam ali, nas noites de verão, para "namorar no quintal".

Mas era raro passarem uma noite de verão na cidade. O grupo de teatro para o qual ela trabalhava, agora como diretora de cena, melhorara sua reputação e mudara-se para um local mais decente. Não funcionava nos meses de julho e agosto, quando ela e Ivo iam para South Hampton, para a casa que compraram lá. Novamente sua vida era como fora com seu pai, com a exceção de que estava mais feliz do que nunca.

Trabalhava apenas cinco noites por semana, davam jantares elegantes para doze ou catorze pessoas ou passavam filmes em casa. Ivo tinha acesso a todos os filmes novos. De vez em quando ela conseguia ir a um *ballet*, uma noite de estréia ou apenas um jantar no Lutèce ou no Côte Basque. E, apesar de tudo isso, conseguiam passar algum tempo sozinhos, após o teatro ou durante o dia, quando Ivo conseguia escapar. Ele nunca se cansava de sua companhia e às vezes não queria dividi-la com ninguém. Era generoso com seu tempo, sua afeição e seus elogios. Bettina sentia-se segura com seu amor. Estavam no ponto culminante de um longo sonho feliz.

Sorriu para si mesma em seu delicado vestido de rendas pretas. Parecia envolvê-la numa suave nuvem, e ela arrumou os babados da saia antes de passar o zíper no pouco tecido que havia em suas costas. Deixava seus ombros, braços e costas nus, reduzindo a cintura a quase nada, subindo até o pescoço, onde se fechava num gancho. Parecia aquele tipo de vestido no qual um ou dois fios puxados poderiam fazer um enorme estrago, mas não havia perigo porque o vestido era extremamente bem-feito. Olhando novamente para os brincos de brilhante e checando o penteado, parecia ansiosa.

— Até que não está mal para uma velha senhora — falou para si mesma, sorrindo.

— Nem que você quisesse, meu amor.

Ela virou-se surpresa. Não tinha visto Ivo olhando da porta.

— Intrometido, não o vi entrar.

— Não queria que visse. Só queria saber como você está, e está... — ele sorriu com jeito aprovador e inclinou-se para beijá-la —... devastadoramente linda.

Afastou-se um pouco para vê-la melhor. Estava ainda mais bonita do que há um ano e meio.

— Ansiosa, Bettina?

Ela já ia dizer não, mas concordou com a cabeça, rindo alto.

— Um pouquinho, talvez.

— E deveria estar, querida.

Seria possível que ela só tivesse vinte e um anos? Hoje era o dia de seu aniversário. E enquanto a observava, puxou de seu bolso uma caixa de veludo azul-escuro. Houve tantas ocasiões como esta desde que se casaram. Ele a inundou de presentes e a mimou desde o dia que chegaram da lua-de-mel maravilhosa que tiveram em South Hampton.

— Oh, Ivo... — Olhou para ele ao receber a caixinha de veludo. — O que mais você pode me dar? Já me deu tanto.

— Vamos, abra a caixa.

E quando abriu, ele riu de sua surpresa.

— Oh, Ivo! Não!

— Oh, sim!

Era uma gargantilha de pérola e diamantes maravilhosa que ela admirara na Van Cleef's. Dissera a ele logo depois que se casaram, com um jeito de brincadeira e confidência, que se conhecia uma pessoa realmente adulta pela gargantilha de pérolas que possuísse. Ele achou engraçado, e ela descreveu todas as mulheres elegantes nas festas de seu pai que usaram gargantilhas de safiras, diamantes, rubis, mas apenas as realmente adultas tinham o bom gosto de usar de pérolas. Como tudo que ela contava, ele não esqueceu mais. Aguardou impaciente pelo seu vigésimo primeiro aniversário para presenteá-la. Escolheu uma valorizada pelos diamantes formando um fecho oval que poderia ser usado na frente ou nas costas. Enquanto ela tentava colocá-la, ele podia ver lágrimas se formando em seus olhos e, com um movimento rápido, ela o envolveu num forte abraço.

— Está tudo bem, querida... feliz aniversário, amor... — Virou o rosto dela em direção ao seu, e beijou-lhe com suavidade os lábios.

Mas havia algo mais que gratidão na atitude de Bettina.

— Nunca me deixe, Ivo... nunca... eu não suportaria...

Não era pelas pérolas ou diamantes, mas porque ele a compreendia, sempre a entendia e sempre estava lá. Podia contar com ele. Mas o que mais a assustava era a possibilidade de algum dia ele não estar mais lá. Não podia nem pensar nisso. E se ele deixasse de amá-la? Ou se a deixasse sozinha como seu pai fizera? Ao olhar para Ivo, transmitiu-lhe seu pavor.

— No que depender de mim, querida, nunca vou te deixar. Nunca!

E eles se encaminharam para a sala. Seu braço firme em volta dos ombros de Bettina. Alguns minutos depois, a campainha tocou anunciando os primeiros convidados. Mathilde estava sendo assessorada por um *barman* e dois mordomos além do serviço de *buffet* contratado para servir a comida. Bettina não tinha que fazer absolutamente nada. Tudo fora organizado por Ivo. Ela só precisava relaxar e divertir-se, pois era um dos convidados.

— Será que eu não deveria nem dar uma olhada na cozinha? — ela sussurrou-lhe ao se afastarem de um grupo de convidados.

Ivo segurou-a com firmeza e com um sorriso carinhoso:

— Não, você não deveria. Hoje eu a quero aqui, comigo.

— Assim seja, senhor.

Curvou-se numa reverência, e recebeu uns tapinhas no traseiro.

— Engraçadinha.

— Você acha?

A vida sexual dos dois também não decrescera nos últimos anos. Ela ainda o achava excitante e atraente, e passavam boa parte do tempo na cama.

É lá estava ela, esplendorosa, com Ivo a seu lado, uma das mãos com a taça de champanhe e a outra em sua gargantilha, reinando em seus domínios. Vivia agora uma nova realidade. Tornara-se mulher, amante e esposa.

14

— Pronta para despedir-se desta noite, pequenina?

Ivo olhou para ela com gentileza enquanto rodavam pelo salão de dança uma última vez. Bettina concordou. Pela primeira vez as esmeraldas em suas orelhas brilhavam mais do que seus olhos. Ela parecia cansada e perturbada, apesar de brilhantemente elegante com seu sari verde e dourado e seus novos brincos de esmeralda, que combinavam perfeitamente com o anel que fora de sua mãe. Ivo comprou-lhe os brincos no último Natal e ela adorou.

Ao voltarem para a mesa, todos os convidados levantaram-se e aplaudiram. Ela estava tão acostumada ao som dos aplausos, que se sentia confortada por eles. Mas esta noite o aplauso não era para o grupo de teatro, mas para Ivo, que estava se aposentando finalmente, após trinta e seis anos no jornal, vinte e um como chefe. Ele decidira, após muita relutância, terminar sua carreira aos sessenta e oito, e não estendê-la até a aposentadoria obrigatória. Bettina ainda não havia se adaptado ao que estava acontecendo, e ele sabia que isso a perturbava mais do que ela podia admitir. Juntos, haviam partilhado, sem perturbações e infinitamente felizes, seis invernos na cidade, verões no campo e viagens à Europa. Aos vinte e cinco anos ela gostava disso, e ele sempre a satisfazia, embora mandasse seu motorista esperá-la na esquina do teatro. Ivo não mais se curvava a todas as suas idéias sobre independência, mas ela mostrara ao grupo de teatro que era competente, e se preocupava menos com pequenas coisas. Além do mais, era confortável depender de Ivo. Ele fazia a vida ser mais fácil e tão feliz...

— Vamos, querida.

Pegou-a gentilmente pela mão e guiou-a pela multidão de amigos que lhe desejavam boa sorte em seus *smokings* e vestidos de gala. Na verdade, ao olhar para eles, sentia-se gratificado com o toque da mão de Bettina. Estava abandonando tanta coisa, que se perguntava se não agia errado. Mas era muito tarde para voltar atrás. O novo editor já fora anunciado. Ivo tornou-se o conselheiro principal do presidente. Era um título ilustre, mas que na verdade tinha muito pouco poder. Seria apenas um velho respeitado. No caminho para casa, na limusine, sentiu a aproximação das lágrimas.

Já haviam feito planos cuidadosos. Bettina tirou férias de três meses e eles partiriam no dia seguinte para o sul da França. Ivo comprara passagens de navio. De repente, tinham todo o tempo do mundo.

Passearam de carro de Paris até St.-Jean-Cap-Ferrat, após uma estada de duas semanas no Ritz, onde Bettina dizia, brincando, que não haviam feito nada além de comer. Cap-Ferrat era divino em setembro, e em outubro foram para Roma. Finalmente, em novembro, voltaram relutantes para os Estados Unidos. Ivo ligou para todos os amigos e marcou almoços em seus lugares favoritos. Bettina voltou para *The Players*. As coisas iam bem para o grupo. Ótimas críticas, muita platéia e Bettina estava feliz com o seu trabalho. Steve já era o diretor, e ela fazia o antigo trabalho dele na direção de cena, para o qual havia finalmente conseguido seu registro profissional. A peça em cartaz era estreante, escrita por um desconhecido, mas lhe pareceu especial desde o começo. Havia tensão, excitação e uma certa magia no ar.

— O.K., acredito em você — disse-lhe Ivo, brincando, quando ela lhe contou sobre a peça com olhos animados e vibrantes.

— Você vai assisti-la?

— Claro.

Ivo voltou para o seu jornal e seu café da manhã com um sorriso. Era raro, mas na noite anterior ele não esperou por ela. Tivera um longo dia. De vez em quando sua idade o pegava, mas, na maioria das coisas, nada havia mudado.

— Quando você vai?

Ele olhou para ela com um sorriso desanimado.

— Quer parar de me pressionar, *senhora* Stewart?

Mas ela sorriu e balançou a cabeça com determinação.

— Não! Esta é a melhor peça em que trabalhei. É brilhante, Ivo. E é exatamente o tipo de peça que quero escrever.

— Está bem, está bem, eu vou.

— Promete?

— Prometo. Posso ler meu jornal agora?

— Pode.

Ao meio-dia, já estava ansiosa em voltar ao teatro. Esperou Ivo vestir-se para o almoço no Clube de Imprensa e depois tomou seu banho, vestiu sua *jeans* e deixou-lhe um bilhete dizendo que tinha saído mais cedo e que o veria tarde naquela noite. Imaginou que ele não se importaria. Desde que voltaram da Europa andava muito cansado, e provavelmente seria bom ter um dia calmo. Além disso, já estava acostumado aos seus loucos horários de trabalho.

Saiu do táxi apressadamente e andou o resto do caminho cantarolando e sentindo o vento frio do inverno bater em seu cabelo. Ainda usava o cabelo longo para agradar Ivo, e hoje ele voava além de seus ombros como belos fios de cobre.

— Qual é a pressa, amorzinho, não pode se atrasar para o trabalho?

Ao atravessar a rua perto do teatro, virou-se surpresa. A voz tinha sotaque britânico e era conhecida, e quando o viu, estava vestindo um grosso casaco de *tweed* e um boné vermelho. Era o astro de sua nova peça.

— Oi, Anthony! Pensei em chegar cedo para acertar algumas coisas.

— Eu também. E temos um ensaio às quatro e meia. Vão mudar a abertura do segundo ato.

— Por quê?

Ela o olhou com interesse enquanto chegavam ao teatro, e ele segurava a porta para ela.

— Não me pergunte — deu de ombros com jeito de menino. — Eu apenas trabalho aqui. Não entendo por que escritores fazem todas estas mudanças e adaptações. Eu diria que é paranóia. Mas assim é o teatro, amor.

Esperou um pouco em frente ao seu camarim e olhou-a com um longo e amigável sorriso. Era bem mais alto do que ela e tinha grandes olhos azuis e bonitos cabelos castanhos. Havia algo encantador e inocente nele, provavelmente devido ao seu sotaque britânico e à luz de seus olhos.

— Vai fazer alguma coisa hoje à noite?

Olhou-o pensativamente e depois negou com a cabeça.

— Provavelmente não. Vou comer um sanduíche aqui mesmo.

— Eu também.

Ele fez uma careta e ambos sorriram.

— Gostaria de se juntar a mim? — Ele acenou de dentro do camarim.

Depois de hesitar por um momento, ela concordou:

— O.K.

— E o que mais?

Ele a olhava com fascinação por cima do sanduíche. Estiveram conversando por mais de meia hora, sentados nas cadeiras de lona do camarim.

— Depois trabalhei para *Raposa no galinheiro, Cidade pequena* e deixa ver... — hesitou pensativa. — Ah, e *Clavello*.

— Trabalhou nessa também? — Parecia impressionado. — Por Deus, Bett, você trabalhou mais do que eu, que estou no ramo há dez anos.

Ela o examinou com surpresa, enquanto ele ria de sua narrativa.

— Você não parece tão velho a ponto de estar no teatro há tanto tempo. Quantos anos tem?

Ela não se envergonhava ao lhe fazer perguntas. Na última meia hora tornaram-se mais amigos. Ele era fácil de se lidar e bom de conversar, diferente dos outros que encontrara no mundo do teatro. Apesar da camaradagem, ciúmes sempre estragavam tudo. Mas raramente a atingiam. Era apenas diretora de cena. Mas nunca se cansava da magia que via no teatro todas as noites.

— Vinte e seis. — Ele a olhou de forma encantadora. Um menino em roupa de homem fingindo estar numa peça.

— Há quanto tempo está nos Estados Unidos?

— Desde que começaram os ensaios, há quatro meses.

— Gosta?

Ela terminara o sanduíche de presunto com *pickles* e passou a perna por cima do braço da cadeira.

— Eu adoro. Daria minhas orelhas para poder ficar.

— E não pode?

— Claro, mas com visto temporário. Puxa vida, é tão bagunçado. Suponho que você não sabe nada sobre a interminável busca do todo-poderoso cartão verde.

— O que é?

— Cartão de visto de permanência, autorização para trabalhar, *et cetera, et cetera*. Valeriam uma fortuna se fosse possível comprá-los no mercado negro. Mas não é.

— O que deve ser feito para conseguir o cartão?

— Um pequeno milagre, eu acho. Nem sei, é tudo muito complicado. Nem pergunte. E você?

Ele mexeu seu café e a olhou com seriedade por um momento. Ela ficou assustada, pois sentiu-se quase acariciada pelos seus olhos azuis.

— E eu o quê?

— Ah, você sabe. Estatísticas vitais, idade, posto, tamanho dos pés, você usa sutiã?

Bettina sorriu, surpresa, mas concordou:

— Tá bem, vamos ver. Tenho vinte e cinco anos, uso sapato trinta e cinco e o resto não é de sua conta.

— Casada? — Ele parecia interessado.

— Sou.

— Droga!

Anthony gesticulou indicando pesar, e ambos riram.

— Há muito tempo?

— Seis anos e meio.

— Filhos?

Ela negou com a cabeça.

— Decisão inteligente.

— Você não gosta de crianças?

Ela pareceu surpresa, mas ele não era do tipo ligado a compromissos.

— Eles não são a coisa mais maravilhosa que pode acontecer a uma carreira. Pequenos monstrinhos que só servem para nos atrapalhar.

Isto a fazia lembrar-se do egocentrismo da maioria dos atores e também de seu pai. Ele sorriu novamente para ela.

— Bem, Bettina, estou muito sentido em saber que você é casada, mas — assumiu uma expressão marota — não se esqueça de me avisar quando se divorciar.

Ao ouvir aquilo, ela levantou-se forçando um sorriso.

— Anthony Pearce, meu amigo, pode esperar sentado. — E, com um aceno, saiu pela porta. — Te vejo mais tarde, garotão.

Bettina o viu mais tarde, naquela noite, ao sair do teatro, e ambos puxaram a gola do casaco para se protegerem do frio.

— Por Deus, que frio! Só Ele deve saber por que você quer ficar nos Estados Unidos.

— Às vezes me pergunto isso também.

Ela sorriu para ele novamente enquanto se encaminhavam para a esquina, tentando evitar as pedras de gelo.

— Foi uma boa apresentação.

— Obrigado. — Virou-se para ela e perguntou: — Quer uma carona? — Estava pronto para chamar um táxi.

Ela negou com a cabeça.

— Não, obrigada.

Ele deu de ombros e seguiu, enquanto a via virar a esquina. Lá estava o carro de Ivo, esperando com o motor ligado, e ela sabia que estaria quentinho lá dentro. Olhou em volta rapidamente para ver se alguém a vira, abriu a porta e entrou. Mas ao cruzar a rua, Anthony havia se virado para acenar um boa-noite. Tudo que viu foi Bettina desaparecer dentro da enorme limusine preta. Colocou as mãos nos bolsos, levantou uma sobrancelha e seguiu com um sorriso.

15

— Olá, querida.

A manhã seguinte estava ensolarada. Novamente, Ivo estava dormindo quando ela chegou, à noite. Aquilo não era comum entre eles e não faziam amor havia uma semana. Ela sentia-se culpada em contar os dias, mas ele a acostumara mal tanto tempo, que agora era fácil perceber qualquer mudança.

— Senti sua falta ontem à noite.

— Pensando que eu já estou virando a curva, pequenina? — falou suavemente, com um olhar leve.

Estava claro que não, e Bettina rapidamente negou com a cabeça.

— Nem pense nisso, e não tente me enrolar.

Ivo voltou a ler o jornal e ela subiu para vestir-se. Queria contar-lhe sobre seu jantar com Anthony, mas não lhe parecia muito certo. Ela sempre tinha cuidado em não lhe fazer ciúmes, mesmo que ambos soubessem que não havia razão para isso.

Quarenta minutos depois, estava pronta, usando calças cinza, casaco de *cashmere* bege, botas de camurça marrom e um cachecol de seda da mesma cor de seu cabelo. Ivo acabara de subir, ainda de robe.

— O que vai fazer hoje, querido?

Ela teve ímpetos de enfiar a mão por debaixo do robe, mas ele estava olhando para o relógio e nada percebeu.

— Oh, não! Tenho uma reunião de diretoria em meia hora. Vou chegar atrasado.

Isto ocuparia toda a manhã.

— E depois? — Ela o olhava com esperanças.

— Almoço com um colega da diretoria, outra reunião e depois volto para casa.

— Droga. Já terei saído para o teatro. — Seu olhar era um misto de tristonho e carinhoso.

— Quer desistir da peça?

— Não. — Numa voz infantil, explicou: — É que sinto tanto a sua falta desde que voltamos para os Estados Unidos e eu comecei a trabalhar. Na Europa, estávamos juntos o tempo todo e de repente, parece que não nos vemos mais.

Ele ficou emocionado com o tom de sua voz e abraçou-a.

— Eu sei. — Após acariciar-lhe o cabelo por alguns minutos, levantou seu rosto e beijou-lhe os lábios. — Vou tentar não marcar tantos almoços. Gostaria de fazer outra viagem?

— Oh, Ivo... não posso, a peça.

— Oh, que... — Havia fogo em seus olhos por um momento, mas conteve-se com um aceno de mão. — Está bem, está bem. Você não acha que após todos estes anos já absorveu o bastante para escrever um texto seu mesmo? Sério, querida, às vezes vejo você aos oitenta e sete anos ainda trabalhando, claudicante, levantando cortinas para alguma peça *off-off* Broadway.

— Não trabalho *off-off* Broadway. — Ela se sentiu insultada e ele riu.

— Tá bom, mas você não acha que já fez isso por bastante tempo? Pense nisso. Poderíamos nos afastar por seis meses e você poderia escrever sua peça.

— Não estou pronta. — Ela parecia assustadíssima com aquele pensamento, e ele tentou imaginar por quê.

— Sim, você está. Está apenas com medo, querida. Mas não há razão para isso. Vai escrever algo maravilhoso, quando finalmente tentar.

— Sim, mas ainda não estou pronta, Ivo.

— Tudo bem, mas não reclame que nunca pode me ver. Você está nesta droga de teatro o tempo todo.

Era a primeira vez que ele reclamava assim, e Bettina surpreendeu-se pela raiva no tom de sua voz.

— Querido, não fale assim.

Ela o beijou e sua voz estava mais suave quando ele falou:

— Bobinha, eu te amo.

— Também te amo.

Ficaram abraçados por um momento, mas ele teve que sair.

No teatro, tudo já estava um alvoroço: pessoas corriam para todos os lados e os astros do *show* começaram a chegar. Bettina viu Anthony passeando por trás do palco usando *jeans*, um suéter de gola rolê preta e o boné vermelho.

— Oi, Bett. — Ele era o único membro da equipe que insistia em abreviar seu nome.

— Oi, Anthony. Como vão as coisas?

— Muito loucas. Querem fazer mais mudanças.

Era uma peça estreante e alterações de última hora deviam ser esperadas. Ele não parecia muito perturbado com isso.

— Queria chamá-la para jantarmos juntos novamente, mas não a encontrava.

— Eu trouxe um sanduíche de casa.

— Feito pela sua mamãe?

Bettina riu, bem que podia dizer: "Não, feito pela empregada." Mas apenas negou com a cabeça.

— Tenho alguma chance de convencê-la a tomarmos café juntos, mais tarde?

— Desculpe, mas não esta noite.

Queria voltar logo para Ivo. Não queria ficar na rua até muito tarde. Apenas uma ou duas vezes, em anos de teatro, ela saiu depois da hora com a equipe. A noite passada era o bastante.

Anthony lançou-lhe um olhar de desapontamento e desapareceu.

Não o viu de novo até depois do *show*. Ele a encontrou ajeitando as luzes e checando a limpeza antes de voltar para casa.

— O que achou das mudanças, Bettina?

Ele sentou-se num banquinho. Ela parou por um momento antes de responder, apertando os olhos como se estivesse se lembrando das cenas.

— Não tenho certeza se gosto. Não achei necessárias.

— Foi o que pensei. Fracas. Eu lhe disse, autores são uns paranóicos desgraçados.

Ela sorriu.

— É. Talvez sejam.

— Posso atraí-la para aquele café, agora?

— Talvez outro dia, Anthony. Sinto muito, não posso.

— Maridão esperando?

Seu tom era irreverente, e ela evitou encará-lo.

— Espero que sim.

Ele pareceu irritado, mas enquanto Bettina vestia seu casaco, também estava irritada. Não tinha o direito de ficar chateado por não sair com ele. Nenhum direito. Incomodou-a o fato de ele se irritar, mas ela sentia um estranho receio de não convidá-la novamente. Pegou sua bolsa, jogou o chapéu na cabeça e saiu. Foda-se, Anthony Pearce! Ele não era nada para ela.

Andou rapidamente pela rua até a esquina, sentindo o vento esfriar-lhe as orelhas. Apressou o passo até a limusine, agarrou a maçaneta e colocou um pé dentro do carro antes de ouvir uma voz atrás dela. Virou-se surpresa. Era Anthony que estava lá com a gola levantada e o boné na cabeça.

— Pode me dar uma carona?

Apesar do frio, sentiu-se corar de vergonha. Ele era a primeira pessoa, em seis anos, que a flagrava entrando no carro. Tudo o que ela pôde dizer foi:

— Oh!

— Vamos, amor. Estou congelando aqui e não tem nenhum táxi à vista.

Havia uma fina névoa de neve começando a se formar no ar. E ele já a tinha visto, então o que adiantava disfarçar agora? Olhou para ele por um momento e depois respondeu irritada:

— Está bem.

Ela entrou no carro e Anthony entrou logo atrás. Bettina virou-se para ele, perturbada pela sua insistência.

— Onde vai ficar?

Ele pareceu não se incomodar com a situação desagradável em que a colocara. O endereço que lhe deu era no So-Ho.

— Moro num sótão reformado. Quer subir para conhecê-lo?

Ficou novamente irritada.

— Não, obrigada, não quero.

— Por que tão nervosa? — e com um sorriso, olhou-a com admiração. — Tenho que dizer, boneca, você fica linda zangada.

Com um rápido gesto de irritação, levantou o vidro para isolar o motorista, e falou furiosa.

— Devo lembrá-lo de que sou uma mulher casada?

— E que diferença faz? Eu não disse nada fora da linha. Não rasguei suas roupas, não a beijei na frente do motorista. Tudo que fiz foi pedir uma carona. Por que se chateia? Seu maridão deve ser superciumento.

— Não é, e também não é da sua conta. Eu apenas... ah, deixa pra lá.

Ficou amuada, em silêncio. Quando finalmente chegaram ao seu prédio ele estendeu a mão.

— Sinto tê-la perturbado, Bettina. — Era gentil e até infantil ao falar. — Eu não tive intenção. Gostaria de ser seu amigo.

Ela sentiu algo lhe tocar profundamente a alma.

— Desculpe, Anthony... eu não quis ser rude. É que ninguém nunca... eu me sinto tão estranha... lamento mesmo. Não foi sua culpa.

Ele deu-lhe um suave beijo de amigo no rosto.

— Obrigado. Você me daria um tapa se eu lhe oferecesse uma xícara de café mais uma vez?

Anthony pareceu tão preocupado, tão ansioso, que ela não ousou recusar. Queria tanto correr para Ivo, mas fora muito grosseira com o jovem ator inglês.

— O.K., mas não posso demorar.

Bettina o seguiu escada acima, através dos intermináveis degraus estreitos, enquanto o motorista esperava lá embaixo e, quando finalmente chegaram ao apartamento, sentia-se como se tivesse subido aos céus. Ele destrancou uma pesada porta de ferro e, do outro lado, surgiu um apartamento cheio de charme. O teto pintado com nuvens, os cantos cheios de grandes folhagens, havia cômodas de campanha e objetos orientais, tapetinhos de palha, tapetes peludos e grandes e confortáveis cadeiras estofadas num suave tom de azul. Era mais do que uma moradia, era um abrigo, um pedaço de campo, um jardim dentro de casa, uma nuvem escondida num céu azul-claro de verão.

— Anthony, é maravilhoso!

— Você gosta? — perguntou com ar inocente, e ambos sorriram.

— Eu adoro! Como juntou todas estas peças? Trouxe de Londres?

— Alguma coisa. Outras encontrei por aqui e fui misturando tudo.

— Era um lugar bonito. — O que quer no café? Açúcar e creme?

— Nenhum dos dois. Obrigada. Puro.

— Por isso que você é magra. — Olhou-a, apreciando seu corpo esbelto de bailarina sentando-se numa das cadeiras azuis.

Voltou em poucos minutos com duas xícaras de café quente, um prato de frutas e queijo.

À uma e meia da manhã ela finalmente disparou escada abaixo, em pânico, até o carro. O que Ivo iria dizer? Desta vez rezou para ele estar dormindo, e suas preces foram ouvidas. Ele havia esperado até meia-noite e então caiu no sono. Bettina sentiu uma forte sensação de culpa, e se perguntou por quê. Tudo que fez foi tomar café com um colega do teatro. Que mal havia nisso?

16

— Ele bateu em você? — Anthony brincou com ela.

— Claro que não. Ele é maravilhoso e compreensivo. Não faz esse tipo de coisas.

— Bom, então vamos tomar café juntos outra vez. Por falar nisso, que tal jantarmos hoje, antes do *show*?

— Talvez.

Ela fora propositadamente vaga. Queria ligar para Ivo. Jantariam em algum lugar ali por perto. Não o tinha visto pela manhã. Quando acordou, ele já havia saído. Deixou-lhe um bilhete explicando que tinha um compromisso cedo. Bettina começava a perceber que pouco se viam, e não gostava daquilo.

Ao ligar para casa, Ivo não estava. Mattie disse que ele ligara dizendo que não voltaria para jantar e Anthony pareceu estar esperando atrás dela para usar o telefone. Ouvira toda a conversa, apesar do seu esforço para ser discreta. Quando ela desligou, ele sorriu.

— Quer um substituto para o jantar?

Pretendia dizer não, mas em face àqueles olhos azuis, concordou sem pensar. Acabaram indo a algum lugar para uma sopa e um sanduíche, e conversaram mais sobre a peça. De uma forma quase imperceptível, ele conduziu o assunto para falarem dela. Queria saber tudo: de onde veio, onde morava, até onde tinha ido à escola quando criança. Ela lhe falou sobre o pai, cujo trabalho ele conhecia. Anthony parecia fascinado. Finalmente andaram de volta ao teatro e se separaram. Mas ele a encontrou rapidamente depois do espetáculo. Para impedir que ele pedisse carona, ela correu e entrou rápido no carro.

Em casa, encontrou Ivo esperando. Conversaram por meia hora sobre os últimos dias e foram para o quarto. Bettina despiu-se devagar enquanto continuavam a conversa.

— Quase não te vejo mais. — Olhava para ela com pesar, mas sem repreensão.

— Eu sei.

Parecia deprimida, e ele se aproximou, para ajudá-la a despir-se. Depois levou-a para a cama. Fizeram amor devagar, pleno e suave, mas quando se aquietaram saciados, Bettina sentiu falta daquele fogo dos primeiros dias. Virou-se para Ivo, desejando ver a paixão em seu olhar. Mas ele apenas dormia, com um pequeno sorriso nos lábios. Ficou deitada, apoiou-se no cotovelo por algum tempo, até que, gentilmente, beijou-lhe as pálpebras. Naquele instante, seu pensamento fugiu para Anthony e ela o arrastou de volta para Ivo.

A amizade com Anthony continuou a florescer juntamente com o sucesso da peça. Comiam seus sanduíches nos bastidores e, de vez em quando, ela tomava café com ele em seu apartamento. Várias vezes ele lhe trouxe pequenos buquês de flores, como se nada representassem além da amizade. Ela tentou comentar sobre aquilo com Ivo, mas tinha a sensação de estar fazendo alguma coisa errada.

No final do inverno, Ivo foi assistir à peça. Precisava ver de perto, definir o que realmente perturbava sua mente. Controlou a hora de entrar no teatro para que já estivesse escuro, e sentou-se numa das últimas filas. Quando as cortinas se abriram, Ivo examinou o ator, e entendeu tudo... Anthony tinha a graça de um belo leopardo preto lustroso, movendo-se hipnoticamente, incorporando seu personagem. Ivo mal ouvia as palavras. Apenas o olhava, com o peso terrível da traição e da dor. A traição não era de Bettina, mas das mãos do tempo, contra quem ele tanto lutava.

Só na primavera percebeu que Bettina se modificara. Ao chegar muito tarde em casa certa noite, parecia confusa, e ele a observou sem saber se deveria fazer perguntas ou deixá-la sozinha. Algo a incomodava, mas pela primeira vez ela não queria falar. Encarava Ivo com o olhar ausente, e às vezes subia para o quarto sozinha. Encontrou-a olhando para a cidade pelo terraço, com a testa franzida, imóvel, segurando a escova de cabelos.

— Alguma coisa errada, querida?

— Não. — Foi uma resposta vaga, distante. De repente, virou-se para ele com expressão de terror. — Sim.

— Qual é o problema?

— Oh, Ivo...

Sentou-se na cadeira do jardim, os olhos grandes e luminosos, mesmo no escuro. Atrás dele estava a luz suave do apartamento que captava o brilho avermelhado de seu cabelo. Pareceu a Ivo que ela nunca esteve tão graciosa, e temia o que estava para ouvir. Por todo o inverno teve este pressentimento, mas sentia-se tão estranhamente cansado. Chegara a pensar se a aposentadoria fora um erro. Nunca se sentira assim enquanto trabalhava.

— Querida, o que é? — Foi até ela, pegou sua mão e sentou-se. — Seja o que for, pode me dizer. Acima de tudo, Bettina, somos amigos.

— Eu sei. — Olhou-o agradecida, e os olhos verdes foram se enchendo de lágrimas. — Querem que eu faça uma turnê.

— O quê? — Olhou-a com alívio e achando graça de sua preocupação. — É só isso?

Ela concordou com a cabeça.

— O que tem de tão ruim?

— Mas Ivo, teria que viajar por quatro meses. E você? Eu não sei... não posso ir, mas...

— Mas você quer ir.

— Não estou certa. Eles me... Oh, Deus, que loucura... — olhou-o tão infeliz, tão obviamente dividida. — Eles me pediram para ser assistente do diretor. Eu, Ivo, aquela que não sabia nada, que empurrava os cenários, a que não era nada, e depois de todos estes anos.

— Eles são espertos. Sabem o quanto você aprendeu. Tenho orgulho de você, querida. — Olhava-a com muito carinho. — Você quer ir?

— Oh, Ivo. Eu não sei... como é que você fica?

— Não se preocupe comigo. Já estamos juntos há quase sete anos. Você não acha que podíamos nos afastar por quatro meses? Além do mais, posso ir de avião ver você de vez em quando. Um homem aposentado tem algumas vantagens.

Ela forçou um sorriso e pegou-lhe a mão.

— Não quero te deixar.

— Você quer, sim, querida. E está tudo bem. Já vivi minha vida, e foi repleta de coisas. Não tenho o direito de esperar que você passe toda a sua sentada aqui comigo.

— Vai sentir minha falta? — Era novamente a menininha.

— Com desespero. Mas é o que precisa fazer. — Houve uma longa pausa enquanto ele a olhava. — Eu entendo. Pense um pouco sobre isso. Quando querem uma resposta?

Ela engoliu em seco, quase dando para ouvir o som.

— Amanhã.

— Estão ansiosos, não? — Tentou parecer despreocupado. — E quando seria a viagem?

— Dentro de um mês.

— Com a equipe original?

— Em parte. Anthony Pearce vai, e também a atriz principal.

Ela continuou falando mais um pouco, embora ele não a ouvisse, pois já ouvira o bastante. Olhou-a calmamente, e deu de ombros no agradável ar da noite.

— Por que não dorme e deixa para decidir pela manhã? Steve vai ser o diretor?

Ela balançou a cabeça devagar.

— Não, ele conseguiu um emprego numa peça da Broadway.

Ficou mais um minuto sentada ali sem nada dizer, e finalmente se levantou e entrou. Era como se ambos soubessem o que estava acontecendo, mas nenhum podia falar. Ele ficou no terraço, remoendo seus pensamentos. Algo mudara entre eles, sem nenhum aviso. Subitamente ela parecia tão jovem e ele muito mais velho. Até a maneira de fazer amor se modificara com o passar dos anos. Ele quis culpar o destino pelo que estava acontecendo, não era justo... mas depois compreendeu. Tivera sete anos com ela. Era mais do que tinha direito.

Voltou para dentro de casa. Não tentou fazer amor naquela noite. Não queria confundi-la mais. Do seu lado da cama, Bettina pensava se devia ficar com Ivo ou viajar. Ouviu sua respiração e virou-se para olhá-lo, tão calmo, tão carinhoso. Voltou-se para o outro lado e enxugou as lágrimas. Diria a ele pela manhã. Tinha que fazê-lo. Precisava. Não havia escolha.

17

— Ivo... você me liga... promete? — Olhou para ele no aeroporto com os olhos marejados. — E eu te ligo também, juro... todos os dias... e quando vier para o fim de semana... — de repente não podia continuar. Tudo o que podia fazer era agarrar-se a ele, a visão embaçada sob o véu de lágrimas. — Oh, Ivo... eu sinto muito...

Ela odiava ter de ir. Mas Ivo estava lá amparando-a, confortando-a, como sempre.

— Não, pare com isso, querida. Te vejo em poucas semanas. Tudo vai ficar bem. E você vai escrever uma linda peça depois disto. Vou sentir tanto orgulho de você. Você vai ver. — Sua voz era gentil e suave enquanto a segurava nos braços.

— Você acha mesmo? — Olhou para ele tentando parar de chorar, enquanto brotavam novas lágrimas. — Mas, e você?

— Já conversamos sobre isso. Estou bem. Lembra-se? Vivi muitos anos antes de ter a sorte de ter você. Agora, seja uma boa menina e divirta-se. Droga, é sua grande chance, madame assistente-de-diretor.

Ela finalmente sorriu. Ivo puxou-a para seus braços e beijou-a.

— Agora, meu amorzinho, você deve ir ou vai perder o avião, e esta não é a forma de começar num novo emprego.

Estreariam em St. Louis, e o resto da equipe já estava lá. Partiram naquela manhã, mas Bettina queria passar as últimas horas com Ivo, em Nova York.

Enquanto corria para o portão de saída, sentia-se como uma garota fugindo de casa. Apesar disso, Ivo fora sempre amoroso e gentil. Acenou para ela até que não mais pudesse vê-la e só saiu do aeroporto depois de o avião ter partido. Andava devagar, pensando naquela manhã, naquele verão, ano passado e depois nos últimos vinte e cinco. Um súbito tremor de pânico percorreu-o enquanto pensava se aquele fora apenas um até logo.

Bettina pousou em St. Louis às quatro e meia daquela tarde. Era um pouco em cima da hora para a primeira apresentação, mas eles ensaiaram tanto que a equipe tinha tudo bem acertado e o diretor saíra de Nova York com eles, por isso Bettina sentia-se segura, embora chegando tarde. Enquanto o avião tocava o solo, ela suspirou pensando em Ivo e, aos poucos, forçou sua mente a voltar para o trabalho. Deixou o avião com pressa para pegar logo sua bagagem, levá-la ao hotel e chegar ao teatro. Queria fazer o reconhecimento e ter certeza de que tudo estava no lugar.

— Por Deus, boneca, por que a pressa? Você vai derrubar a velhinha se não diminuir o passo e tomar cuidado.

Ela virou-se com raiva, mas logo sorriu, surpresa. Era Anthony.

— O que você está fazendo aqui?

— Oh, deixe ver. Vim até aqui para buscar uma amiga — disse ele, sorrindo — que é a A. D. de nossa peça. Alguém que você conhece, olhos verdes?

— Tudo bem, engraçadinho, obrigada. — Ela estava imensamente feliz em vê-lo. Sentiu-se sozinha e perdida ao deixar o avião. — Como estão as coisas no teatro?

— E quem é que sabe? Estive descansando no hotel a tarde toda.

— Está tudo bem? — Ela estava realmente preocupada e ele riu.

— Está sim, mamãezinha, tudo bem.

Ao pegar sua mala, a alegria de Anthony era contagiosa, e quando já estavam no táxi, indo para a cidade, os dois riam como crianças. Ele implicava, brincava e divertia-se, permitindo-lhe agir como uma criança, e ela adorava. Era uma saudação a todos os momentos que ela não pôde aproveitar em sua infância.

— Isto é o hotel?

Bettina olhava para o hotel enquanto desciam do táxi. Os promotores do *show* colocaram-nos no hotel mais velho da cidade e, certamente, o mais feio.

— Eu não lhe disse, boneca? Trouxeram San Quentin até St. Louis só para nós. — Ele se divertia.

— Deus, é horrível. É ruim assim também por dentro?

— Não, pior. Baratas tão grandes quanto cachorros. Mas não se preocupe, querida, comprei uma coleira.

— Anthony, pára... não pode ser assim tão ruim.

— Ah, pode.

Reafirmou com prazer, e quando olhou para seu quarto ela entendeu que ele estava certo. As paredes estavam quebradas, a pintura descascando, a cama era dura e as cobertas estavam cinzas de sujeira.

— Eu não tinha razão?

Ele olhava para ela com alegria, enquanto ela deixava as malas caírem no chão.

— Não precisa ficar tão alegre.

Com pesar, Bettina sentou-se, mas Anthony não perdia a graça. Parecia um menininho em férias, e pulava na cama para cima e para baixo.

— Pára com isso, Anthony. Você nunca se cansa, merda? — Ela estava com calor, exausta e cheia daquilo tudo. Só podia pensar que deixara Ivo em Nova York. Certamente não para viajar pelo país com aquele louco e ficar naquele pulgueiro.

— Claro que nunca me canso. Por que deveria? Sou jovem. Mas não sou tão mimado quanto você, Bettina.

Sua voz era carinhosa e ela virou-se para ele.

— O que quer dizer mimada?

— Eu não tenho um motorista ou vivo numa cobertura. Passei a maior parte de minha vida em locais como este.

Ela não tinha certeza se devia sentir pena ou raiva, e não sabia o que dizer.

— Então, você tem algum ressentimento por eu ser casada com um homem um tanto — ela hesitou — estável na vida?

— Não, mas tenho ressentimento por você ser casada com um homem que tem quase três vezes a sua idade.

Desta vez, os olhos de Bettina faiscaram:

— Não é da sua conta!

— Talvez eu ache que seja!

Seu coração disparou e ela virou-se de costas.

— Eu o amo muito.

— Talvez ame apenas o seu dinheiro.

Bettina ficou furiosa.

— Nunca mais repita isso. Ivo salvou-me, e é o único ser humano que já fez algo por mim.

Ela contara a Anthony toda a história das dívidas de seu pai.

— Não seria razão para se casar com ele, droga.

Anthony parecia realmente irritado.

— Eu lhe disse que o amo. Você está entendendo? — Bettina estava lívida. — Ele é meu marido e um homem maravilhoso.

Mas de repente a voz de Anthony ficou mais suave, tornando-se quase uma carícia.

— Quando penso em você casada com um homem quarenta e três anos mais velho, isso me parte o coração.

Olhou-a com pesar e ela estava boquiaberta.

— Por quê? — Apesar das batidas em suas temporas, tentava desesperadamente acalmar-se.

— Não é natural. Devia casar-se com alguém mais jovem. Devia ter filhos.

Ela deu de ombros e depois, suspirando profundamente, estirou-se na desconfortável cama.

— Anthony, eu nunca fui uma jovem tola. Conheci Ivo por toda a minha vida. Foi a melhor coisa que podia ter acontecido para mim. — Mas por que estava fazendo aquilo? Por que se justificava?

— Gostaria que alguém dissesse isso de mim. — Ele estava triste.

Ela sorriu pela primeira vez desde que começaram a discussão. Sua raiva desaparecia.

— Talvez algum dia alguém diga. Agora será que podemos fazer um acordo?

— O que é?

— Sem mais comentários sobre Ivo, sem implicância por ele ser muito mais velho.

— Está bem, está bem, de acordo, mas não peça que eu entenda.

— Não pedirei. — Ela esperava que ele pudesse entender, como amigo.

— O.K., agora vamos logo para aquela droga de teatro, antes que sejamos despedidos.

Alguns minutos mais tarde a sensação ruim tinha desaparecido. Ficariam juntos muito tempo, e não deviam alimentar uma briga.

Eles chegavam aos lugares juntos, saíam juntos, comiam juntos, conversavam, viam televisão juntos em seus quartos de hotel, dormiam lado a lado nos saguões de aeroportos e de hotéis horríveis esperando por seus quartos. Eram inseparáveis. Um pequeno núcleo dentro de um maior. A equipe toda ficava muito junta como se fossem grudados, mas dentro do grupo sempre se formavam casais e panelinhas. Entre eles estavam Bettina e Anthony. Ninguém entendia muito bem ou ousava fazer perguntas, mas após as primeiras semanas, todos sabiam que se estivessem procurando por um, achariam o outro também.

— Bettina?

Ele estava batendo à sua porta de manhã bem cedo. Normalmente ela deixava que ele ficasse com uma chave de seu quarto e ele lhe dava um tapinha na bunda para acordá-la, onde quer que estivessem. Ela vivia tão cansada que quase era necessário força bruta para fazê-la levantar-se. Mas na noite anterior, em Portland, ela esquecera de lhe dar a chave.

— Bettina! Merda. Bettina!

— Entra logo.

Um dos colegas sorriu ao passar, enquanto Anthony murmurava.

— Que diabos, mulher, acorde!

Finalmente ela cambaleou até a porta, bocejando.

— Puxa! — Ele fez uma expressão de alívio e entrou.

— Trouxe meu café?

— Você acreditaria que eles não têm café neste pulgueiro? Temos que andar duas quadras para o restaurante mais perto.

Bettina olhou para ele com os olhos turvos.

— Meu coração pode parar antes disso.

— Foi o que pensei.

Sorriu misteriosamente e saiu para o corredor. Voltou logo depois com uma pequena bandeja de plástico com duas xícaras de café e um pão bem grande.

— Oh, céus! Você é maravilhoso. Onde conseguiu?

— Eu roubei.

— Não quero nem saber... Estou esfomeada. A que horas partimos? Não haviam decidido quando vim dormir.

— Fiquei pensando onde você tinha se escondido.

— Está brincando? Se não tivesse dormido um pouco, teria caído morta.

Ninguém contou a eles que teriam apresentações todas as noites. Era um dos pequenos detalhes não mencionados. Por isso, Ivo não fora se encontrar com ela, apesar de já ter-se passado um mês. Não havia razão, pois ela trabalhava todos os dias da semana. Telefonavam-se diariamente, mas ela se retraía muito, pois só lhe interessavam os assuntos da *tournée*. Era como se estivesse num acampamento militar. Ficava cada vez mais difícil se relacionar com alguém que não partilhasse a mesma experiência.

— Então, a que horas partimos?

— Em uma hora. Mas veja pelo lado bom, Bett, estaremos em San Francisco esta tarde.

— E quem está interessado? Acha que vamos ver alguma coisa? Não. Ficaremos presos em algum horrível quarto de hotel e depois de três dias pegaremos um avião para outro lugar.

O charme da excursão estava, definitivamente, se acabando, mas era também uma experiência valiosa. Ela sempre repetia isso para Ivo.

— Não serão só três dias, boneca, mas uma semana. Uma semana inteira.

Por um momento seu rosto iluminou-se, e ela pensou se não devia contar a Ivo e pedir que ele viesse.

— Vamos ter algum dia livre?

— Não que eu saiba, mas, quem sabe? Vamos lá, apronte-se. Fico com você enquanto faz as malas.

Ela sorria ao sair da cama de camisola. Agiam quase como casados, e ela sempre esquecia de colocar um robe.

— Conseguiu falar com seu agente hoje? — gritou do banheiro.

— Consegui.

— E o que ele disse?

— Nada de bom. Me deram o último visto de prorrogação de permanência, e logo que a excursão acabar eu caio fora.

— Do país?

— Claro.

— Que merda!

— É. Foi mais ou menos o que eu disse. Mas acrescentei coisas piores.

Alguns minutos mais tarde ela fechou o chuveiro e voltou, enrolada numa toalha, e com outra nos cabelos.

— O que vai fazer? — Estava preocupada. Sabia o quanto ele queria ficar.

— Não há nada que eu possa fazer, boneca. — Deu de ombros e olhou para seu café com um ar pensativo.

— Gostaria de poder fazer alguma coisa, Anthony.

Ele apenas sorriu, cabisbaixo.

— Receio que não pode, amorzinho. Você já é casada.

— Que diferença faria se eu não fosse? — Ela estava surpresa.

— Se eu me casasse com uma americana, não precisaria voltar para casa.

— Então case-se com alguém. Depois você se divorcia. Puxa, é uma ótima idéia!

— Nem tanto. Divórcio, só depois de seis meses.

— Deve ter alguém que concorde.

— Receio que não.

— Vamos conseguir alguém!

Os dois riram, e ela voltou para o banheiro. Saiu vestindo uma blusa de seda azul e uma saia branca de linho. Tinha uma jaqueta do conjunto nos braços e usava sandálias pretas de salto alto. Estava maravilhosa, e Anthony exclamou:

— Você está linda, Bettina.

Pronunciou estas palavras com gentileza e numa mistura de afeição, surpresa e respeito.

Mais tarde, quando se dirigiam para o aeroporto, ele perguntou:

— Ah, e como vai seu marido? Ele não vem?

Bettina negou com a cabeça, calmamente.

— Disse que não adianta muito, se não temos um dia de folga. Acho que tem razão.

Ela não parecia interessada no assunto, e depois a saída foi caótica até que todos se arrumassem no avião. Ficaram lado a lado novamente.

Ele lia uma revista e ela um livro. De vez em quando, falavam em voz baixa e riam, divertidos. Para quem não os conhecesse, pareciam casados há anos.

O aeroporto de San Francisco parecia com todos os outros: grande, cheio de gente e caótico. Finalmente colocaram todos no ônibus para a cidade e depois em táxis para o hotel. Bettina preparou-se para mais um horrível pulgueiro, mas quando o táxi chegou, teve uma surpresa. Não era um pulgueiro. Era um pequeno hotel francês, localizado numa montanha com vista maravilhosa para a baía. Parecia mais com a casa de alguém do que com um hotel onde o grupo de teatro se hospedaria.

— Anthony? — Ela falou, perplexa. — Será que eles se enganaram? — Saiu do carro devagar, olhando em volta com um misto de prazer e desalento.

— Espere até que os outros vejam isto. — Estava muito contente, mas havia algo no olhar de Anthony que ela ainda não entendera.

Ele pagou o táxi, depois disse calmamente:

— Os outros não vão ficar aqui, Bettina.

— O que quer dizer? — Falou confusa, não conseguindo e não querendo entender. — Onde estão eles?

— Nos pulgueiros de sempre, no centro da cidade. Achei que preferiria ficar aqui.

— Mas por quê? — Ela estava assustada. — Por que deveríamos ficar aqui?

— Porque você está acostumada a isto, e porque é bonito. Você vai adorar, e estamos fartos de porcarias.

Era verdade. Mas por que aqui? E por que ele sempre falava sobre o que ela estava acostumada? Por que deveriam ficar separados dos outros?

— Quer confiar em mim? Ou quer ir embora? — Sua expressão era de desafio.

Ela hesitou, suspirou e balançou a cabeça.

— Não. Vou ficar. Mas não sei por que fez isso. Devia ter falado comigo. — Sentia-se cansada, e desconfiava do que via nos olhos de Anthony.

— Queria te fazer uma surpresa.

— O que os outros vão dizer?

— E daí?

Estava recuando novamente. Ele largou as malas e segurou sua mão.

— Bettina, somos ou não somos amigos?

Ela concordou com a cabeça.

— Então confie em mim. Só desta vez. É tudo que lhe peço.

Ela confiou. Ele reservara quartos com comunicação e, quando os viu, não pôde resistir. Queria abraçar-se a ele e rir muito.

— Que se dane, Anthony, você está certo! É maravilhoso!

— Não é?

Sentiam-se dois vitoriosos admirando a vista da varanda do quarto. De repente, ela estava encabulada:

— Sinto muito ter desconfiado. Estou apenas muito cansada e eu... eu não sei... já faz tanto tempo que não vejo Ivo... ainda me preocupo...

Ele falou suavemente, passando um braço sobre seus ombros.

— Não se preocupe, boneca, tudo bem.

Bettina sorriu e entrou no quarto para relaxar, com mordomia, numa *chaise longue* de veludo azul-claro. As paredes eram revestidas de tecido, a mobília francesa, havia uma lareira de mármore e uma cama com cabeceira e pés altos. Quando ele voltou para o quarto, ela perguntou:

— Como descobriu este lugar?

— Palpite de sorte. Na primeira vez em que vim aos Estados Unidos, prometi a mim mesmo — olhou para suas mãos enquanto falava — que voltaria aqui com alguém de que eu realmente gostasse. — Levantou o olhar para ela. — E eu gosto muito de você.

Ele mal podia pronunciar as palavras. Bettina sentiu um calor por todo seu corpo. Não sabia o que responder, mas sabia que gostava muito dele.

— Anthony, eu não devia...

Ela levantou-se, sentindo-se estranha, e ficou de costas.

Depois sentiu-o perto, tocando-lhe gentilmente os ombros. Em seguida, ficaram frente a frente e, sem falar mais nada, ele a beijou na boca, exprimindo toda a força, o fogo e o êxtase de sua alma.

18

Primeiro, Bettina não entendeu como aconteceu, e o que a levou a fazer aquilo. Já se haviam passado cinco semanas sem ver Ivo, e em sua viagem com o espetáculo sentia-se vivendo em um mundo diferente. Agora compreendia por quanto tempo estava atraída por Anthony, e o quanto odiava ter de admitir isso, mas era incrível unir-se a um corpo jovem, com sangue jovem. Absorveram o prazer um do outro indefinidamente, até que fosse quase hora de ir para o teatro. Bettina deixou a cama ainda meio fora de órbita, não sabendo o que dizer a ele e o que pensar de si mesma. Anthony fê-la sentar-se de volta na cama.

— Bettina, olhe para mim...

Ela não olhou.

— Querida, por favor.

— Eu não sei o que pensar. Não entendo... — Sua expressão era de agonia. — Por que fizemos...

— Porque queríamos. Porque precisamos um do outro e nos entendemos. Eu te amo, Bettina. Foi por isso, também. Não despreze isso. Não diga que eram apenas nossos corpos. Não. Era mais, muito mais. E, se negar, estará mentindo para si mesma. — Segurou-lhe o rosto com firmeza. — Olhe para mim, Bettina.

Ela voltou para ele o olhar de desespero.

— Você me ama? Responda-me honestamente. Eu sei que te amo. Você me ama? — Sua voz estava alterada.

— Eu não sei...

— Você sabe, sim. Nunca teria feito amor comigo se não me amasse. Você não é esse tipo de mulher. É, Bett? — E mais suave: — Você é?

Ela negou com a cabeça.

— Você me ama? Responda, diga para mim, por favor...

Ela podia sentir as palavras acariciando seu corpo, e ao olhar para ele ouviu-se dizendo:

— Eu te amo.

E se abraçaram.

— Eu sabia. Agora vamos para o teatro. Depois voltamos.

Apenas para lembrá-la do que iria acontecer, ele a possuiu novamente e muito rápido.

Bettina estava sem respiração quando ele a deixou, surpresa ante a sua própria paixão e desejo. Parecia embriagada. Não se cansava dele e de seu corpo... tão bom...

Mas, no caminho para o teatro, pensamentos sobre Ivo começaram a pressioná-la: "E se ele telefonasse? E se soubesse? E se perguntasse onde estavam hospedados? E se viesse para a Califórnia surpreendê-la? Que diabos estava fazendo?" E cada vez que tentava se convencer de que era loucura, pensava no prazer que sentira e sabia que não queria parar. Mal pôde fazer seu trabalho no teatro naquela noite e, quando voltaram para o hotel, recomeçaram tudo. Aquilo a fez meditar sobre o tempo em que mantiveram uma amizade platônica. Fora um longo tempo.

— Feliz?

Ela estava aninhada nos seus braços.

— Eu não sei. — Olhou para ele e sorriu. — Sim, claro que sim.

Mas em seu coração havia uma grande dor. Sentia-se corroída pela sensação de culpa, e Anthony sabia.

— Eu entendo, Bettina, está tudo bem.

E ela pensava se entendia mesmo. Imaginava se ele tinha a capacidade de amar que Ivo possuía. Não tinha sua experiência ou sua idade. Havia vantagens em amar um homem tão mais velho, que já consumiu sua agressividade e aprendeu suas lições há muito tempo. Ela permaneceu alheada, e Anthony parecia ler seus pensamentos.

— O que vai dizer a ele?

— Nada.

Anthony ficou amuado.

— Não poderia! Não é a mesma coisa. Se ele fosse mais jovem, seria diferente. Neste caso vai parecer apenas um problema de idade.

— E não é esse o problema? Pelo menos em parte? — "Droga!, ela era difícil de convencer." Subitamente compreendeu que tipo de batalha tinha pela frente.

— Eu não sei.

Ele não insistiu mais. Havia coisas melhores para fazer. Várias vezes Bettina se descobriu pensando em Anthony, depois em Ivo e depois em Anthony novamente. Era um ciclo vicioso de enlouquecer, e tinha como única fuga os braços de Anthony. Durante a semana ela não telefonou para Ivo. A sensação de culpa lhe pesava muito. Não queria mentir, e simplesmente fugiu. Ivo ligava com freqüência, deixava recados e finalmente a encontrou em Los Angeles, tarde da noite. Não tinham se falado por nove dias. Agora não haveria mais tapeações. Ela e Anthony já ocupavam um só quarto.

— Querida, você está bem?

Havia um leve tom de desespero em sua voz, e quando Bettina o ouviu, seus olhos se encheram de lágrimas.

— Ivo, estou bem... oh, querido. — E de repente, não conseguia falar. Mas tinha que falar... tinha... ou ele saberia. Ainda bem que Anthony estava dormindo ali ao seu lado.

— Tudo tem sido uma loucura. Tanto trabalho... nem dá para parar. E eu não queria ligar enquanto não pudesse dizer para você vir até aqui.

— Ainda está nessa confusão?

Sua voz soava tensa, e Anthony se mexeu. Ela hesitou por um instante, depois concordou, enxugando as lágrimas com a mão.

— Ainda.

Mal sussurrou, mas Ivo entendeu.

— Então vamos esperar, querida. A gente se vê em casa. Não se sinta pressionada. Temos o resto de nossas vidas.

Será que tinham? Ela não tinha mais certeza. Bettina sentia-se afastando-se dele por mãos muito fortes.

— Oh, Ivo. Eu sinto tanto a sua falta...

Ela parecia uma criança desesperada, e Ivo fechou os olhos. Mas precisava falar... Tinha que falar.

— Bettina... pequenina... — respirou fundo. — Tudo isto é parte do seu crescimento. Você tem que fazê-lo. Não importa o quê.

— O que quer dizer com "não importa o quê"?

Sentou-se na cama para ouvir melhor. Será que ele sabia? Teria adivinhado? Ou falava sobre o teatro?

— Quer dizer que não importa o quanto custe a você. Se é o que você quer, Bettina, está certo. Nunca tenha medo de pagar o preço. Às vezes temos que pagar muito caro... mesmo que isto signifique não nos vermos para você fazer o seu trabalho, mesmo que... — Não podia prosseguir. Mas era necessário. — Seja uma garota adulta, Bettina. Já é tempo.

Mas ela não queria ser adulta. De repente, só queria ser uma garotinha com ele.

— Vá dormir agora, querida. É muito tarde.

Na costa leste eram três horas mais tarde. E em Los Angeles o relógio marcava duas e trinta da manhã.

— Nossa Senhora, o que está fazendo acordado a esta hora?

— Queria ter certeza de que a encontraria.

— Oh, querido, sinto muito. — Novamente sentia-se tomada pelo remorso.

— Não sinta. Seja jovem, divirta-se e... — quase falou "lembre-se de que é minha", mas não pôde. Precisava deixá-la voar livremente, se era o que ela queria. Não importava o quanto lhe custasse.

— Eu te amo, pequenina.

— Eu te amo, Ivo.

— Boa noite.

Quando ela desligou, as lágrimas rolavam em seu rosto, e Anthony roncava baixinho. Por um breve momento, ela o odiou.

Três dias depois, ela parecia odiar Ivo muito mais. Leu um artigo num jornal de Los Angeles sobre a famosa estrela de Hollywood, Margot Banks, que passava o fim de semana em Nova York, visitando um velho e querido amigo cujo nome ela se negara a revelar à imprensa. O artigo continuava mencionando, no entanto, que ela fora vista jantando no Clube 21 com o editor aposentado do *New York Mail*, Ivo Stewart. Sabia muito bem que Margot fora uma das amantes de seu pai e, mais tarde, de Ivo. Seria por isso que ele estava sendo tão compreensivo? Seria por isso que não quis ir vê-la? Por Deus, ela se penitenciava toda noite, quando fazia amor com Anthony, e ele começava seu *affair* com Margot Banks. Seria isso? Ele estaria roendo a corda após sete anos? Bettina sentiu uma onda de fúria. Quando Ivo telefonou novamente, ela mandou dizer que não estava. E de longe, tomando café, Anthony Pearce parecia extremamente feliz.

19

Por três meses, até que a excursão acabasse, tudo continuou como estava. Anthony e Bettina fizeram seu caminho apaixonadamente, de cidade em cidade, de hotel em hotel, de cama em cama. Nunca viam nada das cidades por onde passavam. Gastavam seu tempo ensaiando, atuando e fazendo amor. E cada vez mais Bettina via o nome de Ivo nos jornais junto com algumas das mulheres que no passado fizeram parte de sua vida. Principalmente com Margot, a velha cadela. Bettina quase rosnava cada vez que lia seu nome. Aquilo só provocava riso em Anthony. Ela nunca falava do que sabia para Ivo, mas havia grande tensão entre eles ao telefone. Os quatro meses de afastamento não lhes fizeram bem.

— E então? — Anthony olhou inquisidoramente para ela no último dia da excursão. — O que acontece agora?

— Que diabos isso significa? — Ela estava exausta e fervendo, num dia de verão em Nashville, no Tennessee.

— Não precisa ser rude, Bettina. Não acha que tenho o direito de perguntar sobre o que me espera agora? Acabou tudo? Foi só isso? Você volta para a sua cobertura e o seu velho? — Ele a olhou com amargura. Estava igualmente cansado e o calor também o perturbava.

Bettina pareceu murchar e, vagarosamente, sentou-se na cama barulhenta. No final da excursão, as únicas acomodações decentes que tiveram foram as que Anthony reservou em San Francisco. Se não por outra razão, seria bom chegar em casa, nem que fosse apenas para deitar na sua própria cama. Mas na verdade, apesar das fofocas, estava louca para ver Ivo. Portaram-se como dois bobos. Não havia motivo suficiente para romper com tudo. E ela aprendera uma lição. Nunca mais sairia em *tournée*. Não importava o quanto tivesse aproveitado da ligação com Anthony. Era hora de voltar para casa.

— Eu não sei, Anthony. Não posso dizer nada.

— Entendo. — Fez uma pausa. — Sei o que isso significa. Vai voltar pra ele.

— Já lhe disse — sua voz se alterou — que não sei! O que quer de mim? Um contrato?

— Talvez, boneca, talvez. Já lhe ocorreu que enquanto você volta para o seu querido marido velhinho eu fico sem emprego, sem a namorada e possivelmente fora do país? Tenho boas razões para me preocupar.

Subitamente ela sentiu-se triste. Era verdade. Ela ao menos tinha Ivo. E ele? Pelo que parecia, não tinha mais nada.

— Sinto muito, Anthony. — Aproximou-se dele e acariciou-lhe o rosto com a mão. — Vou lhe dizer o que está acontecendo tão logo eu ponha meus pés no chão.

— Ótimo. Parece até entrevista para um emprego. Deixe eu lhe dizer uma coisa, senhora-assistente-de-diretor. Seja o que for que pense ou o que eu signifique para você, quero deixar algo muito claro antes de partirmos: Eu te amo. — Sua voz embargou. — E se você fizer a gentileza de deixar seu marido, quero me casar com você. Imediatamente. Entendeu?

Ela o olhou assustada.

— Fala sério? Mas por quê?

Ele não pôde deixar de rir e, carinhosamente, passou um dedo em seu rosto, descendo até o pescoço e os seios.

— Porque você é bonita, inteligente, maravilhosa e — olhou sério para ela por um momento — você não é o tipo de garota para se brincar. É o tipo com quem queremos casar, Bett.

Ela parecia em estado de choque.

— Então, querida, se eu pudesse arrancar você do seu marido — ajoelhou-se perto dela e beijou-lhe a mão —, gostaria de torná-la a sra. Anthony Pearce.

— Não sei o que dizer.

— Então me ligue no dia seguinte à nossa chegada em Nova York e diga sim.

Ela não telefonaria. Não podia fazer aquilo com Ivo. E também não esperava que Ivo fizesse com ela.

20

— Ivo, você não está falando sério. — Ela o fitava com a face lívida.

— Por quê?

— Porque está na hora. Para nós dois.

"O que ele está dizendo? Oh, Deus, o que significa isto?"

— Já é hora de termos amantes da nossa idade.

— Mas eu não quero! Você quer? — Estava horrorizada.

Ele não respondeu, porque se contorcia em seu interior. Já sabia de tudo, pois mandara investigar. Ela se envolvera com o ator. E isto aconteceu há meses. Talvez mesmo antes de terem deixado Nova York. Ivo não ficaria no caminho deles. Era um direito dela procurar algo melhor, por ser ainda tão jovem.

— Mas eu não quero me separar de você! — Ela quase guinchou.

— Eu acho que quer. — Ele sentou-se, muito calmo.

— É por causa das outras mulheres que eu li nos jornais, com quem você saía? É por causa delas, Ivo? Diga! — Estava histérica e assustadoramente pálida, mas ele agüentou firme.

— Já lhe disse. Será melhor para nós dois. E você estará livre.

— Eu não quero ser livre!

— Mas agora é! Não deixarei isto chegar a um ponto insuportável. Vou viajar para a República Dominicana semana que vem, e tudo estará acabado. Fim. Legalmente livre.

— *Mas eu não quero ficar legalmente livre, Ivo*!

Ela gritava tão alto, que Ivo tinha certeza que Mathilde escutava através da porta. Calmamente, segurou Bettina e fê-la aproximar-se bem.

— Sempre estarei aqui para você, Bettina. Eu te amo. Mas você precisa de alguém mais jovem. Não pode mais estar casada comigo.

— Eu não quero me separar de você! — À beira da histeria, ela agarrava-se nas mãos dele. — Não me mande embora... nunca mais farei aquilo... sinto muito... oh, Ivo, eu sinto tanto...

Ele sabia. Tinha que saber. Por que mais procederia assim? Enquanto se agarrava, pensava em como ele podia ser tão frio

A maior tragédia era que por dentro ele estava se destruindo, mas sentia que lhe devia aquilo, embora ela não quisesse. Tentou explicar em meio ao seu desespero que ela receberia uma quantia em dinheiro todo mês. Nunca a deixaria sem recursos. Também não a esquecera em seu testamento. Podia ficar no apartamento até que ele voltasse da República Dominicana, após o que ele sugeria que ela se mudasse para a casa de... um amigo. E enquanto ela não saísse, ele ficaria no clube de um amigo.

Bettina ouvia incrédula. Aquilo não podia estar acontecendo com ela. Aquele homem que a salvara, a quem amava em desespero... Ela destruíra tudo por ter deitado com Anthony. Ivo sabia. Agora estava sendo punida.

Os dias passaram como pesadelos, e ela não podia se lembrar de algum outro momento mais doloroso em sua vida. Nem mesmo a morte de seu pai a deixou tão ferida, tão abandonada, tão desesperadamente incapaz de mudar a direção dos acontecimentos. Nem mesmo queria falar com Anthony, mas apesar disso, um dia antes de Ivo voltar da República Dominicana, ela estava sentada em seu quarto e não tinha mais ninguém a quem recorrer, senão ele.

— Quem? O quê? Oh, meu Deus, você parece péssima... está tudo bem? — Pausa. — Quer vir até aqui?

Ela hesitou, mas disse sim.

— Quer que eu vá te buscar?

Era um gesto de cavalheirismo, e ela apreciara, mas não achava que fosse muito certo. Então, vestiu seu *jeans*, sandálias e uma blusa e em alguns minutos tomou um táxi.

— Ele *o quê*?

Anthony fazia café enquanto ela se sentava na cadeira de couro de sua confortável cozinha.

— Ele me disse que queria o divórcio, e neste fim de semana está na República Dominicana. — Falou mecanicamente, enquanto as lágrimas recomeçavam.

— Eu lhe disse, gatinha, ele é senil. Mas quem sou eu para reclamar? Quer dizer que ele está se divorciando de você?

Ela concordou com a cabeça.

— Este fim de semana?

Ela tornou a concordar, e ele soltou um grito de alegria.

— Devo lhe dizer, Anthony — soluçou alto —, que essa sua reação é de muito mau gosto.

— Você acha? — Ele sorriu. — Você acha, boneca? Bem, eu não acho Nunca estive tão feliz em toda a minha vida. — E, com uma reverência formal, virou-se para ela. — Você me concederia a honra de se casar comigo na segunda-feira?

Ela se levantou, imitou-lhe o gesto e respondeu:

— Eu não concederei tal honra.

— E por que diabos não? — Ele estava surpreso.

Ela suspirou e andou até o sofá, onde sentou-se, assoando o nariz.

— Porque mal nos conhecemos. Porque somos muito jovens. Porque... Droga, Anthony... estive casada por sete anos com alguém a quem quero muito, ele saiu para conseguir o divórcio e você espera que eu me case no dia seguinte? Só se eu estivesse muito louca. Ao menos me dê tempo para respirar.

Mas não era só de tempo que precisava. Não queria se casar com ele. Não tinha certeza de seus sentimentos. Como amante, sim, mas não como companheiro.

— Ótimo. Você pode me escrever para a Inglaterra. — Ele estava amargurado.

— O quê?

— Exatamente. Tenho que sair do país até sexta-feira.

— No final da semana que vem?

— É quando chega a sexta-feira, não é?

— Não seja engraçadinho, falo sério.

— Eu também. Estava começando a fazer as malas quando você ligou. — Sua expressão se iluminou. — Mas se nós nos casássemos, eu não teria que ir a lugar nenhum, certo?

— É uma excelente razão para se casar. — Ela se zangou.

Mas ele se aproximou, sentou-se e pegou sua mão.

— Bett, pense nos meses com aquela droga de *tournée*. Se conseguimos ficar felizes e juntos por tudo que passamos, podemos sobreviver. Eu te amo. Quero me casar com você. Então, que diferença faz se for nesta semana ou no ano que vem?

— Talvez faça muita diferença.

Ela estava nervosa, e ele parou de falar. Aconchegaram-se na cama e retomaram o assunto na manhã seguinte, quando ele a lembrou de que não estava prestes a perder apenas o marido, mas também o amante. Esta realidade frustrante ainda não lhe ocorrera, e ela caiu em lágrimas.

— Oh, pelo amor de Deus, pare de chorar. Tem solução para tudo, sabia?

— Pára de pressionar para conseguir só o que te interessa.

Ele ficou quieto. No final da tarde ela estava uma pilha de nervos. Olhando o relógio, percebeu que tinha que voltar para o apartamento de Ivo, para terminar de arrumar suas coisas e levá-las para um hotel.

Mas Anthony insistiu que ficasse com ele. Ela não tinha certeza se devia, mas, por outro lado, seria muito menos brutal do que ficar sozinha nos primeiros dias. E já que viveram juntos em quartos de hotel por todo o verão, por que não ficar com ele agora? Também lembrou, com um choque, que não era mais casada. Ivo já teria obtido o divórcio.

Então, às cinco horas, pegou um táxi em direção norte para buscar o resto de suas coisas, o que a fez lembrar-se do dia em que se mudou do vazio apartamento de seu pai para ficar com Ivo. Já se passaram sete anos, e ela estava se mudando para o apartamento de outro homem. Por pouco tempo, ela prometera a si mesma. E então se lembrou que se mudara para a casa de Ivo por pouco tempo também.

Na segunda-feira estava se sentindo melhor. À noite ele a levou para jantar. Na terça começou a arrumar as malas. Na quarta, o apartamento estava uma bagunça e ficou muito claro que em dois dias ela teria que encarar mais um deplorável adeus. Naquela manhã ela falou com Ivo, mas ele estava estranho e frio e muito seguro do que havia feito. Quando desligou, virou-se para Anthony banhada em lágrimas. Ele também estava de partida. Mas sabia no que ela pensava agora, e olhou dentro de seus olhos.

— Você faria isso, Bettina?

Ela se confundiu.

— Você se casaria comigo, Bettina? Por favor.

Ela acabou sorrindo. Ele parecia um menininho.

— Não faz nenhum sentido. É muito cedo.

— Não. Não é muito cedo. — Havia lágrimas nos seus olhos. — Já é quase tarde demais. Se não conseguirmos a licença hoje, não conseguiremos até sexta-feira. E eu terei que deixá-la. Não importa o que eu sinta... não importa o que...

Estas palavras tinham um som familiar para Bettina, e ela lembrou de Ivo falando-lhe ao telefone quando estava na Califórnia com Anthony. Dizia que pagasse o preço pelo que ela acreditava, "não importa o quê".

— E se não der certo?

— Nós nos divorciamos.

— Já fiz isso, Anthony, e não quero fazer de novo.

Ele aproximou-se para abraçá-la:

— Não vamos precisar disso. Estaremos juntos para todo o sempre. — Aproximou-se mais. — Teremos um bebê... Oh, Bettina, por favor...

Enquanto ele a abraçava, ela não podia resistir. Queria tanto agarrar-se a ele, não perder outra pessoa importante em sua vida. E queria tão desesperadamente ser amada.

— Faria isso?

Segurou a respiração por um momento e concordou. Ele mal pôde ouvir a resposta.

— Sim.

Chegaram ao cartório antes que fechasse, naquela quarta-feira. Conseguiram a licença, o exame de sangue, e Anthony comprou o anel. Na sexta-feira pela manhã, no mesmo cartório, casaram-se. E Bettina Daniels Stewart tornou-se sra. Anthony Pearce.

21

Anthony e Bettina passaram os meses do outono hibernando calmamente após o casamento em setembro. Ele não foi escalado para outra peça e ela não voltou para seu antigo emprego. Já armazenara as informações de que precisava. Certamente colhera a experiência e as dores-de-cotovelo, para começar a escrever. Anthony também não precisava viajar. Casado com Bettina, podia ficar nos Estados Unidos. E vivendo da pensão que ela recebia de Ivo, decidiu esperar o papel certo. Algumas vezes Bettina se sentia estranha com aquilo. Afinal, Ivo mandava o dinheiro para ela. Mas era óbvio que Anthony já se sentia bastante envergonhado por não ter emprego, e ela não falava no assunto, pois também não estava trabalhando. Decidira que teria um descanso, queria conhecer Anthony melhor, cada gesto, cada segredo, cada pedacinho de sua mente. Sabia que havia coisas que ela não conhecia, coisas que ela sabia que ele não a deixava descobrir, não importando quão próximos já estivessem.

Então, se enfurnaram no apartamento, leram peças, cozinharam espaguete, saíram para longos passeios e fizeram amor. Riam e conversavam, brincando pelas horas da manhã... quando Anthony estava em casa. Em muitas noites ele saía para ver o trabalho de outros atores, e depois ia conversar com os amigos até altas horas da madrugada. Sozinha no apartamento, Bettina compreendeu o que Ivo deve ter sentido quando ela o deixava para trabalhar no teatro.

Na verdade, pensava muito em Ivo. Pensava no que ele estaria fazendo, se ainda estava tão cansado, se estava bem. Descobriu-se querendo estar com ele, ouvir sua gentileza, seu encorajamento, seus elogios. Em vez disto, o que encontrava era a indiferença de Anthony e seus humores, seu calor e sua paixão extinguindo-se rapidamente em seus braços.

— Por que essa cara tão mal-humorada, amorzinho?

Ele a observava há alguns minutos. Ela roía o lápis enquanto rabiscava algumas idéias para sua peça. Bettina olhou para ele com surpresa. Tinha saído há horas e ela não o vira voltar.

— Nada. Como foi sua noite?

— Muito agradável. E a sua?

Perguntou casualmente, enquanto tirava o cachecol. Bettina o comprara para ele no primeiro sinal de inverno. Logo depois da insistência de Anthony para que ela vendesse seu casaco de *vison*. Estavam vivendo do lucro há dois meses.

— Razoável. — Mas ela parecia deprimida e não se sentiu bem o dia todo.

Antonhy sorriu e sentou-se na beira da cama.

— Vamos lá, boneca. Venha me contar o que está errado.

A princípio ela apenas balançou a cabeça e depois riu, segurando seu rosto nas mãos.

— Não há nada errado. Estava apenas pensando no Natal. Gostaria de te dar alguma coisa maravilhosa. Mas não vejo como.

Bettina estava chateada, e ele a tomou nos braços.

— Não importa, sua boba. Temos um ao outro. É tudo o que quero. — E depois, sorriu misteriosamente. — Isso, e um Porsche.

— Muito engraçado.

Era estranho lembrar que Ivo lhe dera um bracelete de diamantes no Natal anterior. E ela lhe dera um novo casaco de *cashmere*, uma pasta de executivo de 400 dólares e um isqueiro de ouro. Mas estes dias se foram para sempre. Tudo que ela tinha eram as jóias que estavam cuidadosamente guardadas no cofre do banco. Nem contara para Anthony. Disse-lhe apenas que havia devolvido tudo a Ivo. De fato, ela tentou devolver todas as jóias, mas Ivo insistiu em que ela devia guardá-las, com a condição de não contar para ninguém onde estavam. Queria que as guardasse como um ninho de ovos e Bettina seguiu seu conselho. Agora, por um segundo, ela contemplava a idéia de vender alguma coisa só para o Natal. Mas sabia que se o fizesse levantaria as suspeitas de Anthony de que escondia alguma coisa. Então, suspirou ao olhar para ele.

— Você percebeu que não podemos dar presentes um para o outro?

Parecia uma criança que acabara de perder seu brinquedo favorito. Mas Anthony nem ligava.

— Claro que podemos. Podemos nos dar um peru e um belo jantar de Natal. Podemos escrever poemas um para o outro. Podemos dar um grande passeio no parque.

Ele fez com que a idéia parecesse tão bonita, que ela sorriu e secou as lágrimas.

— Gostaria de lhe dar muito mais do que isso.

E então, aproximando-se mais, ele sussurrou:

— Você já deu.

Nas semanas seguintes, seus pensamentos sobre o Natal foram esquecidos. Ficou muito doente com alguma espécie de gripe que a deixou enjoada e com ânsia de vômito, passando o dia no banheiro. Ao entardecer, se sentia um pouco melhor. Mas tudo recomeçava pela manhã. No final da semana ela estava horrível e abatida.

— É melhor você ir ao médico, Bett — Anthony falou numa manhã, enquanto ela corria para o banheiro.

Mas Bettina não queria ir ao médico de Ivo. Não queria ter que explicar a ele. Não queria que contasse para Ivo ou que se intrometesse. Então pegou o nome de um médico com uma amiga de Anthony com quem haviam trabalhado no último espetáculo. A sala de espera era pequena e estava lotada, as revistas amassadas, a mobília velha e as pessoas mal-arrumadas e pobres. Quando conseguiu ser atendida, sentia-se nauseada e fraca e, poucos minutos depois, estava no banheiro vomitando violentamente. Mas quando olhou para o médico, seus olhos eram gentis, e com mãos generosas ajudou-a a puxar o cabelo para trás.

— Está mal assim, é?

Ela assentiu, tentando recuperar a respiração.

— Faz muito tempo?

Os olhos do médico a observavam com atenção e Bettina sentiu-se menos assustada ao deitar na cama de exames, soltando um leve suspiro.

— Estou assim há quase duas semanas.

— Alguma melhora ou piora? Ou esteve assim o tempo todo?

Puxou um banco e sentou-se próximo a ela.

— Tem sido assim o tempo todo. Às vezes melhora à noite, mas não muito.

Ele assentiu e fez uma anotação em sua ficha.

— Isso já aconteceu antes?

Bettina balançou a cabeça com segurança.

— Nunca.

E então o médico a olhou com atenção, buscando seus olhos.

— Você já esteve grávida antes?

Ela balançou a cabeça, até que entendeu o que ele queria dizer, sentando-se rapidamente.

— Estou grávida?

— Deve estar. Seria muito ruim?

Pensativa, ela deu de ombros e, com um pequeno sorriso, respondeu:

— Eu não sei.

— Seu marido é um ator?

A maioria de seus pacientes era de atores. Era um mundo onde tudo se espalhava como fogo; recomendações, referências, fofocas, doenças. E assim como tudo, seu nome havia se espalhado. Ela confirmou.

— E ele está trabalhando agora? — Sabia como eram aquelas coisas também. Às vezes tinha que esperar cinco ou seis meses para ser pago, quando conseguia.

— Não está não. Mas tenho certeza de que estará em breve.

— E você? É atriz?

Bettina negou achando graça. O que ela era? Assistente de direção? Aspirante a escritora? Quebra-galho? Não era nada agora. Não podia mais dizer "Sou filha de Justin Daniels", ou "Sou a esposa de Ivo Stewart".

— Sou apenas a esposa de Anthony Pearce.

Disse aquilo como um reflexo, enquanto o médico a observava, percebendo que havia muito mais coisa em sua história. O suéter que vestia era caro, assim como a saia de *tweed*. Os sapatos eram Gucci e apesar do casaco que vestia ser bem barato, em contraste, percebeu que usava um relógio de ouro muito caro.

— Bem, vamos dar uma olhada em você.

Seu palpite estava correto. Para confirmar, fez um teste de gravidez ali mesmo no consultório.

— Diria que já está com dois meses, Bettina. — Observou sua reação e ficou sensibilizado com o largo sorriso da moça. — Você não parece infeliz.

— E não estou.

Ela agradeceu e marcou outra consulta, apesar de ele ter dito que teria de indicá-la para outro médico. Não podia lhe dar nenhum remédio para os vômitos ou as náuseas, mas de repente elas não pareciam mais tão ruins. O médico lhe assegurou que em mais um mês as dores desapareceriam, ou pelo menos diminuiriam bastante. Bettina nem se importava agora. Valia a pena. Ela teria um bebê! Teria um filho de Anthony. De repente, nem mesmo trair Ivo pareceu tão terrível. Valia a pena. Ela teria um bebê! Flutuou todo o caminho até o apartamento e disparou escada acima, até que se sentiu assustada. Talvez não devesse correr... talvez não fosse bom para o bebê. Entrou na sala como um furacão, radiante com as notícias, mas Anthony não estava em casa.

Tomou um caldo de carne com alguns biscoitos, enjoou e tentou comer novamente. O médico lhe disse que devia sempre tentar. E ela prometeu. Pelo bebê. E enquanto estava ali, teve uma idéia. Não contaria a Anthony. Ainda não. Esperaria até o Natal. Seria seu presente para ele. Só faltavam cinco dias. Riu de alegria ao pensar no seu segredo, batendo palmas como uma criança... teriam um bebê! Mal podia esperar para ouvir o que ele diria.

22

Na véspera de Natal, Anthony a surpreendeu com uma pequena árvore. Arrumaram na mesa, e Bettina colocou alguns laços de fita. Fizeram pipocas, que Bettina não comeu, e depois, cada um deixou um pequeno pacote sob a árvore. A cena os fez lembrar de um velho filme, e eles riram e se beijaram. Bettina abriu seu presente primeiro. Era uma velha caneta-tinteiro, linda, e ele sorriu ao vê-la feliz.

— Para escrever sua primeira peça.

Ela o abraçou agradecida e se beijaram longamente.

— Agora, o seu.

Bettina lhe deu um par de abotoaduras de prata que ele andou paquerando por semanas numa loja de antigüidades ali por perto.

— Bettina, que loucura!

Anthony estava maravilhado e correu para trocar a camisa e experimentá-las. Ela o seguiu e sentou-se na cama.

— Anthony?

Sua voz estava estranhamente suave ao falar com ele e, sem saber por quê, Anthony se virou.

— O que é, amorzinho?

Seus olhares se encontraram.

— Tenho um outro presentinho para você.

— Você tem?

Inclinou a cabeça para o lado, mas nenhum deles se mexeu.

— Tenho. Um muito especial. — Ela estendeu-lhe as mãos. — Sente aqui.

Um frio percorreu-lhe a espinha. Chegou até ela hesitante, parecendo preocupado.

— Tem alguma coisa errada?

Bettina negou com a cabeça e sorriu.

— Não.

Beijou-o suave e carinhosamente, e depois passou a ponta dos dedos em seus lábios. Num sussurro, que apenas ele podia ouvir, disse:

— Vamos ter um bebê, querido.

E então esperou. Mas o que esperava jamais veio. Em vez disso, ele olhou para ela petrificado. Era tão grave quanto pensara. A possibilidade lhe passou pela cabeça por causa de seus vômitos, mas ele afastou o pensamento. Era mais do que ele podia agüentar. Aquilo estragaria todos os seus planos.

— Você está brincando? — Ficou em pé perto dela. — Não, acho que não está.

Jogou as abotoaduras na mesa e saiu do quarto, enquanto Bettina tentava lutar contra uma vontade de chorar e de vomitar ao mesmo tempo. Com calma, seguiu-o até a sala e o observou de pé, olhando pela janela, de costas para ela, passando a mão nos cabelos.

— Anthony? — Falou hesitante.

— Hum! — Ele se virou, devagar.

Seu olhar era de raiva e, após uma longa pausa, falou com uma expressão acusadora:

— Você fez isso de propósito, Bettina?

Com os olhos marejados, ela negou com a cabeça. Queria que ele ficasse feliz. Queria que aquilo significasse muito para ele também.

— Você faria um aborto?

Desta vez ela não pôde segurar as lágrimas. Negou e saiu correndo do quarto. Quando voltou do banheiro, meia hora depois, ele não estava mais em casa.

— Feliz Natal.

Sussurrou para si mesma, segurando com uma mão sua barriga ainda inexistente, e secando os olhos com a outra. Caiu no sono às quatro da manhã. Anthony não dormiu em casa.

Só voltou às cinco da tarde do dia seguinte. O Natal já estava quase no fim e, para Bettina, completamente destruído. Não perguntou onde ele esteve. Não falou nada. Estava fazendo as malas. Mas era o que Anthony temia, e foi o que o fez voltar para casa. Casado há três meses, não podia perdê-la. Ainda não.

— Sinto muito. — Olhou para ela impassível da entrada do quarto — Fui apenas apanhado de surpresa.

— Eu percebi. — Virou as costas para ele e continuou a fazer as malas.

— Escute, Bettina... boneca, me desculpe.

Tentou abraçá-la, mas ela se esquivou.

— Não faça isso!

— Que merda! Eu te amo.

Virou-a novamente para encará-lo, e ela chorava.

— Me deixa sozinha... por favor... Anthony, eu...

Mas não podia continuar. Ela o desejava tanto. Queria dividir com ele a alegria daquela criança, e se descobriu caindo em seus braços, esperando que finalmente seus sonhos se tornassem realidade.

— Está tudo bem, querida. Tudo bem. É que eu não podia imaginar...

Quando suas lágrimas secaram, sentaram-se para conversar.

— Será que estamos prontos, Bettina?

— Claro que sim, por que não? — Sorriu com valentia.

Durante todos os anos com Ivo, havia sufocado aquele sonho. Nem mesmo sabia o quanto queria um filho. Até este momento. De repente, era tudo para ela.

— Mas como vamos mantê-lo?

Anthony parecia indiferente, mas Bettina pensava nas suas jóias. Venderia tudo, se fosse preciso, para cuidar do seu bebê.

— Não se preocupe. Damos um jeito. Sempre demos, não foi?

— Não é a mesma coisa. — E então, suspirando profundamente como se fosse difícil também, olhou para ela com arrependimento. — Por mais que eu odeie a idéia, não acha que faria mais sentido se fizéssemos um aborto desta vez e tentássemos ter um filho mais tarde, depois de economizar algum dinheiro? Quando tivermos o controle da situação e eu estiver empregado?

Mas Bettina estava determinada:

— Não.

— Bettina, seja razoável!

— Que droga, é só o que você quer? Um aborto?

A discussão continuou por muito tempo, e finalmente Bettina venceu. Anthony ficou deprimido por duas semanas. Ela não o deixou, mas pensou nisso com freqüência. Um dia ele chegou em casa radiante, dando um alto grito de felicidade.

Veio encontrá-lo na porta e sorriu ao ver sua expressão.

— O que aconteceu com você? — Mas logo adivinhou.

— Consegui um emprego!

— Que tipo de emprego? Conta!

Estava feliz por ele e sentaram-se juntos no sofá. A hostilidade das duas últimas semanas desapareceu.

— Vamos, Anthony... conta!

— Já vou, já vou. — Estava muito agitado para falar. Era um belo papel. — Consegui o papel principal em *Sonny Boy*.

Olhou para ela em êxtase. Era o maior sucesso da Broadway.

— Na Broadway?

Estava estupefata. Ouvira rumores recentes de que o ator principal da peça ia sair após um sucesso de 15 meses.

— Numa excursão, boneca, numa excursão. Mas não para cidades vagabundas, desta vez, benzinho. Por todas as melhores cidades do país. Desta vez viajamos com classe. Não mais pulgueiros, não mais baratas. Podemos ficar em hotéis decentes, para variar.

E lhe contou quanto estavam pagando.

— Anthony! É maravilhoso.

Mas ela percebeu que tinha que lhe contar uma coisa. Ele dizia "nós". Lamentando, pegou suas mãos e falou com carinho:

— Coração, eu não posso... — Odiava ter de dizer aquilo. — Não posso ir com você.

— Claro que pode. Não seja ridícula. Por que não? — Olhou para ela, nervoso, e levantou-se.

— Não, querido. Não posso. O bebê. Esse tipo de viagem seria cansativo demais.

— Seria porra nenhuma, Bettina. Eu disse que ficaríamos em bons hotéis. Iremos para cidades grandes. Então que diabos é o seu problema? Droga, nem dá para perceber ainda. — Ele estava gritando, e suas mãos tremiam.

— Apenas porque não aparece, não quer dizer que não está aqui. E não importa em que tipo de hotéis fiquemos. É muito tempo de viagem.

— Bem, é melhor mudar de idéia e concordar. — Andou nervoso até a outra ponta da sala e virou-se: — Porque se você não for, eu não tenho o emprego.

— Não seja ridículo, Anthony. Quer dizer que não vai sem mim?

Anthony fez uma pausa.

— Significa que eles querem você como assistente de direção, boneca. Querem nós dois. Se não for, não me contratam.

— O quê? Isso é uma loucura!

— O produtor nos viu trabalhar juntos na última excursão e achou que formamos uma bela dupla. Neste caso, o diretor do grupo é um testa-de-ferro, o que significa que ele leva as glórias e você faz o trabalho. Não é um bom acordo, mas o salário é bom. Duzentos e cinqüenta dólares por semana para você.

Bettina não pareceu se importar.

— Não é esse o problema, Anthony. Estou grávida. Você contou a eles?

— De jeito nenhum. — Agora estava agressivo.

Ela também ficara nervosa. Tudo ia começar outra vez.

— Eu não vou, dane-se!

— Nesse caso, madame — fez uma longa reverência —, permita-me cumprimentá-la por destruir minha carreira. Espero que entenda que se eu não aceitar este papel, posso ficar sem trabalhar por anos a fio. — Pronunciou a última frase com um olhar furioso.

– Oh, Anthony, não é tão...

Subitamente, ela chorava. Mas sabia que era assim. Recusar uma boa oferta, as notícias se espalhavam.

— Que companhia é?

Ouviu o nome Voorhees e espantou-se. Era o grupo mais intransigente do ramo.

— Querido, eu não posso.

Ele não entendia e simplesmente saiu, batendo a porta. Dane-se! Era uma combinação ridícula. Por que tinham que insistir na sua presença no grupo? Já obtivera toda a experiência de que precisava nos últimos sete anos. Agora queria ler todas as peças que estivessem ao seu alcance, para depois escrever a sua. O treinamento *in loco* já havia terminado; mas com Anthony era diferente. Se ela estragasse a oportunidade dele, poderia ficar sem trabalho por muito, muito tempo. Após pensar no assunto por duas horas, ligou para o médico:

— O que o senhor acha?

— Acho que está louca.

— Por quê? Seria ruim para o bebê?

— Não, o bebê não sentiria nada. Mas da maneira com que vem se sentindo, pode imaginar algo pior do que pular de hotel em hotel pelos próximos cinco ou seis meses?

O silêncio foi sua resposta. Ela estava triste.

— Por quanto tempo será a viagem?

— Não sei. Esqueci de perguntar.

— Bem, deixe-me explicar: se você conseguir suportar, eu não vejo nenhuma razão física pela qual não possa ir, desde que descanse o mais que puder, se alimente decentemente e evite ficar em pé a maior parte do tempo. E volte para casa — olhou em sua ficha — antes de cinco meses. Quero você aqui quando estiver com sete meses e meio, no máximo. Qualquer obstetra lhe diria isso. Também quero que procure clínicas de pré-natal em todas as cidades onde estiver, e faça um exame mensal. Acha que pode fazer tudo isso? — A voz do médico era gentil.

— Acho que será necessário.

— Na verdade, depois que os enjôos passarem, não deve mais se sentir mal. Os velhos atores mambembes costumavam fazer coisas assim. Já ouviu a expressão "nascido num caminhão"? Não estavam brincando. Posso pensar em maneiras mais fáceis de se ter filhos, mas se tomar cuidado, não fará mal a você ou à criança.

Soltando um grande suspiro, Bettina desligou o telefone. Teve sua resposta e, quatro horas mais tarde, respondeu a Anthony.

Mas aquela excursão era mais desgastante do que a outra, e ela trabalhava feito louca. A realidade dos fatos era que o diretor tinha um contrato de cláusulas rígidas com o grupo, que obrigava a companhia a levá-lo junto, mas era um alcoólatra que passava todo o dia bebendo em seu quarto, deixando o trabalho nos ombros de Bettina. No segundo mês de excursão, ela pensou que teria um ataque. Os hotéis não eram nada do que Anthony prometera, as horas eram intermináveis e, sem um diretor para lhe dar apoio junto a uma equipe desqualificada, Bettina passava o tempo correndo, gritando, trabalhando todas as horas do dia. Perdia peso em vez de engordar e sentia constantes dores nas pernas. Quase nunca via Anthony, que, quando não estavam ensaiando, jogava com os amigos. Jogava especialmente com uma modelo loura de Cleveland que fazia sua estréia no teatro. Seu nome era Jeannie, e desde que saíram de Nova York Bettina a detestara, o que fazia com que fosse difícil trabalhar com ela. Mas como assistente de direção, Bettina se obrigava a ser profissional. Devia fazê-lo pela garota, por ela mesma, pela companhia e por Anthony.

Na segunda vez em que foi a uma clínica, o médico lhe disse como as coisas estavam. Estava estafada e abaixo do peso desejado e, se não tomasse cuidado, perderia o bebê. Já estava quase no quarto mês. Ele sugeriu que pedisse ao seu marido que a ajudasse um pouco a reduzir a pressão do trabalho. Naquela noite, após a apresentação, Bettina falou com Anthony e pediu ajuda.

— O quê? Por acaso está pensando em subir no palco e atuar no meu lugar?

— Anthony... fale sério...

— Estou sério. Que me importa se você perder o bebê? Eu nunca quis mesmo esse filho. Escute, boneca, é seu filho. Se não quer perdê-lo, encontre alguém que a ajude.

Afastou-se dela, deu o braço a Jeannie e foi embora. Antes, informou a Bettina que iam sair para jantar e que não o esperasse acordada. Ela o olhava espantada. O que estava acontecendo? Por que ele fazia aquilo? Seria só por causa da criança? Voltou para o hotel perturbada e, pela primeira vez em dois meses, a necessidade de ligar para Ivo estava gritante. Mas não podia fazer isso. Não era mais uma garotinha. E não podia voltar-se para Ivo só porque estava magoada. Esperou no seu quarto para discutir com Anthony. Mas ao meio-dia do dia seguinte, teve que ir para o teatro. Jeannie estava à sua espera.

— Procurando Anthony? — perguntou com ironia.

— Não. Vim trabalhar. Posso fazer alguma coisa por você?

— Pode. Seja uma dama.

A garota sentou-se num banquinho, e Bettina usou todas as suas forças para não lhe dar um soco.

— Como é? — Sua voz estava gélida.
— Você me ouviu, Betty.
— O nome é Bettina. E o que exatamente você quer dizer com isso?
De repente ela compreendia que algo de grave estava acontecendo. O que aquela garota insinuava? E qual o envolvimento de Anthony naquilo tudo? Bettina sentiu seu estômago doer, mas não hesitou enquanto olhava para aquele rosto bonito.
— Está bem, Betty — ela tinha o que os franceses chamam de "um rosto para um tapa" —, por que não deixa Anthony resolver seu problema agora? Seus seis meses já estão quase no fim.
— Que seis meses?
Ela falara como se fosse uma sentença, e Bettina ficou assustada.
— Ora, por que pensa que ele se casou com você, queridinha? Por que estava muito apaixonado? Claro que não. Apenas queria o visto de residência. Ele não te contou?
Bettina estava horrorizada.
— Você era a candidata mais próxima. Sabia que seu ex-marido a sustentaria, e por isso ele não teria com que se preocupar. Foi em setembro, não foi?
Bettina apenas concordou com a cabeça.
— Pois bem, ele precisa ficar com você no mínimo seis meses, para conseguir o visto de residência. Depois pode se livrar de você. E se pensa que não, está louca. Anthony não está nem aí para você, e não quer esse filho que você tolamente arranjou. E deixa eu te falar mais uma coisa. — Ela pulou do banquinho, rodopiando sobre o traseiro bem-feito. — Se pensa que vai continuar no pé dele quando voltarem para Nova York, está mais louca ainda.
Por todo o dia Bettina se refugiou no teatro, tentando se concentrar no trabalho. E quando finalmente Anthony chegou para a apresentação, ela entrou sorrateira em seu camarim e fechou a porta. Estava lá quando ele chegou, felizmente sozinho. Anthony a olhou com estranheza e andou até o armário para pendurar o casaco.
— O que você quer, Bettina?
— Conversar. — Sua voz era firme.
— Não tenho tempo. Tenho que fazer minha maquiagem para o espetáculo.
— Ótimo. Podemos conversar enquanto você se prepara. — Ela puxou uma cadeira e sentou-se, e ele pareceu chateado. — Tive uma conversinha hoje com sua amiga Jeannie.
— Sobre o quê? — De repente ele pareceu desconfortável.
— Oh, vamos ver. Ah, sim... ela disse que você se casou comigo apenas para conseguir o visto de residência, e quando os seis meses de convivência mínima estiverem terminados, em três semanas, você vai me

deixar. Também me disse que você está louco por ela, mais ou menos isso. Ela é realmente uma gracinha, mas estará falando a verdade? É justamente isto que eu queria te perguntar.

— Não seja boba.

Ele evitou seus olhos e começou a procurar alguma coisa na caixa de maquiagem, mas Bettina estava logo atrás dele, olhando-o pelo espelho.

— O que vai dizer, Anthony?

— Que ela deve ter-se empolgado e exagerou!

Bettina agarrou seu braço.

— É apenas uma parte da verdade, não é? É isso que está me dizendo, Anthony? Vai me deixar depois desta *tournée*? Porque se é o que tem em mente, gostaria de ir me acostumando com a idéia desde já. Afinal — começou a perder o controle da voz e demonstrava pânico — vou ter um bebê, e deve ser bom saber se estarei ou não sozinha.

Subitamente ele levantou-se e a encarou, gritando:

— Eu disse que não tivesse essa merda de filho, droga! Tudo seria perfeito se tivesse feito o que eu disse. — Então, pareceu se arrepender e sentou-se.

— Ela estava falando a verdade? Foi apenas pelo visto de residência?

E, pela primeira vez, ele a olhou com sinceridade e respondeu:

— Foi.

Ela fechou os olhos e.também sentou-se.

— Meu Deus, e eu acreditei em você. — Ria e chorava ao mesmo tempo. — Que ator maravilhoso você é.

— Não é assim. — Disse com um jeito manso.

— Não é?

— Não. Eu gostava de você, de verdade. Apenas não pensava que fosse para sempre. Eu não sei... éramos muito diferentes...

— Seu desgraçado!

Fora enganada, então. Enganada o tempo todo. Bateu com força a porta do camarim e correu para o palco. A apresentação foi tranqüila naquela noite, e ela deixou o teatro logo que acabou. Voltou para o hotel e pediu um quarto. Não que aquilo tivesse importância, pois provavelmente ele não voltaria. Mas não arriscaria. Queria ficar sozinha e pensar.

Agora iria para casa e escreveria sua peça. E em mais cinco meses teria o filho... Apertou os olhos e tentou não chorar. Mas era inevitável. Cada vez que pensava em ter o filho sozinha, sem pai, entrava em pânico e queria, desesperadamente, estar com ele... Ivo... alguém... não podia encarar tudo sozinha... não conseguiria... mas não tinha escolha.

Após chorar por horas e matutar sobre o assunto, finalmente caiu no sono, até que às quatro da manhã acordou com uma estranha sensação de cólicas. Sentando-se na cama, olhou para os lençóis e viu sangue.

Seu primeiro impulso foi entrar em pânico, mas depois controlou-se. Afinal estava em Atlanta. Tinha bons hospitais. Dois dias antes esteve com um médico e tudo que tinha a fazer era ligar para o hospital e mandar chamá-lo.

Quando ligou, a enfermeira da sala de emergência ouviu os sintomas e disse-lhe que fosse ao hospital imediatamente. Garantiu que não deveria ser nada sério. Às vezes um sangramento acontecia, e com alguns dias de descanso tudo voltava ao normal. Disse-lhe para pedir ao marido que a levasse. Suposição interessante, pensou Bettina, que nem se preocupou em ligar para o outro quarto. Vestiu-se depressa, tentando ficar de pé apesar das estranhas dores, correu para a portaria do hotel, depois para a rua e pegou um táxi. Mas só de andar até a portaria aumentou as dores intensamente, e contorcia-se no banco de trás do táxi enquanto corriam para o hospital. O motorista olhou-a pelo retrovisor, e ela soltou um pequeno grito.

— A senhora está bem?

Tentou dizer-lhe que sim, mas foi apanhada por outra cólica.

— Oh... Deus, não... eu... oh, por favor... pode correr...

O pequeno desconforto que sentira antes havia evoluído para uma dor insuportável.

— Deite-se.

Tentou deitar-se, mas não adiantou. Não podia ficar quieta no banco. Tinha que se virar e contorcer-se, e de repente queria gritar, berrar.

— Oh, Deus... corre... não posso...

Colheram as informações de que precisavam, sobre sua identidade e seu registro na previdência, na carteira em sua bolsa. Bettina estava transtornada pela dor para falar alguma coisa com sentido. Mal podia falar. Tudo que podia fazer era agarrar-se ao cinto da maca, e a cada minuto contorcia-se com um grito horrível. As três enfermeiras que estavam à sua volta entreolhavam-se, e quando o médico chegou ela foi levada rapidamente para a sala de parto. A criança apareceu meia hora depois. Um pequeno feto, retirado enquanto Bettina gritava desesperadamente. Já estava morto.

23

O avião pousou suavemente no aeroporto Kennedy, e Bettina olhava pela janela enquanto se aproximavam do portão. Acabara de passar uma semana no hospital, e só teve alta naquela manhã. Um dia depois do aborto, ela ligou para o teatro e explicou que estava no hospital e os médicos queriam que ela descansasse por três meses. Não era verdade, mas tirou-a do compromisso e um novo assistente de direção voou de Nova York para lá. Um jovem que teve pena dela e mandou todas as suas coisas do hotel para o hospital. Anthony veio só uma vez, parecendo sem jeito. Disse que sentia muito, o que ambos sabiam ser uma mentira. Ela tratou do assunto como se fosse um negócio e disse que falaria com seu advogado assim que chegasse em Nova York na semana seguinte. Ainda lhe faria o favor de esperar mais três semanas antes de registrar o pedido de divórcio, e ele poderia ter seu visto de residência com a sua bênção. E depois, olhando-o com uma grande dor no fundo de seu coração, pediu que fosse embora. Anthony parou na porta para dizer-lhe algo, mas não o fez. Apenas deu de ombros e foi embora, fechando a porta com cuidado. Não ligou mais para ela. Nada mais foi dito. E dois dias depois, enquanto Bettina ainda estava no hospital, a *tournée* seguiu seu caminho.

O resto de sua estada no hospital foi sem maiores acontecimentos. Sentiu-se triste e solitária, não por Anthony, mas pela criança que perdeu. Disseram a ela que era uma menina e, dia após dia, ela ficava na cama e chorava. Não ajudaria, as enfermeiras diziam, mas entendiam que tinha que desabafar. No final da semana Bettina chorava não só pelo bebê, mas por tudo. Chorava pelo seu pai e pela maneira com que a deixou, por Ivo e pelo que fez a ele, e depois pela maneira rude com que ele a mandara embora. Por Anthony e pelo que fez só por um visto de residência e agora, por ter perdido seu filho. Agora não tinha nada nem ninguém. Sem o filho, o marido, o lar e um homem. Ninguém a queria. Não tinha ninguém. E aos vinte e seis anos, sentia como se sua vida tivesse terminado.

Ainda se sentia assim ao soltar o cinto de segurança e descer as escadas devagar. Para ela, tudo parecia estar se movendo estranhamente devagar. Sentia-se como se estivesse embaixo d'água, mas não se importava. Pegou a mala na esteira, pediu ajuda a um carregador e foi procurar um táxi. Quarenta e cinco minutos mais tarde, abria a porta do apartamento de Anthony. Prometera a si mesma que arrumaria suas coisas rapidamente e iria para um hotel, mas ao olhar em volta, sentiu-se muito deprimida e começou a chorar. Remexeu as gavetas, esvaziou os armários e colocou nas malas tudo o que era seu. Fez este trabalho em menos de duas horas. Não ficara lá com Anthony por muito tempo. Nem chegou a completar seis meses. E sete anos com Ivo. Dois divórcios. Começava a se sentir como mercadoria de segunda mão.

Colocou as malas junto à porta e desceu as escadas para chamar um táxi. Com sorte, conseguiria alguém a quem pudesse dar uma gorjeta para ajudá-la com a bagagem. A sorte parecia estar do seu lado, e um jovem motorista atendeu ao seu apelo. Fizeram quatro viagens para descer tudo, e quando chegaram ao hotel Bettina deu-lhe uma nota de 20 dólares de gorjeta. Deixar o apartamento fora estranhamente sem emoções. Percebeu que não ligava mais. Tudo que importava agora era ela mesma. Que fracasso tinha sido, e como fora tola. Pensar em Anthony fazia com que se sentisse uma palhaça.

Já devia estar acostumada a hotéis depois das *tournées*, mas ao entrar no seu quarto, descobriu que tudo a fazia chorar. Queria ligar para Ivo, mas sabia que não era correto. Não havia ninguém para quem ligar, nem mesmo Steve, que estava fora da cidade. Tentou se concentrar no jornal que encontrou no quarto, mas via tudo embaçado pelo pranto. Finalmente, não podendo mais suportar, pegou o telefone e discou. Segurou a respiração, sentindo-se estúpida. E se ele desligasse na cara dela? Se a repreendesse? E se... Mas sabia que Ivo não faria aquilo. Esperou pela voz familiar de Mattie e foi surpreendida ao ouvir uma voz que não conhecia.

— Mattie?

— Quem está falando? — respondeu a voz.

— Eu... sou... Quem está falando? Onde está Mattie?

Pausa.

— Ela morreu há dois meses. Sou Elizabeth. Quem é você?

— Eu... oh, sinto muito... — Novas lágrimas. — O sr. Stewart está em casa?

— Mas quem está falando? — Elizabeth se irritava.

— É a sra. Pearce, isto é, sra. Stewart, quero dizer... ah, deixa pra lá. Ele está?

— Não, está nas Bermudas.

— E quando volta?

— Não antes de primeiro de abril. Alugou uma casa. Gostaria de deixar algum recado?

Mas Bettina entendeu que não. Não seria certo. Desligou e soltou um suspiro.

Passou uma noite sem descanso e angustiada. Quando acordou, na manhã seguinte, havia começado a nevar. Parecia-lhe estranho, pois tinha visto o início da primavera no resto do país. E agora estava novamente atirada a um inverno, com tempestades de neve e nenhum lugar para ir. Aquilo a fez meditar. E se deixasse Nova York? Se fosse para algum outro lugar? Mas para onde? Não tinha amigos em nenhum outro lugar, não tinha laços em nenhuma outra cidade, e então, sentiu que sua mente se voltava para a Califórnia, para a semana encantada que passara em San Francisco com Anthony, e compreendeu que o que queria era voltar para lá. Mesmo sem ele, era um lugar onde sabia que teria paz.

Sentindo-se uma aventureira, ligou para a companhia aérea e meia hora mais tarde foi ao banco. Cuidadosamente, embalou todas as suas jóias, que ficaram lá guardadas, numa bolsa de couro e riu para si mesma. Talvez aquilo significasse que ela nunca mais voltaria. Desta vez era ela que estava indo embora. Ela que estava tomando a decisão.

Levou todas as suas malas para o aeroporto. Tudo que possuía. E antes de deixar o hotel de Nova York, ligou para o hotel onde ficara com Anthony e pediu um quarto com vista para a baía. Talvez fosse bobagem ficar no mesmo hotel, mas ela não pensava assim. Fora tão bom, e não importa que lembranças tivesse de lá. Não significavam mais nada. E ele também não.

O vôo para San Francisco foi tranqüilo e agora já estava acostumada a mudar de cidades depois de alguns dias, pois nem estranhou ter deixado Nova York nevando e encontrar-se no mesmo dia na primavera que iniciava na Costa Oeste. San Francisco era tão linda como ela se lembrava, e colocou suas coisas em seu quarto com um sorriso de contentamento. Só à noite os fantasmas a atacaram novamente. Tomou duas aspirinas e um copo d'água. E uma hora depois, em desespero, foi dar uma volta a pé. Retornou ao hotel e tomou mais duas aspirinas e, finalmente, às três da manhã, tomou uma pílula para dormir que lhe deram quando saiu do hospital. Eles imaginaram que ela teria problemas para dormir por alguns dias. Mas nem mesmo o remédio adiantou, e ela ficou olhando para o vidro durante um tempo que pareceram horas. Até que subitamente sabia a resposta, e pensou por que não pensara naquilo antes. Foi loucura ter ido para San Francisco quando o que ela queria podia encontrar em sua Nova York. Mas ainda não tinha pensado em nada. E sorriu para si mesma. Agora compreendia tudo. E era tão simples... tão simples... Caminhou até o banheiro, colocou mais água no copo e então tomou, uma a uma, todas as pílulas para dormir, esvaziando o vidro. Vinte e quatro pílulas.

24

Havia luzes fortes sobre ela que pareciam se aproximar e depois desaparecer. Ouvia o zumbido de máquinas, alguém vomitando e havia uma estranha sensação de alguma coisa enfiada em sua garganta. Não conseguia se lembrar... não lembrava... e finalmente conseguiu. Estava num hospital... estava tendo um aborto... e, novamente, caiu no sono.

Pareciam anos mais tarde quando acordou e viu o rosto de um homem desconhecido olhando para ela. Era alto, de cabelos escuros, olhos castanhos, atraente, vestia uma blusa amarelo-pálido e um jaleco de algodão branco. Então se lembrou de que estava num hospital. Mas não sabia bem por quê.

— Sra. Stewart?

Ele a olhou inquisidoramente e ela negou com a cabeça. Lembrou-se então que não mudou o nome de seu cartão da previdência depois que se casara com Anthony.

— Não, Pearce. — Respondeu com uma voz rouca que a surpreendeu, e então negou com a cabeça novamente. — Quero dizer... Daniels, Bettina Daniels.

Mas este também soava estranho. Há tanto tempo não usava este nome.

— Que bela coleção de nomes você tem, não é? — Seu olhar não era de repreensão, mas de surpresa. — Se incomoda se eu sentar um pouco pra conversarmos?

Agora ela entendia por que ele queria conversar.

— Vamos falar sobre ontem à noite.

Seus olhos afastaram-se do médico e olhou pela janela. Tudo que podia ver na distância era o *fog* vagando acima da ponte Golden Gate.

— Onde estou?

Bettina estava sendo evasiva e o médico sabia. Mencionou o nome Credence Hospital e ela apenas sorriu. Depois, nervosamente, olhou para ele.

— Temos mesmo que conversar?

Ele confirmou com seriedade.

— Temos sim. Não sei por quanto tempo está aqui na Califórnia, e não sei como se trata deste assunto em Nova York, mas a menos que queira ficar por aqui para tratamento psiquiátrico por uns tempos, acho que é bom falar. O que aconteceu na noite passada?

— Tomei algumas pílulas para dormir. — A voz ainda rouca. — Por que minha voz está tão estranha?

Sorriu para ela, e pela primeira vez ele pareceu realmente um jovem. Era bastante atraente também, mas terrivelmente sério e não parecia muito divertido.

— Fizemos uma lavagem no seu estômago. O tubo fará sua voz ficar assim por alguns dias. Agora, voltando às pílulas para dormir, você fez de propósito ou foi um acidente?

Pensou alguns minutos, sem ter certeza do que devia responder.

— Não... não tenho certeza.

Ele a olhou com ar grave:

— Sra. Stewart... Daniels, ou o nome que preferir, não quero brincar. Ou conversamos sobre isso ou não. Quero saber de você o que aconteceu, ou simplesmente escrevo na sua ficha que você vai ficar aqui uma semana em observação.

Ela ficou irritada. Seus olhos chamejavam ao falar com ele, que teve que esconder um sorriso. Realmente ela era muito bonita.

— Não tenho certeza do que aconteceu, doutor. Vim de Nova York para cá ontem, e um dia antes tive alta de um hospital por causa de um aborto natural. Me deram alguns remédios e ou tomei muitos ou eles eram muito fortes para mim... não tenho certeza.

Sabia que estava mentindo, mas não se importava. Aquele homem não tinha nada com isso. E daí que ela tenha tentado se matar? Não conseguiu e ainda era sua vida. Não tinha que falar nada para ele. E também não tinha nada a ver com sua "coleção de nomes". E daí?

— Em que hospital esteve para o aborto?

E ele ficou lá com sua ficha na mão, caneta preparada e certo de que ela estava mentindo, mas ela deu a informação com rapidez, falando sobre o hospital em Atlanta, e o médico pareceu surpreso.

— Você anda viajando muito, não é?

— É sim. — Falou com sua voz engraçada. — Eu era a assistente de direção de uma peça de teatro em *tournée* e tive o aborto enquanto viajava. Estive no hospital por uma semana, desisti do teatro e voltei para Nova York.

— Está aqui a negócios?

Agora ele parecia interessado, e ela negou com a cabeça. Por um instante pensou em contar que estava numa visita, mas decidiu não fazê-lo. Podia falar a verdade ao menos sobre aquilo.

— Não. Eu me mudei para cá.

— Ontem?

Ela assentiu com um gesto.

— Casada ou solteira?

— Nenhum dos dois. — E sorriu calmamente.

— Arrependida?

Ele parecia ingênuo e Bettina imaginou se era capaz de sorrir.

— Estou pedindo o divórcio.

— E ele... deixe-me adivinhar — desta vez ele sorriu —, está em Nova York.

— Não. Está acompanhando a *tournée*.

— Agora compreendo. Casada há muito tempo?

Por um instante pensou em chocá-lo e perguntar "em qual casamento?", mas apenas negou com a cabeça e deixou-o pensar o que quisesse.

O médico suspirou e largou a caneta.

— E sobre o aborto? — Sua voz ficou mais gentil, pois sabia como aquilo podia ser difícil. —Teve complicações? Foi difícil? Demorou muito?

Ela desviou o olhar para a ponte, e a luz de seus olhos se apagou.

— Não acho que tive complicações. Fiquei no hospital por uma semana. Eu... aconteceu... aconteceu à noite. Acordei de madrugada e fui para o hospital, e foi muito doloroso. Não sei quanto tempo demorou. Não muito, eu acho. — Ela encolheu-se e secou uma lágrima com a mão. — Doeu muito.

Ele sentiu tristeza por aquela menina de cabelos vermelhos. Não eram realmente vermelhos, eram mais cor de caramelo, pensou consigo, e enquanto ela olhava para ele percebeu que tinha profundos olhos verde-esmeralda.

— Sinto muito, senhora...

Ele gaguejou e ela sorriu.

— Bettina. Eu sinto também. Mas... meu marido não queria mesmo...

Ela encolheu-se novamente e ele largou sua ficha.

— Foi por isso que o deixou?

— Não. Descobri outras coisas. Foi basicamente um detalhe não esclarecido... — Subitamente, sentiu vontade de contar a ele. Olhou no fundo de seus olhos escuros. — Ele se casou comigo para conseguir o visto de residência. É inglês. E parece que esta foi sua única motivação.

— Tentou sorrir, mas seu sorriso mostrava a amargura que tinha no peito. — Foi este o detalhe que ele não me contou. Oh, eu sabia que ele precisava do visto, mas não sabia que foi por isso que se casou comigo, pelo menos, não só por isso. Pensei que... bem, de qualquer jeito, só é necessário ficar junto seis meses e... vai completar seis meses na semana que vem. Fim do casamento. E, como aconteceu, fim do bebê ao mesmo tempo.

Quis dizer a ela que talvez tenha sido melhor assim, mas não achou que devia. Às vezes ele era muito rude, mas com ela não seria. Parecia tão pequena e frágil naquela cama de hospital.

— Você tem família aqui?

— Não.

— Amigos?

— Ninguém. Só eu.

— Está pensando em ficar?

— É, acho que sim.

— Sozinha?

— Não para sempre, eu espero. — Olhou para ele com um jeito divertido, e havia um leve brilho em seu olhar. — Pensei que seria um lugar interessante para começar de novo.

Estava impressionado com sua coragem. Estava muito longe de casa.

— Sua família está na costa leste, senhora... Bettina?

— Não. Meus pais morreram e... não sobrou ninguém.

Ivo não contava mais. Para ela, também ele partira.

— Diga-me a verdade, quero dizer, só entre nós. Foi por isso que fez o que fez ontem?

Olhou para ele e, por um minuto, apenas um minuto, sentiu que podia confiar nele.

— Eu não sei... Comecei a pensar... sobre meu... marido, outros erros... a criança... fiquei nervosa. Tomei umas aspirinas e fui dar uma volta... de repente, era como se tudo se apagasse à minha frente. Tenho me sentido assim desde que perdi o bebê, como se não pudesse colocar os motores em marcha novamente. Como se eu não ligasse mais para nada. Como se nada me motivasse... e... eu. — De repente estava olhando para ele e chorando. — Se eu não... se eu não tivesse ido naquela excursão com o teatro, não teria perdido o bebê, não teria... me sinto tão culpada... eu...

Estava falando a ele coisas que nem ela sabia que sentia e, inconscientemente, lhe pedia carinho e ele correspondeu, acariciando-a.

— Está tudo bem, Bettina... tudo bem. É normal você se sentir assim. Mas tenho certeza de que lhe disseram que não importa o que tenha feito, provavelmente o bebê não teria mesmo nascido. Algumas crianças não estão prontas para nascer.

— Mas e se esta estivesse? Então eu a matei.

Ela o olhou com ar de sofrimento e ele negou com a cabeça.

— Quando um bebê está se desenvolvendo bem, a mãe pode fazer qualquer coisa que não vai perdê-lo. Acredite em mim, se ele se foi, era porque não estava bem.

Bettina recostou-se na cama e o observou, tensa.

— Obrigada. — E com um ar de preocupação: — Você vai querer que eu fale com um monte de psiquiatras? Você vai me trancar junto com os loucos porque eu falei sobre ontem à noite?

— Não, não vou. Mas gostaria que você fosse examinada por um dos nossos ginecologistas, só para ter certeza de que tudo está bem, e depois vou te pedir para ficar aqui alguns dias. Só para se recompor, descansar um pouco e tomar algumas destas pílulas para dormir sob nossa supervisão e não por sua conta, caso seja necessário. Mas o que você está sentindo é normal, apenas as outras mulheres têm marido ou família para pedir ajuda nestes casos. É muito difícil segurar a barra sozinha.

Ela assentiu com a cabeça. Ele a compreendia.

— E gostaria que pudéssemos conversar mais. Você se incomodaria?

— Não. Mas qual é mesmo a sua especialidade?

Talvez já estivesse falando com um psiquiatra. Talvez tudo fosse um truque para enganá-la.

— Sou um residente. E se vai ficar na cidade vai mesmo precisar de um de nós. E talvez agora, enquanto está retomando sua vida, precise de um amigo também. — Sorriu para ela, estendendo a mão. — Sou John Fields, Bettina.

Ela apertou sua mão com firmeza.

— Ah, e por falar nisso, como acabou tendo tantos nomes?

Deu um sorriso amarelo. Se ele seria seu médico e amigo, devia saber a verdade.

— Pearce é o meu nome do casamento recente; Daniels é meu nome de solteira, o qual penso usar novamente; e Stewart era... o nome do meu primeiro marido. Fui casada uma vez antes desta.

— Quantos anos você disse que tinha?

Ainda sorria ao se encaminhar para a porta.

— Vinte e seis.

— Nada mal, Bettina. Nada mal. — Acenou pronto para sair, mas parou por um instante e olhou para ela. — Acho que você vai ficar bem. — Despediu-se, e ao sair sorriu de uma forma que lhe deu certeza de que tudo ficaria bem mesmo.

25

— Como se sente hoje, Bettina? — John Fields acabava de entrar no quarto do hospital, sorrindo.

— Bem. — Ela também sorriu. — Melhor. Bem melhor.

Dormira como um bebê na noite anterior, sem os pesadelos, os fantasmas dos antigos conhecidos e até sem remédio. Apenas colocou a cabeça no travesseiro e caiu no sono. Havia várias mamães e papais vestidos de branco que estavam lá só para cuidar das pessoas e afastar todos os pesadelos e gente ruim, para que se pudesse relaxar. Não se sentia assim, tão em paz, havia um ano. Pensava e olhava para aquele atraente e jovem doutor.

— Eu não deveria falar isso, mas não gostaria de sair do hospital.

— E por que não?

Por um breve momento um traço de preocupação interferiu em seu sorriso. Ele contornara muitos problemas para não levar um psiquiatra para ela. E realmente não a classificava como um caso grave.

Ela o olhava, agora, com seu sorriso infantil e com aqueles devastadores olhos verdes. Certamente não parecia louca, mas pretendia continuar vigiando-a após sua saída do hospital.

Bettina recostou-se nos travesseiros com um suspiro:

— Por que não quero sair daqui, doutor? Ah, porque é tão fácil e tão bom. Não tenho que procurar apartamento, emprego, preocupar-me com dinheiro, ir ao mercado, cozinhar. Não tenho que procurar um advogado, não tenho nem que me maquiar ou me vestir.

Mas ela havia se lavado por meia hora e colocara uma fita de cetim branca nos cabelos. Parecia bonita, jovem, como se a vida fosse muito simples. Dava a impressão de ter retornado aos seus vinte anos.

— Acho que você acabou de me dizer a razão por que muitas pessoas ficam em instituições psiquiátricas por anos ou por toda a vida, Bettina. — E, mais calmamente, acrescentou: — É isso que tem em mente? É assim tão complicado se vestir ou ir ao mercado?

Bettina ficou surpresa com o que ele acabara de lhe dizer e negou:

— Não... claro que não. — E sentiu que tinha que explicar. Não queria deixá-lo com a idéia de que fosse mesmo louca.

— É que eu... eu estive... — Procurava as palavras certas ao olhar para ele. — Estive sob pressão por muito tempo.

Então talvez ela tivesse algum problema mais grave. Ele ficou imaginando se realmente devia mandá-la para casa.

— Que tipo de pressão? — perguntou, puxando uma cadeira.

— Bem. — Olhou para as mãos por algum tempo. — Eu estive cuidando de casas, empregados e um esquema complexo por alguns anos. Dois maridos e um pai me mantiveram ocupada pelos últimos quinze anos.

— Quinze? E a sua mãe? — Não podia parar de olhar para ela.

— Morreu de leucemia quando eu tinha quatro anos.

— E seu pai nunca se casou outra vez?

— Claro que não. Não precisava. Eu estava lá.

Os olhos do médico demonstraram espanto, mas ela rapidamente esclareceu:

— Não, não. Assim não. Pessoas como meu pai se casam por muitas razões: a conveniência, alguém com quem conversar ou para dar conselhos, fazer companhia quando estão viajando ou para interrompê-lo quando estava escrevendo um livro. Eu fazia tudo isso.

John a observava, fascinado por algo em seu rosto. Parecia muito experiente e mais velha ao falar, além de parecer mais linda do que qualquer outra mulher que conhecesse.

— Acho que a maioria das pessoas se casa por conveniência e para lutar contra a solidão.

— Foi por isso que se casou?

— Em parte. — E então sorriu, recostando-se no travesseiro, com os olhos ligeiramente fechados. — Mas eu também estava muito apaixonada.

— Por quem? — Sua voz era pouco mais que um sussurro num pequeno quarto.

— Por um homem chamado Ivo Stewart. — Continuou falando, olhando para o teto, até que voltou a olhar para ele. — Não sei se isso lhe diz alguma coisa, mas ele foi o editor do *New York Mail* por vários anos. Aposentou-se há pouco mais de um ano.

— E você se casou com ele? — O jovem médico parecia mais surpreso do que impressionado. — Como o encontrou?

Ainda não conseguia entendê-la. Sabia que esteve ligada a um grupo de teatro. Mas havia algo mais nobre sobre seu nascimento e como uma garotinha envolvida num teatro mambembe pôde ser casada com o editor do *New York Mail*? Estaria mentindo? Seria realmente louca? Talvez devesse ter checado melhor sua procedência. Quem era aquela menina?

— Vou contar do começo. Já ouviu falar de Justin Daniels?

Era uma pergunta boba, e ela sabia.

— O escritor?

— Ele era meu pai.

E lhe contou a história de sua vida, sem poupar detalhes. Precisava realmente falar.

Quando finalmente terminou com os detalhes, as esperanças, os sonhos, ele disse:

— E agora, Bettina? — Olhou no fundo de seus olhos.

— Quem sabe? Acho que tenho que começar tudo de novo.

Mas ainda se sentia como se tivesse uma pesada carga sobre os ombros, devido a todos os anos passados. Pesada demais para quem precisava começar uma vida nova. E contar tudo a ele não aliviou-lhe a pressão.

— Por que escolheu San Francisco?

— Eu não sei. Foi um gesto repentino. Apenas lembrava que era uma cidade bonita e eu não conheço ninguém aqui.

— Isto não a assustou?

— Um pouco. Mas como eu estava, era mais um alívio. Às vezes é bom ser anônima, ir para onde não se é conhecida. Posso começar tudo outra vez aqui. Posso ser apenas Bettina Daniels e descobrir quem ela é.

— Ao menos pode esquecer quem ela foi.

Bettina viu logo que ele não entendia.

— Não é por aí. Fui muitas pessoas, mas todas as minhas personalidades significaram alguma coisa. Todas tinham um motivo. De uma certa maneira, todas estavam corretas no seu tempo. Exceto esta última vez... foi realmente um erro. Mas a vida com meu pai. — Hesitou, procurando pelas palavras. — Foi uma experiência extraordinária e eu não desistiria dela por nada neste mundo.

— Você nunca teve um momento normal em sua vida. Não teve pais para amá-la, não teve um lar simples, não teve crianças para buscar na escola, não se casou com nenhum rapaz da faculdade, apenas uma sucessão de pesadelos estranhos, pessoas excêntricas, teatro e velhos.

— Você faz com que tudo pareça horrível.

Entristeceu ao ouvi-lo falar assim. Será que é assim que vai parecer às pessoas, agora? Ruim e extravagante? Era isso que ela era? Sentia as lágrimas chegando e lutou para escondê-las.

Mas ele se sentiu horrorizado consigo mesmo. O que estava fazendo? Ela era sua paciente e ele a estava afligindo. Olhou para Bettina sentindo-se culpado, e buscou a sua mão.

— Sinto muito. Não tenho o direito de fazer isso. Mas não sei como explicar a você. Fiquei assustado ao escutar tudo. Me entristece ver pelo que você teve que passar. Me preocupo com o que vai acontecer agora.

Bettina o olhou com estranheza, ainda sentindo-se magoada.

— Obrigada. Mas não importa. Você tem o direito de dizer o que pensa. Como você disse a princípio, se vou me estabelecer aqui, vou precisar de mais do que um médico, vou precisar de um amigo.

Já era tempo de descobrir como vivia o resto das pessoas daquele mundo, "as normais", como John falou.

— Espero que sim. Eu sinto realmente. Você teve uma vida muito, muito dura. E tem o direito de ter outra bem melhor agora.

— Por falar nisso, de onde você é?

— Daqui. San Francisco. Vivi aqui toda a minha vida. Cresci aqui, freqüentei a faculdade em Stanford e fiz a especialização em medicina lá também. Tem sido tudo muito calmo, sem grandes aventuras e normal. E quando me pergunta sobre o que acho que você tem direito, bem, quando digo que pode ter coisa melhor do que teve: um marido bom e íntegro, que não tenha quatro ou cinco vezes a sua idade, alguns filhos e um lar decente.

Bettina o olhou aborrecida por um momento. Por que ele não podia entender que parte de sua vida fora bonita, e, o que quer que tenha sido, parte de um todo só seu?

— Você não está planejando conseguir emprego no teatro novamente, está?

Ela negou com a cabeça.

— Não. Estou planejando começar a escrever a minha peça.

— Bettina, por que não arranja um emprego normal? Alguma coisa simples. Talvez secretária, ou algo interessante num museu ou talvez até corretagem de imóveis, algo que a ponha em contato com pessoas íntegras e felizes. E quando menos esperar, terá sua vida de volta no lugar certo.

Nunca pensou em ser uma secretária ou agente imobiliário. Nada daquilo lhe interessava. O mundo literário e teatral era tudo que conhecia. Mas talvez ele tivesse razão. Talvez fosse tudo muito louco. Talvez devesse se afastar de tudo. E depois lembrou-se de outra coisa.

— Antes disso, você tem o nome de algum bom advogado?

— Claro. — Sorriu, puxando uma caneta de seu bolso. — Um dos meus melhores amigos. Seth Waterston. Vai gostar muito dele. E a esposa dele é uma enfermeira. Fomos à faculdade juntos em Stanford.

— Tão íntegro! — disse ela, implicando.

— Não ironize antes de conhecer. — Hesitou por um momento, sem ter certeza se deveria ir em frente. Mas algo o impulsionava, e tinha que fazê-lo. Por ela.

— Na verdade, Bettina, gostaria de lhe sugerir alguma coisa que talvez não seja totalmente ético, mas acredito que seria bom para você.

— Parece fascinante. O que é?

— Gostaria de levá-la para jantar com Seth e Mary Waterston. O que lhe parece?

— Maravilhoso. E por que seria antiético? Você disse que também era meu amigo.

Ele sorriu.

— Combinado, então?

Bettina concordou.

— Então vou ligar para eles.

— Por falar nisso, quando vou sair daqui?

Ambos esqueceram daquele detalhe enquanto ela contava a história de sua vida.

— Que tal hoje?

Ela pensou no hotel para onde teria que voltar. Não era um pensamento muito agradável. Era o lugar onde esteve com Anthony, e subitamente não queria voltar mais para lá.

— Algo errado?

— Não. De jeito algum.

Queria resolver aquele problema sozinha. O médico estava certo. O que ela precisava era de uma vida normal, com um emprego comum. Podia esperar mais uns seis meses para começar a escrever sua peça. Tudo de que precisava agora era de um apartamento, trabalho e seu divórcio. Daria um jeito nos dois primeiros problemas e esperava que o amigo de John a ajudasse com o último. Agora entendia que desta vez estava se divorciando de mais do que de uma pessoa. John a ajudara a ver isso. Estava se divorciando de toda a sua vida.

26

Cinco dias depois já tinha seu apartamento, um estúdio pequeno, mas muito charmoso, com vista para a baía. Fora a sala de visitas de uma velha casa estilo vitoriano, cujos três donos reformaram os andares de cima para eles e dividiram o andar de baixo em dois estúdios para alugar. Bettina ficou com o maior, que era uma beleza. Tinha uma lareira, duas grandes janelas, uma pequena varanda, uma copa-cozinha, um banheiro e uma vista maravilhosa. Ficou apaixonada assim que o viu, e o melhor de tudo era que podia pagar o preço. O aluguel era tão baixo que ela poderia pagar apenas com a mesada que recebia de Ivo.

Dois dias depois de se instalar no apartamento, John Fields foi apanhá-la para jantar com seus amigos.

— Bettina, você vai adorá-los.

— Tenho certeza que sim. Mas você não me disse. O que achou do meu apartamento?

Ela o observava enquanto saíam, e ele comentava sobre a vista. Tinha um pequeno carro americano azul-marinho. Não havia nada muito vistoso ou ostensivo em suas roupas, seu carro ou sua pessoa. Tudo era atraente, mas austero, como o casaco de *tweed* que vestia, a camisa abotoada até embaixo, as calças cinzas e os mocassins bem engraxados. Era previsível no seu gosto e estilo. Parecia-se com o que todo americano deveria ser, era o sonho de todas as mães para o filho perfeito. Inteligente, boas-maneiras, formado em Stanford, um médico. Bettina sorriu para ele. Era um homem muito atraente. Sentiu-se estranha em sua presença. Como se tudo que estivesse usando fosse muito caro ou muito esnobe. Talvez ele estivesse certo. Teria realmente muito para aprender.

— Bem, e sobre o meu apartamento, doutor? Não foi um achado?

— Foi. Eu gostei. Mas se parece com a "mansão da jovem senhora". Fiquei esperando que me dissesse que alugou a casa toda.

Sorriu, para que suas palavras parecessem suaves ao abrir a porta do carro. Quando a porta se fechou, ela pensou se estava com o vestido adequado. Vestia um vestido de lã branco que comprara com Ivo em Paris. Não era muito sofisticado, mas dava para ver que era caro. Simples, com mangas compridas e uma golinha, e usava apenas com um colar de pérolas e sapatos Dior. Mas quando chegou à casa dos Waterstons no condado de Marin, soube que realmente dera um passo em falso.

Mary Waterston veio abrir a porta com um largo sorriso. Seu cabelo estava preso atrás da cabeça, usava uma camisa de botões até embaixo, um suéter verde de gola em v, *jeans* e estava descalça. E Seth apareceu usando praticamente a mesma coisa. Até John parecia muito arrumado, mas viera direto do consultório. Bettina não tinha desculpa. Cumprimentou-os com um olhar de embaraço, e eles rapidamente a puseram à vontade. Seth era alto, atraente, cabelos cor de areia com um topete, um olhar arisco e pernas compridas demais. Mary era pequena, de cabelos escuros e bonitinha apesar dos óculos de armação de osso. Era quase tão magra quanto Bettina, a não ser pela barriguinha saliente. Um pouco mais tarde, ela viu que Bettina a observava, e deu um sorriso forçado.

— Eu sei, é horrível, não? Detesto esta fase quando as pessoas pensam que é apenas gordura. — Acariciou a barriga com carinho. — Número dois a caminho. A primeira está dormindo lá em cima.

— Está?

Os homens ficaram conversando lá fora um pouco e acabavam de voltar.

— Gostaríamos de vê-la — disse John.

Seu olhar transmitia bondade ao dizer aquilo e, por um estranho momento, Bettina sentiu uma pontada no coração. Por que ela nunca pôde ter um homem que se sentisse assim com crianças? Fora uma porta fechada com Ivo, e Anthony detestara o filho desde o início. Por um instante sentiu-se constrangida ao olhar para Mary. Apenas algumas semanas atrás estivera no mesmo estágio de gravidez.

— Para quando é o bebê?

— Não antes de agosto.

— Você ainda está trabalhando?

Mary riu.

— Não. Isso é coisa do passado, infelizmente. Costumava ser uma enfermeira de obstetrícia até engravidar pela primeira vez. Agora parece que sou mais uma paciente.

Todos riram e Bettina sentiu-se excluída. John estava certo. Tudo parecia tão normal. E ela desejou poder ser um deles.

— Quantos anos tem a primeira?

— Dezenove meses. Você tem filhos?

Bettina apenas negou com a cabeça. Todos beberam vinho e comeram bifes que Seth fez na churrasqueira. Após o café, John se ofereceu para ajudar Mary na cozinha. Combinara aquilo com Seth, que agora olhava para Bettina com um sorriso afetuoso.

— Me disseram que você quer uma dissolução.

Bettina o olhou, confusa, e ele riu.

— Me desculpe, não entendi...

— É gíria da Califórnia. Sinto muito. John me falou que está procurando um advogado para se divorciar. Posso ajudar?

— Sim, eu gostaria muito.

— Pode ir ao meu escritório amanhã? Que tal às duas horas?

Ela concordou satisfeita. Minutos mais tarde John voltava. Mas ela se sentia diminuída pelo diálogo com Seth, pela barriguinha de Mary e por tudo. Tinha um longo caminho a percorrer para ser como eles. E se soubessem da verdade, nunca a aceitariam. Olhe para eles. Mary com trinta e cinco anos, os dois homens com trinta e seis, todos tinham carreiras respeitáveis em medicina ou direito. Mary e Seth tinham uma casa num bom bairro, uma filha, outro filho a caminho. Como podia esperar que eles a aceitassem? Mais tarde, quando John a trouxe para casa, falou com ele sobre o que sentia.

— Você não precisa contar a eles. Ninguém precisa saber. Esta é a graça de poder começar de novo.

— Mas e se alguém descobrir, John? Quero dizer, meu pai era muito conhecido. É provável que um dia eu esbarre em alguém que já me conheceu antes.

— Não necessariamente. E já se passou tanto tempo, quem a reconheceria? Além disso, ninguém precisa saber de seus casamentos, Bettina. Isso é passado. Deve começar do nada. Ainda é muito nova. Ninguém diria que já foi casada antes.

— É tão ruim assim eu ter sido casada?

Ele fez uma pausa.

— É apenas uma coisa que ninguém precisa saber. — Mas não disse que não era horrível. Não disse o que ela precisava ouvir.

— Você marcou um encontro com Seth?

— Marquei.

— Bom. Então pode resolver esse problema. E depois pode procurar um emprego.

Era tudo estranho. Ela realmente não queria aquilo. Suportava o fato de saber que devia ser feito. Tinha que ter um emprego para ser respeitável, porque John pensava assim. E entendeu o quanto lhe importava o que aquele homem pensava.

27

Algumas semanas mais tarde, encontrou um emprego numa galeria de arte na Union Street e, apesar de não ser excitante, ou imensamente lucrativo, ocupava a maior parte de seu tempo. Trabalhava das dez da manhã até as seis. Sentar-se à mesa e sorrir para estranhos parecia deixá-la extremamente cansada, apesar de mal poder se lembrar do que fez.

Mas finalmente se tornara uma pessoa da classe trabalhadora. Trabalhando o dia todo, se aborrecendo com aquilo e louca para arranjar uma razão de escapar.

Saía com John duas ou três vezes por semana, iam ao cinema ou jantavam e passavam algum tempo juntos nos fins de semana. Ele adorava jogar tênis e velejar. O tempo que passavam juntos era certamente saudável. Bettina estava fisicamente melhor do que nunca e tinha um leve bronzeado. Fazia com que seu cabelo vermelho brilhasse mais e seus olhos parecessem mais com esmeraldas. Os quatro meses de San Francisco foram bons para ela de várias maneiras.

Aquela noite, John cozinhara em seu apartamento e estavam relaxando com seus cafés.

— Gostaria de fazer uma visita aos Waterstons hoje à noite? Seth disse que Mary já está muito grande e o médico não quer que ela venha à cidade. Da outra vez levou apenas duas horas para ter o bebê, e o médico teme que desta nem chegue ao hospital a tempo.

— Nossa! — E ela olhou para ele pensativa. — Esta coisa toda de gravidez me assusta demais.

— Mas você já esteve grávida. — Olhou para ela surpreso pela sua reação. Ter filhos era tão normal. Por que alguma mulher saudável teria medo?

— Eu sei, e estava ansiosa pelo bebê, mas quando penso como tudo terminou, fico muito assustada.

— Não seja boba. Não há nada a temer. Mary não tem medo.

— Ela é enfermeira.

— Se você tiver um filho, Bettina, eu estarei lá com você.

Não teve certeza do que aquilo queria dizer. Como amigo? Como médico? Apesar de estarem dormindo juntos há três meses, não tinha certeza do que ele queria dizer. A relação que tinham era estranhamente sem carinho, e ela nunca estava certa se eram realmente amantes ou apenas amigos.

— Obrigada.

— Você não parece muito excitada com a perspectiva.

— Tudo parece muito distante.

— Ter filhos? Por quê? — Ele sorriu mais gentilmente. — Poderia ter um no início do próximo ano.

Mas ela não tinha certeza se queria ter. Queria escrever sua peça.

— O que não quer dizer que terei.

Parecia uma resposta boa, e ele sorriu.

— Bem, você certamente poderia, vamos ver... quando seu divórcio estará pronto?

Subitamente sentiu o coração disparar. O que ele estava perguntando? O que queria dizer?

— Mais dois meses. Setembro.

— Poderíamos nos casar nessa época, você engravida imediatamente e, abracadabra, no próximo junho teria um bebê. O que lhe parece?

John a olhava bem de perto agora, e ela sentiu suas mãos procurarem as dela.

— John... fala sério?

— Sim, eu falo.

— Mas... tão rápido. Não temos que nos casar no minuto que o divórcio acabar... é...

Ele pareceu contrariado:

— Por que não? Por que deveríamos esperar?

Temendo sua desaprovação, ela respondeu:

— Eu não sei.

Pessoas como John Fields não moram com alguém. Eles se casam. Têm filhos. Bettina sabia disso com certeza, agora. Ele não ficaria na farra. E não concordar com seus desejos significava fracasso. Significava não se enquadrar. Não ser "normal". E ela não queria mais não ser normal.

— Você gostaria de se casar, Betty?

Ela odiava o apelido, mas nunca lhe disse, porque havia outras coisas nele que amava. Sua integridade, a forma como podia contar com ele; ele era confiável, resoluto, atraente e fazia com que ela se sentisse como uma pessoa comum quando jogavam tênis ou jantavam ou se reuniam aos amigos para velejar aos domingos. Era uma vida que ela nunca conhecera antes. Nunca. Até que encontrou John Fields. Mas casar com ele? Casar-se novamente? Agora?

— Eu não sei. Ainda é muito cedo. — Foi apenas um sussurro.

Ele não se conformou.

— Compreendo. — Assumiu uma expressão distanciada.

28

Na manhã seguinte, a caminho do trabalho, Bettina pensou novamente na proposta de John. O que mais ela queria? Por que não estava extasiada? Porque, respondeu, o que ela queria mais do que maridos e filhos era tempo. Queria encontrar-se com Bettina, a pessoa que perdera em algum lugar no caminho enquanto estava tão ocupada trocando de nomes. Sabia que precisava encontrá-la antes que fosse muito tarde.

Deixou o carro andar devagar próximo a um sinal, enquanto se lembrava, mais uma vez, das palavras de John e de sua expressão distanciada quando ela disse que era muito cedo. E *era* muito cedo. Para ela. E a sua peça? Se casasse com ele agora, nunca a escreveria, ficaria muito ocupada com a nova vida, sendo a sra. John Fields. Não era o que queria agora... queria... Uma buzina a lembrou de onde estava, e seguiu. Mas não podia manter a mente concentrada na direção, e mal podia manter a atenção na rua. Apenas continuava pensando na expressão distanciada de John, quando ela disse que era... Subitamente sentiu uma pancada na frente de seu carro e ouviu uma mulher gritar. Apavorada, pisou com força nos freios e foi jogada para a frente, amparada pelo cinto de segurança. De repente havia pessoas em volta, olhando, ali em pé... olhavam para ela... e para o que olhavam?... Oh, Deus! Dois homens estavam se abaixando, falando com alguém bem na frente de seu carro. Mas ela não podia ver. O que era? Oh, Deus, não podia... ela não teria... mas ao saltar de seu carro, descobriu.

Ao descer trêmula, viu um homem de aproximadamente quarenta anos caído na rua.

Sentiu o pânico subir em sua garganta. Ajoelhou-se perto do homem tentando não chorar. Ele estava bem vestido num terno escuro, e os pertences de sua mala de executivo espalhados pelo chão.

— Sinto muito... me desculpe... posso fazer alguma coisa?

O policial foi calmo e gentil quando chegou à cena, alguns instantes depois. Em cinco minutos chegou uma ambulância. Levaram o homem. O nome de Bettina e a placa do seu carro foram anotados. O policial falou com as testemunhas e anotou os nomes cuidadosamente numa lista. O policial parecia pouco mais velho do que um menino.

— Você tomou algum remédio esta manhã, senhorita?

O jovem policial olhou-a com jeito esperto, mas ela negou, assoando o nariz no lenço que encontrou na bolsa.

— Não, nada.

— Uma das testemunhas viu a senhorita parar poucos minutos antes, e você parecia — olhou para ela se desculpando —, bem, ele disse "no ar".

— Não estava... Estava apenas... pensando.

— Estava chateada?

— Estava... não... não lembro, eu não sei. — Era difícil dizer se já fora racional alguma vez. Estava tão chocada com o que aconteceu.

— Ele ficará bom?

— Saberemos depois que ele chegar no hospital. Você pode ligar mais tarde para obter informações.

— E eu?

— Você se machucou? — Ele pareceu surpreso.

— Não, quero dizer — olhou para o policial friamente —, você vai me prender?

— Não, não vou. Foi um acidente. Receberá uma notificação e o caso vai a julgamento.

— Julgamento? — Estava horrorizada.

— Além da notificação, sua companhia de seguros vai cuidar disso para a senhorita. — E, com ar grave: — Você tem seguro, não?

— Claro.

— Então ligue para o agente de seguros esta manhã e para seu advogado, e espere pelo melhor.

"Esperar pelo melhor... Oh, Deus, que horror. O que ela foi fazer?"

Quando finalmente eles partiram, entrou em seu carro, suas mãos ainda tremendo violentamente e sua mente dando voltas ao pensar no homem que levaram na ambulância. Pareceu demorar horas para chegar à galeria e, quando o fez, nem se preocupou em abrir para o público ou acender as luzes. Correu para o telefone após trancar a porta da entrada. Ligou para o agente de seguros, que pareceu perplexo. Assegurou-lhe que seu seguro de vinte mil dólares deveria ser suficiente para cobrir o prejuízo, a não ser que fosse terrivelmente grave.

— De qualquer forma, não se preocupe com isso, veremos.
— E quando vou saber?
— Saber o quê?
— Se ele vai me processar.
— Logo que ele decidir nos contar, srta. Daniels. Não se preocupe. Saberemos.

Lágrimas escorriam de seus olhos quando ligou para Seth Waterston em seu escritório. Ele demorou um pouco para atender.

— Bettina?
— Oh, Seth… — Era um choro desesperado e infantil. — Estou numa encrenca. — Começou a chorar sem controle.
— Onde está?
— Na gale… ria. — Mal podia falar.
— Agora fique calma e me diga o que aconteceu. Respire fundo… Bettina? Bettina!… Fale comigo…

Por um instante teve medo que ela estivesse na cadeia. Não podia pensar em mais nada para causar aquele tipo de histeria.

— Foi um acidente…
— Você se machucou?
— Atropelei um homem com o carro.
— Um pedestre?
— Foi.
— Ele se machucou muito?
— Eu não sei.
— Qual é o nome dele e para onde o levaram?
— Saint George. E seu nome é — olhou para o papel que o policial lhe deu — Bernard Zule.
— Zule? Soletre.

Ela soletrou, e Seth suspirou.

— Você o conhece? — Ela perguntou.
— Mais ou menos. É um advogado. Não poderia ter escolhido algum bom pedestre ignorante? Tinha que bater num advogado?

Seth tentou brincar, mas Bettina não podia e quando outra onda de pânico a assaltou, agarrou o telefone com força.

— Seth, prometa que não vai contar para o John.
— Por que não, pelo amor de Deus? Você não fez de propósito.
— Mas ele, ele ficará chateado… ou irritado… ou… por favor.

Sua voz estava tão desesperada, que ele prometeu e desligou para telefonar para o hospital.

Quatro horas mais tarde ele ligou para a galeria. Zule estava bem. Quebrou a perna. Uma fratura sem complicações. Algumas escoriações. Sem grandes problemas. Mas Bernard Zule era um homem muito nervoso. Já tinha ligado para seu advogado e iria realmente processá-la. Seth falou diretamente com Zule. Explicou que a mulher que bateu nele era sua amiga pessoal, que estava muito preocupada e sentia muito mesmo, e ela queria saber se ele estava bem.

— Bem? A filha da puta idiota passa por cima de mim bem na luz do dia e depois quer saber se estou bem? Eu conto para ela na corte.

— Mas, Bernard...

A tentativa de Seth de amenizar as coisas não surtiu efeito e souberam disso três dias depois, quando Bettina foi agraciada com os papéis do processo que ele estava movendo contra ela. Ele a processava em duzentos mil dólares por ferimentos, incapacidade de praticar sua profissão, trauma emocional e intenção maliciosa. A última acusação não valia droga nenhuma, assegurou-lhe Seth, porque ela nem conhecia Zule. Mas era um processo bem grande. Seth também lhe disse que poderia levar alguns anos para ir a julgamento, quando a fratura não seria mais do que uma vaga lembrança. Mas não fazia diferença. Tudo em que Bettina podia pensar era na quantia: duzentos mil dólares. Se vendesse todas as suas jóias talvez pudesse pagar, mas o que lhe restaria? Aquilo lembrou-lhe do pânico que sentiu após a morte de seu pai, e fazia tudo para tentar manter o controle.

— Bettina? Bettina! Você me ouviu?

— Hum? O quê?

— O que está acontecendo com você? — John olhava para ela, aborrecido. Bettina estava assim há semanas.

— Sinto muito... estava distraída.

— Deu para perceber. Você não ouviu uma palavra do que eu disse a noite toda. O que há?

John não entendia. Ela estava assim desde a noite em que ele lhe propôs casamento. Não ficava nem um pouco alegre ao perceber isto. E então, no final da noite, quando a trouxe em casa, John a olhou com tristeza.

— Bettina. Você preferiria que não nos víssemos por uns tempos?

— Não... eu... — E, sem querer, ela se deixou cair nos seus braços, enquanto soluçava copiosamente.

— O que está acontecendo? Oh, Betty... me diz o que há.... sei que tem algo errado.

— Eu... oh, John, não posso te contar... é tão horrível... tive um acidente.

— Que tipo de acidente? — Sua voz estava séria.

— Com meu carro. Quebrei a perna de um homem.

— Você o quê? — Olhou para ela apavorado. — Quando?

— Há três semanas.

— Por que não me contou?

— Eu não sei.

— Seu seguro cobre o prejuízo?

— Só tenho seguro até vinte mil. Ele está me processando em — sua voz baixou mais ainda — duzentos mil dólares.

— Oh, meu Deus! — Ambos se sentaram, quietos. — Você falou com Seth?

Ela concordou silenciosa.

— E não falou comigo, oh, Betty. — Puxou-a mais para perto de si. — Oh, Betty, Betty... como pôde acontecer uma coisa destas com você?

— Eu não sei.

Mas ela sabia. Ela estava pensando sobre a noite anterior, quando ele lhe pedira em casamento, e no quanto ela não queria se casar, mas não contou a ele.

— Foi minha culpa.

— Entendo. Bem, parece que vamos ter que enfrentar este problema juntos, não é? — Sorriu para ela com gentileza. Bettina precisava dele, e isto o fez se sentir bem.

Mas ela o olhou horrorizada:

— O que quer dizer juntos? Não seja louco! Tenho que sair fora desta sozinha.

— Não seja louca! E não fique totalmente envolvida nessa loucura. Um processo de duzentos mil dólares não significa nada. Provavelmente ele fará um acordo com dez mil.

— Não acredito. — Mas ela tinha que admitir que Seth lhe disse coisa semelhante no dia anterior. Talvez não dez mil, mas provavelmente vinte mil.

No fim, eles tinham razão. Duas semanas mais tarde Bernard Zule aceitou a soma de 18 mil dólares para acalmar seus nervos e sua perna quase curada. A companhia de seguro cancelou a apólice de Bettina, e ela teve que vender barato o seu carrinho que comprara após conseguir o emprego. A soma de duzentos mil dólares não mais ecoava em sua cabeça, mas sentia uma sensação de fracasso, de ter sido vencida, um grande passo para trás, e de não ter sido capaz de cuidar de si mesma. A depressão continuou por longo tempo, e só duas semanas antes de seu divórcio se concretizar foi que John a pediu novamente.

— Faz sentido, Bettina. — E com um momento de raro humor, acrescentou: — Veja deste jeito, Bettina. Você poderia dirigir meu carro.

Mas ela nem sorriu. Ele continuou.

— Eu te amo, e você nasceu para ser minha esposa.

"E de Ivo e de Anthony..." Não podia parar de pensar nisto.

— Eu te quero, Bettina.

Mas também sabia que ele pensava que ela não podia tomar conta de si mesma. De certa maneira ela provou que ele estava certo. Era incompetente. Talvez até perigosa. Veja o que acabara de fazer. Quase matou um homem... nunca deixava este pensamento sair de sua mente.

— Bettina?

Ele estava olhando para ela e, muito suavemente, beijou a ponta de seu dedos, seus lábios e seus olhos.

— Quer casar comigo, Betty?

Ele pôde ouvir uma aspirada rápida, depois seus olhos se fecharam e ela concordou.

— Sim. — Talvez ele estivesse certo, afinal.

29

Com passos curtos e estudados, Bettina aproximou-se do altar de braço com Seth Waterston. Ela lhe pedira para entrar com ela na igreja. Havia quase cem pessoas observando-os felizes. Bettina provocava rumores com seu vestido branco achamalotado, deslizando suavemente sobre a passarela de cetim. Seth sorriu para ela que tinha o rosto escondido atrás de um véu estilo renascentista. Estava linda e imponente, mas sentia-se estranha de vestido branco, como se estivesse fantasiada ou como se fosse uma mentira. Tentou resistir à sugestão de John, de usar branco, mas significava tanto para ele. Esperou tanto tempo depois da faculdade para se casar, que ela não queria desapontá-lo. E duas semanas depois que decidiu, John prometeu que cuidaria de tudo e assim o fez. Tudo o que precisou fazer foi ir à loja I. Magnin's para comprar seu vestido, e ele fez o resto. Organizou a cerimônia na pequena igreja episcopal da Union Street, e a recepção para cento e vinte convidados no Iate Clube, com vista para a baía. Era o casamento que qualquer moça teria sonhado, mas, de alguma forma, Bettina teria preferido ir a um cartório. Os papéis do divórcio chegaram apenas dois dias antes, e enquanto descia a nave de braço com Seth, pensava em Ivo e Anthony. Teve um desejo louco de gritar para as pessoas que estavam com olhos úmidos de emoção. "Não fiquem muito emocionados, pessoal. Este é o meu terceiro." Mas ela sorria recatadamente ao tomar o braço de John, no altar. Ele vestia um paletó adequado para a ocasião com uma flor do campo na lapela, o buquê de Bettina era de rosas brancas e Mary Waterston usava um buquê de orquídeas bege. John também não tinha mais os pais, e por isso não havia famílias para brigar, apenas parentes.

As palavras pareciam não terminar nunca na pequena igreja, e o pastor sorria amorosamente para eles, até que falou:

— ... E você, John?...

Enquanto ouvia, aquela estranha sensação voltou. E se dissesse o nome errado quando fosse fazer seus votos? Eu, Bettina, aceito você, Ivo... Anthony... John... Não ia estragar as coisas daquela vez. Esta era de verdade. Sua última chance de fazer as coisas certas para si mesma.

— ... Eu aceito...

As palavras eram pouco mais do que um sussurro. Estavam lhe dando sua última chance. Seus olhos procuraram rapidamente os de John, que repetia as palavras, olhando para ela com seriedade, alto e claro para que toda a igreja pudesse ouvir. John recebia Bettina como sua legítima esposa, prometendo ser fiel na alegria e na tristeza, na saúde e na doença, amando-a e respeitando-a até que a morte os separasse. Não um mal-entendido, ou cansaço, ou visto de permanência, ou diferença de idade. *Até que a morte os separasse*. Ao ouvir isso, Bettina sentia o impacto das palavras e o cheiro das rosas. Pelo resto de sua vida, sentiria o perfume destas rosas quando se lembrasse das palavras.

— ... Eu os declaro marido e mulher. — O pastor olhou para eles, sorriu e depois abaixou-se para falar com John.

— Pode beijar a noiva.

John o fez rápido, enquanto segurava firme a sua mão. O grande anel de ouro estava em sua mão esquerda agora, e o pequeno anel de diamante do noivado estava na mão direita. Bettina quis mostrar suas jóias para ele pouco antes do casamento, mas quando ele lhe deu o anel, viu que não podia fazê-lo porque ainda tinha o brilhante de nove quilates de Ivo. Então, decidiu esconder o anel e só mostrar o resto para John. A coleção que conseguiu com Ivo e com seu pai era algo que não mostrava para ninguém e não usava mais nada. Ficava seguro no banco, seu ninho de ovos, tudo que tinha dela mesma. Mostrar para John ou querer fazê-lo fora seu último ato de confiança. Ela lhe disse que tinha algo que queria mostrar-lhe, algo que ela guardava num banco, e ele ficou irritado e suspeitoso até que ela explicou.

— Não é nada. Não me olhe assim, seu bobo... são apenas algumas jóias que guardo da minha outra vida...

Explicou para ele carinhosamente e ficou chocada quando ele explodiu na pequena cabine do banco:

— Bettina, isto é uma desgraça! É revoltante. Você percebe quanto dinheiro tem preso aqui?... É... — Ele realmente deu um ataque. — Parece a coleção de uma velha prostituta, por Deus, quero que se livre disto tudo.

Mas daquela vez foi ela quem explodiu. Se ele não gostasse, era problema dele, e ela nunca usaria nenhuma. Mas eram peças lindas e todas tinham algum significado. Enquanto ambos ficavam ali, nervosos, ela prometeu a si mesma que nunca mostraria a ele nada mais da sua vida passada. Era dela, assim como as jóias, e ficariam assim.

Bettina contou sobre o dinheiro que recebia de Ivo e que ainda o receberia pelo resto de sua vida, o que deixou John ainda mais desesperado. O que ela tinha na cabeça para continuar na lista de despesas daquele homem? Não podia viver de seu emprego? E era bom que ela não pensasse em receber mais nada dele após o casamento, porque ele não aceitaria. Era, para John, como um tapa na cara. Bettina não via as coisas assim e tentou explicar que Ivo sempre fora como um pai para ela, mas não teve sucesso na explicação. John lhe disse que não estava nem aí. Ela era adulta agora, e não precisava mais de um pai. E desta vez não foi como as jóias, que nunca mais foram mencionadas. Desta vez ele mesmo escreveu uma carta para os advogados de Ivo e explicou que a sra. Stewart, seus dentes rangiam ao escrever estas palavras, não mais desejava receber a pensão. Bettina assinou, com lágrimas nos olhos, mas assinou. Rompera seu último contato com Ivo, mesmo que fosse apenas através de seus advogados. E agora, após a cerimônia, ela pertencia somente a John.

John e Bettina ficaram lado a lado por quase meia hora fora da igreja, sorrindo, recebendo beijos e cumprimentos, apertando dúzias de mãos. Bettina observava os primos, os colegas de turma, os clientes, os amigos de John. E, de forma estranha, todos pareciam iguais. Todos pareciam saudáveis, jovens sorridentes, íntegros. Era tudo muito bonito e delicado.

— Feliz? — John olhou para ela ao entrarem no carro. Não quis alugar uma limusine. Disse que era caro e era bobagem. Ele mesmo iria dirigir.

Ela gesticulou com a cabeça. Surpreendentemente, estava feliz. Sentia um certo alívio naquele novo mundo.

— Muito.

Não tinha que ser radiante ou esperta. Não tinha que jogar charme e dar as melhores festas da cidade. Tinha apenas que ser agradável e fazer comentários vazios. De uma certa forma era um descanso após os anos que gastou estando sempre ''ligada''.

— Eu te amo, doutor. — Sorriu para ele, realmente sentindo o que dizia.

— Também te amo.

Passaram a lua-de-mel em Carmel e ficaram durante três maravilhosos dias passeando pela praia e vendo lojas. Dirigiram até Big Sur uma tarde e ficaram de mãos dadas enquanto observavam os surfistas. Tinham jantares longos e românticos, e passavam as manhãs na cama. Era tudo que uma lua-de-mel tinha de ser. E duas semanas mais tarde, enquanto Bettina trabalhava na galeria, sentiu-se muito enjoada. Foi para casa mais cedo e deitou-se. John a encontrou mais tarde tentando dormir, com uma cara horrível, toda encolhida. Franziu a testa ao olhar para ela, ouviu os sintomas e sentou-se na cama ao seu lado.

— Posso examinar você, Betty?

Ainda se sentia estranha quando a chamava por aquele nome.

— Claro. — Sentou-se e tentou sorrir. — Mas não pense que tem muita coisa para examinar. Só tenho uma gripe. Mary disse que teve uma semana passada.

Examinou-a com carinho: seus pulmões estavam limpos, seus olhos brilhantes e não tinha febre. Olhou para ela pensativo e sorriu animado.

— Talvez esteja grávida.

Ela o olhou assustada.

— Mas já?

Não parecia possível. Só tinham parado de evitar havia duas semanas.

— Veremos.

— E quando poderemos saber? — Estava ansiosa.

John sorria, satisfeito consigo mesmo.

— Saberemos em mais ou menos duas semanas. Pedirei que façam um teste lá no consultório, e se der positivo te encaminho para um obstetra.

— Posso ir ao mesmo que Mary vai?

Sentia-se muito ansiosa. O que estava acontecendo com ela? Quem tomou aquela decisão? Estava apavorada só em pensar, e não queria que fosse verdade.

John beijou-lhe a testa e saiu do quarto. Voltou em alguns minutos com uma xícara de chá e alguns biscoitos.

— Coma um pouco.

Ela comeu e um pouco depois sentia-se fisicamente melhor, mas ainda muito assustada. Mas nem ousava falar para John.

Duas semanas mais tarde John chegou em casa com um pequeno frasco e deu a ela antes de irem dormir.

— Para amanhã de manhã. Primeira urina. Deixe na geladeira que eu levo para o trabalho.

— Você me liga tão logo faça o teste?

Bettina continuava assustada, e ele bateu em seu ombro e sorriu:

— Sei que está ansiosa. Mas segure firme. Saberemos pela manhã. — E após dar-lhe um beijo: — Estou bastante nervoso também, sabia?

Ela sabia que ele estava sendo sincero. Ele parecia estar nas nuvens naquelas duas semanas. O que fazia tudo mais difícil para ela lhe contar como se sentia. E, como num estouro, ela teve que falar, enquanto deitavam na cama, no escuro.

— John?

— O que é, Betty?

Ela pegou a mão dele e aproximou-se mais.

— Estou com medo.

John pareceu surpreso

— Do quê?

— De... oh, você sabe... de... — sentia-se uma idiota, pois era tão normal para ele. — De estar grávida.

— Mas do que tem medo, sua boba? — Virou-se para ela ainda no escuro do quarto.

— De... bem... e se for como da outra vez? — Era difícil colocar as palavras para fora.

— Você quer dizer que tem medo de perder o bebê?

Ela concordou, mas na verdade tinha medo de muito mais.

— Um pouco... mas... oh, eu não sei, John, só sei que estou assustada. Foi tão horrível... foi tão doloroso... se eu não suportar... eu... e se eu não agüentar a dor?

Havia lágrimas em seus olhos enquanto ela lhe fazia estas perguntas, e ele pegou seus ombros com as duas mãos:

— Quero que pare com isso imediatamente, Betty. Ter filhos é uma coisa absolutamente normal, e não há nada a temer. Veja só a Mary. Ela morreu de dor? Claro que não. — Ele respondeu a sua própria pergunta com um sorriso. — Agora, confie em mim. Quando tiver o bebê, estarei com você todo o tempo e não terá problema algum, você vai ver. Juro. Nessa coisa toda de sentir dor para ter filho há muito de exagero. Não é assim tão doloroso.

Sentiu-se reconfortada, mas ainda havia um fio de pavor correndo pela sua espinha. Inclinou-se e o beijou suavemente.

— Obrigada por querer o bebê. Nós ficaremos aqui?

Ela se mudou para o apartamento de John, que era engraçadinho e espaçoso, mas só tinha um quarto e um pequeno gabinete que ele usava muito. Após a sua pergunta houve um longo silêncio e depois uma risada do lado de John.

— O que isso significa? — Ele não costumava brincar e ela se surpreendeu. — Então?

— Significa cuide de sua vida... — Mas ele não resistiu. Teve que lhe contar. — Oh, está bem Betty, eu conto, mas não fique muito empolgada. Nada está certo. — Parou dramaticamente, e ela virou-se para olhá-lo. — Ontem eu fiz uma oferta numa casa.

Ela ficou surpresa:

— Você fez? Por que não me contou? Onde é? John Fields, você é impossível!

John sorria orgulhoso para ela, que estava excitada.

— Espere até ouvir tudo. É em Mill Valley. Bem ao lado da casa de Seth e Mary. — Sua voz era de triunfo.

— Que maravilha!

— Não é? Cruze os dedos para que a gente consiga.

— Acha que temos chance?

— Acho que sim. Mas primeiro vamos descobrir se você está mesmo grávida, madame. Isto é bem mais importante. Ao menos para mim. — Pôs um braço em seu ombro e aconchegou-se na cama.

A antiga vida de Bettina estava esquecida. Não mais coberturas, nem sótãos, nem condomínios elegantes ou casas na cidade. Tudo em que pensava agora era na casa de Mill Valley, no filho, no marido e na sua nova vida.

30

— Você percebeu que este é o junho mais quente que já existiu desde 1911? Ouvi ontem no rádio enquanto estava deitada no chão do banheiro tentando me refrescar.

Bettina olhou para Mary em desespero, abanando-se na cozinha da amiga e vizinha, e ambas riram.

— Tenho que admitir que não posso pensar em nada pior do que estar grávida de nove meses neste calor. — E olhou para Bettina com compaixão. — Mas fiz isso as duas vezes.

Seus filhos tinham agora um três anos e o outro dez meses e, milagrosamente, estavam ambos dormindo.

Bettina deu um sorriso amarelo e tentou comer um pouco da salada de atum que ela trouxe.

— Deixe-me lembrá-la de que estou grávida de nove meses e meio. — Com uma cara de desânimo, olhou para seu prato e fez careta. — Ugh! Não posso mais comer. — Empurrou o prato e tentou se ajeitar melhor na cadeira.

Mary olhou para a amiga, com pena:

— Gostaria de deitar no sofá?

— Pois fique sabendo que talvez eu nunca mais me levante de seu sofá.

— Não tem problema, se você não puder se levantar, Seth pode empurrar o sofá pela porta dos fundos até a sua casa.

— Não é bom que sejamos vizinhas?

Mary sorriu.

— Claro que é.

Estavam na casa havia seis meses. Exigia uma pequena viagem diariamente de casa para o trabalho na galeria nos primeiros quatro meses, mas finalmente John permitiu que ela largasse o emprego, pois Bettina vivia reclamando que nunca teria a casa pronta, a não ser que parasse lá. Ele finalmente cedeu, e ela estava louca para ser livre. Mas o êxtase durou apenas algumas semanas, porque no seu último mês de gravidez esteve tão cansada, tão inchada, tão desconfortável, que não conseguiu fazer nada.

Agora, enquanto se esticava no sofá, olhou para a amiga. Apesar de serem vizinhas, não se viam há semanas.

— É sempre assim com você também?

Mary pensou alguns minutos.

— É diferente para cada pessoa, Betty. E é diferente a cada vez para a mulher.

Bettina forçou um sorriso:

— Fala como uma enfermeira.

— Acho que ainda sou a enfermeira — disse Mary, sorrindo. — Cada vez que te vejo fico querendo fazer perguntas sobre o que está acontecendo, seus tornozelos estão inchados, você está com dor de cabeça, como se sente no estado geral. Mas tento me segurar. Imagino que já esteja cheia de falar sobre isso com John.

— Surpreendentemente, ele tem sido ótimo. Nunca fala muito sobre isso. Acredita que é um processo natural e que não tem nada de mais.

— E o que diz seu médico?

Bettina pareceu à vontade ao responder. Demorou os nove meses para acabar com seus medos. Sabia agora que eles não tinham fundamento. Sabia que estava bem preparada.

— Ele fala a mesma coisa.

— E é o que você pensa? — Mary estava assustada.

— É sim, droga. Trabalhei feito uma condenada nos exercícios de respiração daquele curso, e já tenho tudo sob controle. Agora se eu pudesse ter logo esta criança... — Sentou toda sem jeito, e por um instante retraiu-se. — Droga, minhas costas estão me matando!

Mary lhe entregou mais duas almofadas e trouxe um banquinho para seus pés.

— Obrigada, querida. — Sorriu agradecida e levantou os pés com cuidado. Mas nem as almofadas pareciam ajudar. Esteve muito ruim o dia todo.

— Tem alguma coisa te incomodando?

— Minhas costas.

Mary continuou a conversa.

— Sabe, eu estava apavorada antes de ter o primeiro e, na verdade, estava bem assustada antes de ter o segundo também.

— E como foi? — Bettina estava curiosa.

— Não foi mal. Estava bem preparada da segunda vez, e Seth estava comigo. — E depois olhou para Bettina incisivamente. — Mas não estava, de jeito nenhum, preparada para o primeiro.

— Por que não? — Bettina parecia intrigada.

— Porque apesar de eu ser uma enfermeira de maternidade e já ter visto partos milhões de vezes, ninguém pode explicar como é. É doloroso, Betty. Não se engane sobre isso. Dói muito. É como uma longa corrida que demora muito tempo e você chega a um ponto em que pensa não poder continuar nem por mais sete centímetros. Felizmente isso não demora muito e, quando chega no ponto de empurrar, não é tão mau assim.

Queria perguntar à amiga por que John escolhera o dr. McCarney. Era o médico mais frio e cruel que ela ajudara na enfermaria. Por duas vezes ela saiu da sala de parto chorando depois que a paciente teve o filho. Depois daquilo ela sempre desaparecia quando sabia que alguma paciente dele estava chegando.

— Você gosta dele?

Bettina hesitou por alguns minutos.

— Eu confio nele. Acho que é um bom médico, mas eu não... eu não o adoro. — Sorriu sem graça. — Mas John acha que ele é um excelente médico. Dá aula na universidade, fez muitas pesquisas. E aparentemente está trabalhando em algum equipamento novo e complicado. John acha que é dos melhores. Mas não é... bem, não é muito compreensivo. Imaginei que isso não fosse muito importante. Se ele é bom, e John está lá, qual é o problema?

Mary pensou um pouco. Não havia por que assustá-la agora. Já era muito tarde.

— McCarney é realmente um médico muito respeitado, apenas não é tão compreensivo e gentil quanto o meu. Mas você terá John com você. — "Graças a Deus para ela." — Mas seja realista sobre este primeiro parto, Betty. Pode demorar um pouco.

Bettina a observou um pouco em silêncio, e depois balançou a cabeça. Falou muito devagar, com as velhas lembranças ainda em seu olhar.

— Esta não é minha primeira vez, Mary.

— Não é? — Agora estava chocada. — Você teve outro filho? Mas quando? Com quem? O que aconteceu com ele? Ele morreu? — Ela parou com as perguntas e Bettina respondeu:

— Tive um aborto natural aos quatro meses, há mais ou menos um ano e meio atrás, antes de me mudar para a Califórnia. Na verdade — decidiu contar a verdade agora; sentia-se muito próxima da amiga — foi como eu conheci John. Tive o aborto e me mudei para San Francisco uma semana depois. Fiquei muito deprimida e tentei me suicidar. Chamaram John depois de fazerem uma lavagem no meu estômago e nós ficamos amigos.

— Nossa! É incrível. Ele nunca nos disse nada.

— Eu sei. Ele também não queria que eu contasse. Mas Seth sabe.

— Seth? — Mary não acreditava.

— Ele cuidou do meu divórcio.

— Você foi casada antes? Bem, quantos segredinhos tem mais?

Bettina riu.

— Não muitos. Apenas alguns... vamos ver... — Subitamente sentiu vontade de lavar a alma para alguém, e nunca se sentiu tão próxima da amiga. — Já fui casada duas vezes.

— Incluindo John. — Mary queria tirar a dúvida.

— Antes dele. Na primeira vez com um homem muito mais velho, e na segunda com um ator. Trabalhei no teatro. Meus últimos empregos foram como assistente de direção...

— Você? — Mary estava não só abismada, mas impressionada.

— E meu pai era um escritor. Muito conhecido.

Ela sorriu e se recostou nas almofadas enquanto Mary a observava.

— Quem é ele? Alguém que eu conheça?

— Talvez. — Sabia que Mary lia muito. — Justin Daniels.

— O quê... mas é claro... Bettina Daniels... nunca fiz a ligação. Por Deus, Bettina, por que não nos contou? — E então ela colocou as mãos nos quadris. — Ou vai me dizer que Seth sabe disto também?

Mas Bettina negou:

— Ele só sabe do meu último casamento. Não sabe de todo o resto.

— Então por que não nos contou?

Bettina deu de ombros.

— John não tem muito orgulho do meu passado cheio de altos e baixos. — Pareceu ligeiramente envergonhada. — Eu não queria... humilhá-lo.

— Humilhá-lo? Como? Por ser filha de Justin Daniels? Pensei que ele ficaria orgulhoso. E sobre o resto, seus dois casamentos, o que é que tem? Tenho certeza de que eles significaram muita coisa, ou você não teria se casado. E seus amigos a amariam, não importa o que tivesse acontecido. As pessoas que a amam sempre vão entender ou, ao menos, tentar. Quanto às outras... quem se importa? Seu pai deveria saber disso. Tenho certeza de que nem sempre as pessoas aprovavam a maneira dele viver.

— Mas era diferente. De uma certa maneira, ele era um gênio. As pessoas esperam que gente assim tenha comportamentos excêntricos.

— Então escreva um livro e seu passado será exótico.

Bettina riu e, cabisbaixa, olhou de volta para a amiga.

— Sempre quis escrever uma peça.

— Você escreveu? — Mary parecia excitada e sentou-se no chão. — Por Deus, Betty, será que você já tinha percebido que eu achava que você era tão sem graça como qualquer uma de nós e agora descubro que não é? Que diabos, quando é que você vai escrever essa peça?

— Provavelmente nunca. Acho que John não iria gostar. E... Oh, Mary, eu não sei... é que — parecia lutar com as palavras — é um mundo não muito respeitado. De uma certa forma, talvez eu tenha sorte em ter escapado.

— Talvez. Mas você escapou com seu talento. Não pode ser respeitável e exercitar esse lado também?

— Gostaria de tentar algum dia. — Falou como se estivesse sonhando e depois balançou a cabeça. — Mas não acho que vou conseguir. John nunca me perdoaria. Acho que ele sentiria como se eu estivesse trazendo algo repugnante para sua vida.

— Nunca te ocorreu que talvez isso seja apenas a *opinião* dele, que talvez ele esteja errado? Sabe, às vezes, mesmo sem saber, as pessoas têm ciúmes. Todos vivemos vidas sem graça, comuns, existências insípidas e de vez em quando aparece uma ave-do-paraíso e todos nos assustamos. E isso acontece porque não somos assim, nossas penas não são lindos matizes de verde e vermelho, mas são cinzas e marrons, e vendo a ave-do-paraíso nos faz pensar como somos feios, ou como se, de alguma forma, nós tivéssemos falhado. Alguns de nós gostam de ver essas aves e sonhar que algum dia nós também seremos assim... outros têm que atirar na ave... ou ao menos espantá-la.

— Você está dizendo que foi isso que John fez? — Bettina se aborreceu.

Mas quando Mary respondeu, sua voz era extremamente gentil:

— Não. Acho que o que ele fez foi dar a volta para encontrar suas penas cinzas e marrons e vesti-las como uma de nós. Mas você não é, Bettina. Você é exótica, linda e especial. Você é um pássaro muito, muito raro. Tire essas penas escuras, Bettina. Deixe todo mundo ver que linda plumagem você tem. Você é a filha de Justin Daniels, o que já é um presente raro. Como seu pai se sentiria se soubesse que você está se escondendo aqui? Fingindo que nem é filha dele?

Os olhos de Bettina encheram-se de lágrimas ao pensar no que a amiga dizia, mas de repente contorceu-se de dor. Foi como um choque elétrico em suas costas. Mary aproximou-se e beijou-lhe o rosto com um olhar de muito carinho.

— Agora me fale sobre essas dores. Começou nas costas, não foi?

Bettina olhou para ela admirada, ainda muito tocada por tudo que ela dissera. Era a primeira dica que tinha de que ainda era aceita, apesar do seu passado.

— Como soube das dores?

— Porque costumava ser meu trabalho, lembra-se? Nem todos podem ser aves-do-paraíso, amiga. Alguns têm que ser bombeiros, médicos, policiais e enfermeiras. — Estava sorrindo ao segurar a mão de Bettina, que se retorceu novamente.

— Fico feliz com isso.

— Você quer começar com a respiração? Não comece se ainda não for muito doloroso.

— Mas já é.

Estava surpresa de como começou a doer tão depressa. Uma hora antes era apenas uma leve pontada, e ela nem sabia o que era. Dez minutos mais tarde era um pouco desconfortável. Agora estava ficando sem respiração.

Mary a acompanhava tomando conta da situação, ainda segurando a mão de Bettina. Até que uma nova onda de dor, desta vez passando pelo estômago, puxava tudo em seu caminho e terminava num longo nó cortante, e deixou Bettina sem respiração e encolhida, agarrada à mão de Mary. Continuou por um minuto enquanto Mary segurava firme e olhava em seu relógio.

— Esta foi dura, não?

Bettina concordou e recostou-se no sofá, suando muito. Mal conseguia falar, mas deu um sussurro:

— Foi. — De repente seus olhos ficaram em pânico e falou nervosa: — John!

— Está bem, Betty. Vou ligar para ele. Fique deitada quieta aí. E quando sentir outra dor, comece a respiração.

— Aonde você vai?

— Só até a cozinha, falar no telefone. Vou ligar para John e pedir que avise ao seu médico. Depois vou ligar para Nancy, que mora aqui ao lado, e pedir que ela fique com minhas crianças. Ainda bem que não acordaram ainda. Assim que Nancy chegar, daqui a uns dez minutos, nós pegamos o carro e vamos para a cidade, até o hospital. Que lhe parece?

Bettina começou a falar alguma coisa, mas agarrou a mão de Mary com força. Foi outra onda de dor, longa e forte.

— Oh, Mary... Mary... dói muito... é...

— Psiu... calma, dá para agüentar, Betty. Fique calma.

Sem falar mais nada, foi até a cozinha e voltou rápido com um pano úmido e o colocou na cabeça de Bettina.

— Segure firme que eu vou fazer as ligações.

Voltou em dois minutos, usando uma espadrilhe com seus *jeans*, e já com sua bolsa. Pediu a Nancy que fosse até a casa de Bettina pegar a mala, que estava pronta no *hall*. Cinco minutos depois, Mary ajudou Bettina a entrar no carro.

— E se não chegarmos a tempo?

Bettina olhava para Mary nervosa e a amiga sorriu. Ela até torcia para que não desse tempo. Preferiria fazer o parto de Bettina no banco de seu carro do que passá-la para as mãos do dr. McCarney quando chegassem no hospital.

— Se não conseguirmos, eu mesma faço o parto. Pense só no dinheiro que economizaria.

Dirigiram em silêncio enquanto Bettina fazia a respiração cachorrinho para superar as dores. Mas elas aumentavam muito rápido e havia um ar de determinação em seus olhos. Mary estava abismada que as dores tivessem se tornado tão fortes em tão pouco tempo, mas esperava que isto significasse um parto fácil. Talvez ela tivesse esta sorte. E nem era o primeiro filho. Enquanto dirigia, Mary pensava no que tinham conversado. Era incrível como se podia conviver com alguém e não conhecer a pessoa.

— Como está indo, amiga?

Bettina deu de ombros, e ofegava forte. Mary esperou que a dor diminuísse e tocou-lhe o braço.

— Betty, não seja uma heroína. Sei que está preparada para parto normal, mas, se for muito forte, peça alguma coisa, assim que tiver vontade. Não espere.

Mary não queria lhe dizer que se ela esperasse muito eles não poderiam lhe dar nada. Mas Bettina estava negando com a cabeça.

— John não me deixaria. Disse que pode causar problemas no cérebro... do bebê...

Outra dor começando e Mary teve que esperar novamente. Mas quando acabou ela continuou.

— Está errado. Pode confiar em mim. Já fui uma enfermeira de maternidade por anos. Podem lhe dar uma peridural, que é algo como uma raquidiana. Anestesia tudo da cintura para baixo. Talvez possam lhe dar um pouco de Demerol, um tipo de injeção que corta um pouco a dor. Podem dar muitas coisas que não afetarão o bebê. Você promete pedir se sentir que precisa?

Bettina concordou distraidamente. Não queria desperdiçar energias discutindo. Sabia como John via essas coisas e ele insistiu que afetaria a criança se ela tomasse alguma coisa contra a dor.

Quinze minutos mais tarde chegaram ao hospital e Bettina não podia mais andar. Rapidamente a colocaram numa maca e Mary segurava a sua mão enquanto ela se contorcia.

— Oh, Mary... diga a eles... não!... pára de empurrar.

Sentou-se na maca agarrando-se ao enfermeiro e depois caiu deitada, gritando. Ele esperou pacientemente até que a contração passasse e Mary tentou acalmá-la, falando com suavidade e segurando sua mão.

Tinha certeza de que agora estava na pior fase, a transição, onde a dor era mais forte. Só mais três centímetros, se fosse o caso, e deveria estar com a dilatação certa. Depois estaria quase terminado, só faltando empurrar.

John esperava por ela na maternidade com uma expressão de ansiedade. Olhou para Mary, feliz, e depois para Bettina, que suava muito, gemendo e encolhida na maca. Agarrou-se nervosamente a John e começou a chorar, segurando com força seu jaleco branco.

— Oh, John... está doendo... tanto...

Quase que instantaneamente foi pega por outra contração enquanto John a observava. Mas ele segurou sua mão quieto e olhou em seu relógio enquanto Mary assistia à cena. Subitamente Mary teve uma idéia e sinalizou para John. Quando a dor de Bettina terminou ele veio até ela com um olhar de satisfação.

— O que há?

— Acabei de pensar numa coisa. Como eu já trabalhei aqui, eles podem me deixar entrar com vocês. Não posso ser a assistente, mas posso estar lá com ela. — Não pôde evitar de acrescentar: — John, acho que ela vai ter algumas dificuldades.

Mary já vira muitos casos assim, e as coisas estavam fugindo ao controle muito rapidamente. Mas John sorriu, agradecido, deu um tapinha em seus ombros e negou:

— Não se preocupe, tudo dará certo. Olhe só para ela — olhou por cima dos seus ombros para onde Bettina estava. — Acho que já está em transição.

— Também acho. Mas não significa que esteja no fim.

— Não se preocupe tanto. Vocês enfermeiras são todas iguais.

Mary tentou insistir, mas ele negou com firmeza. Sinalizou para uma das enfermeiras que estava esperando para que levasse Bettina para a sala de exames. Mary foi rápido até ela.

— Vai dar tudo certo, amiga. Você está indo bem. Tudo que tem que fazer é agüentar firme. Como se estivesse numa montanha russa. — Abaixou-se e deu um beijinho na amiga, com carinho. — Está tudo bem, Betty, tudo bem.

Mas lágrimas estavam escorrendo dos olhos de Bettina quando a enfermeira a empurrou para a sala de exames e um momento depois Mary viu o dr. McCarney entrar pela porta com John andando ao seu lado. Mary quase retraiu-se ao vê-lo, certa de que ninguém avisara Bettina sobre os exames dolorosos. Os olhos de Mary encheram-se de lágrimas quando viu, minutos mais tarde, uma enfermeira sair apressada de dentro da sala, dando de ombros, ouvindo Bettina gritar.

— Não me deixaram ficar com ela — disse a enfermeira se desculpando para Mary.

— Eu sei. Trabalhei aqui. Sabe como está a dilatação?

— Não tenho certeza. Disseram que estaria em sete e meio. Mas parece que não está progredindo.

— Por que não lhe dão uma injeção intravenosa de Pitocin?

— McCarney disse que não há necessidade, ela vai chegar lá de qualquer maneira.

Depois disso, tudo que Mary soube pelas enfermeiras apressadas foi que ela estava com dilatação de oito centímetros e que o médico e o marido concordaram em não lhe dar nada para as dores. Imaginavam que logo estaria terminando e, de qualquer jeito, ela estaria melhor se não fosse dopada. As enfermeiras foram mandadas para fora da sala logo que eles entraram e Mary andava de um lado para o outro nos corredores, quase histérica. McCarney e John decidiram cuidar de Bettina eles mesmos, enquanto estava em trabalho de parto, e o grande dr. McCarney não queria nenhuma enfermeira por perto antes da hora final. Mary andava de um lado para o outro, desejando que Seth estivesse com ela, que Bettina tivesse um outro médico, desejando tudo e, de vez em quando, ouvindo a menina gritar.

— Não pode estar dilatando ainda, será que está? — Mary olhou pesarosa para a enfermeira-chefe, a quem conhecia bem.

— É mais um daqueles casos de falta de sorte. Chegou rápido a oito, e parece que não anda mais.

— Como ela está?

Houve um momento de silêncio.

— McCarney pediu que nós a amarrássemos.

— Oh, Deus!

Ele era tão ruim quanto ela se recordava e finalmente ligou para Seth. Mas ele não poderia estar com ela antes das seis. Quando chegou, Mary estava chorando ao explicar o que aconteceu. Seth colocou os braços por sobre seus ombros.

— John está lá. Ele não vai deixar aquele velhaco ser muito rude com ela.

— Até parece que não! Eles a amarraram há três horas, Seth, e John lhe disse que não quer que tome nada contra dor porque vai causar uma lesão cerebral no bebê. O que me deixa louca é que não precisa ser assim, você sabe.

Seth gesticulou com a cabeça e ambos pensaram como foi lindo para eles, alguns meses atrás, quando tiveram o segundo filho. E até o primeiro não foi nada tão complicado assim.

— Ele está fazendo com que seja pior do que nunca para ela.

— Tente se acalmar, Mary. — E olhou para ela com carinho. — Quer ir para casa?

Mas ela negou veementemente.

— Não vou embora enquanto aquele filho da puta não terminar o parto.

A enfermeira-chefe deu um risinho ao passar.

— Amém, Waterston.

As duas mulheres se entreolharam.

— Como está ela?

— Do mesmo jeito. Está com nove de dilatação agora.

Demorou sete horas para apenas mais um centímetro, ainda faltando mais um. Já passavam das dez da noite.

— Não podem lhe dar alguma coisa para apressar a dilatação?

A enfermeira balançou a cabeça e seguiu seu caminho. Finalmente, quatro horas mais tarde, pouco depois das duas da manhã, a porta da sala de parto se abriu e John, o médico e mais duas enfermeiras saíram rápido. Uma delas estava empurrando a maca onde estava Bettina presa, esgotada e histérica, choramingando, quase louca de tanta dor. Ninguém falava com ela há horas, ninguém a reconfortou ou explicou. Ninguém segurou a mão dela ou a ajudou a se mexer de forma mais confortável. Simplesmente a deixaram lá deitada, assustada, histérica, agonizando com as dores que percorriam seu corpo e sua mente. A princípio John tentou ajudá-la com a respiração, mas McCarney rapidamente sugeriu que ele ficasse do outro lado da maca.

— O trabalho está começando aqui, John.

Eles a prenderam nos estribos, onde podiam examinar com mais facilidade, pelas últimas onze horas. Uma ou duas vezes ela tentou falar que sentia muita cãibra nas costas, mas depois de um tempo ela nem ligava mais. E quando John hesitou outra vez a ouvi-la chorando, o médico balançou a cabeça e disse:

— Apenas deixe-a sozinha. Todas têm que passar por isso. Ela nem vai te ouvir falar com ela.

John fez o que ele disse, e quando Seth e Mary viram Bettina ser atirada à sala de parto, era óbvio que ela estava quase desmaiada.

— Oh, Deus, você viu a cara dela? — Mary começou a chorar enquanto a porta da sala de parto se fechava e Seth a tomou nos braços.

— Está tudo bem, querida, ela vai ficar bem.

Mas Mary se afastou do marido, olhando para ele apavorada.

— Você tem alguma idéia do que é fazer isso a uma mulher? Sabe o que fizeram com a mente dela? Trataram-na como um animal pelas últimas doze horas. Merda! Ela nunca mais vai querer ter outro filho. Eles a destruíram, que merda, eles a destruíram.

E então, sem poder falar mais nada, procurou o abraço do marido e começou a soluçar. Seth ficou lá, sem poder fazer nada, acariciando seus cabelos. Sabia que o que ela dizia era verdade, mas não havia nada que ele pudesse fazer. Não podia entender como John deixara aquele médico fazer o parto. Parecia uma grande besteira. O homem era competente, mas um filho da puta sem coração. Não havia dúvida sobre isto.

Mary olhou para ele com tristeza:

— Ela vai se lembrar muito bem.

Seth sabia que era verdade, e ficaram lá juntos, sentindo-se infelizes e sem poder ajudar, por mais duas horas. Finalmente, às quatro e meia da manhã, Alexander John Fields chegou a este mundo, chorando vigorosamente, enquanto seu pai o olhava com orgulho e a mãe, deitada lá, olhava, sem conseguir enxergar, enquanto soluçava.

31

— Bettina?

Mary bateu com cuidado na porta semi-aberta, imaginando se Bettina estava em casa. A princípio não teve resposta, depois ouviu um alegre chamado vindo do andar superior.

— Pode subir, Mary. Estou arrumando o quarto de Alex.

Mary subia as escadas sorrindo ao encontrar com Bettina.

— Passei metade de minha vida fazendo isso. Onde está o pequeno príncipe?

— Hoje é o primeiro dia de aula. — Olhou para a amiga meio sem jeito. — Eu não sei o que fazer comigo, então pensei em vir arrumar o quarto dele.

— Isso também me abala toda vez que acontece — concordou Mary.

— E o que faz?

Bettina sorriu e sentou-se na cama. O quarto estava decorado em vermelho, azul e amarelo com pequenos soldados de brinquedo marchando por toda parte.

— O que eu faço? — Brincou Mary, sorrindo. — Eu fico grávida!

— Oh, não, Mary. Outra vez?

— Outra vez. — Tiveram o terceiro filho há dois anos, e este seria o quarto. — Acabaram de me ligar do médico. Mas acho que chega para a família Waterston. Que diabos, vou fazer trinta e nove anos este mês. Não sou uma menina como você.

— Bem que queria me sentir como uma menina. — Ela acabara de completar trinta e um. — Mas, de qualquer jeito, gravidez para mim não é a solução. Gostaria que fosse.

A experiência do nascimento de Alexander a marcou. E ela deixou muito claro para John que não teria mais filhos. Mas ele também era filho único e estava satisfeito com um só.

— Você devia repensar essa decisão, Bettina. Eu falei, há três anos, que não precisava ser daquele jeito.

Ela lembrava da conversa que tiveram no hospital pouco depois que Alexander nasceu. Mary estava furiosa, triste e com raiva de John e McCarney. Foi a única a ficar do lado de Bettina.

— Alexander já dá bastante trabalho. Realmente não quero outro.

Mas Mary não acreditava. Para uma mulher que nem tinha certeza se queria filhos, ela fazia um belo trabalho com o menino. Criativa, carinhosa, calma. Por três anos Alexander e sua mãe foram os melhores amigos um do outro. Agora ela estava de pé e aproximou-se de Mary com um sorriso.

— Mas eu tenho que admitir, hoje fico completamente perdida sem ele.

— Por que não vai até a cidade fazer umas compras? Eu a levaria comigo, mas é que acabei de chamar uma babá e prometi a Seth encontrar com ele para ajudá-lo a escolher nosso carro novo.

— O que vai comprar? — perguntou Bettina enquanto desciam as escadas.

— Eu não sei, alguma coisa feia e útil. Com quatro crianças, quem pode ter um bom carro? Vamos esperar para comprar nosso primeiro carro bom quando já estivermos muito velhos.

— Eles vão embora antes que você perceba, Mary.

O mais velho já tinha seis e ela viu como o tempo voou com Alexander. Difícil acreditar que ele já estava com três anos. Olhou para a amiga com um risinho:

— A não ser que você continue tendo filhos por mais quinze anos.

— Seth me mataria.

Mas ambas sabiam que não era verdade. Eles se divertiam um com o outro e com as crianças. Após oito anos de casamento ainda estavam apaixonados. As coisas eram diferentes para John e Bettina. Estavam muito próximos um do outro, mas não era como com Mary e Seth. E alguma coisa aconteceu com Bettina. Uma parte dela se fechou após o nascimento de Alex. Mary já tinha visto aquilo acontecer com outras mulheres. Era por sentir-se traída pelas pessoas em que confiava. Nunca mais confiaria em ninguém do mesmo jeito. Sempre incomodou Mary, mas ela não ousava trazer o assunto à baila, assim como nunca mais mencionou a peça de Bettina. Mas agora que Alexander estava na escola, Bettina teria mais tempo e ela imaginava se agora, finalmente, começaria e escrever.

— Então? Vai fazer compras?

— Não sei. Talvez vá até a cidade. Posso fazer alguma coisa por você?

— Nada, obrigada, Betty. Só vim para lhe contar as novidades.

— Obrigada. — Bettina sorriu carinhosamente. — Para quando é?

— Para abril. Um coelhinho da páscoa.

— Pelo menos desta vez não vai morrer de calor.

Bettina esperou que ela se fosse e arrumou-se para ir à cidade. Vestia calças cinzas e um suéter cinza, e pegou a capa de chuva antes de sair. Era um desses estranhos dias de outono quando podia fazer um lindo sol ou ficar frio, ventando e com névoa. Bettina pensou um instante se deveria ligar para John e perguntar se queria se encontrar com ela para almoçar. Alex ficaria na creche do meio-dia até as quatro horas. Mas resolveu ligar para John da cidade. Antes resolveria para onde ir.

Parou o carro no centro, perto da Union Square, e depois andou até o solene Hotel St. Francis, do outro lado da rua, entrando no sofisticado saguão. Encontrou alguns telefones públicos, ligou para o marido e descobriu que ele já tinha saído para almoçar. Ficou então para decidir se faria compras sem almoçar ou se parava em algum lugar para comer um sanduíche. Não estava certa quanto à sua fome, e ficou pensativa por um momento, até que alguém a segurou pelo braço. Apavorada, pulou para o lado e olhou para a pessoa que a segurava. Quando a viu, ficou em silêncio, com os olhos arregalados.

— Olá, Bettina!

Ele pouco havia mudado nos cinco anos que não se viram. Mas só em olhar para ele novamente, sentia-se como uma menininha. Era Ivo, tão alto, pomposo e elegante como nunca, com sua vasta cabeleira branca. Parecia assustadoramente velho e, enquanto o olhava, surpreendeu-se em pensar que devia ter agora setenta e três anos.

— Ivo... — Não sabia o que mais falar. Estava em choque e em silêncio, mas então, sem dizer nada, sentiu seus braços se abrirem em sua direção. Lágrimas escorriam de seus olhos enquanto ele a abraçava e, quando ele se afastou, tinha lágrimas nos olhos também.

— Oh, pequenina, como você está? Você está bem? Tenho me preocupado tanto com você.

— Estou bem, e você?

— Envelhecendo, mas melhorando. Sim, querida, estou bem. Você ainda está casada? — Olhou rapidamente para sua mão esquerda e viu que estava.

— Sim. E tenho um lindo menininho.

— Fico feliz. — Sua voz era suave, enquanto a multidão passava por eles no *lobby*.

Mas quando ele olhou para ela, Bettina sentiu vergonha. Três maridos. Era horrível. Olhou para ele e deu um suspiro.

— Está feliz?

Ela concordou. Em vários momentos era feliz. Era diferente da vida que teve com ele. Não era mais uma menininha vivendo uma fantasia. Era uma vida real com momentos maravilhosos e momentos difíceis. Mas através de tudo havia a sensação de ser respeitada agora, e também havia a alegria vinda do filho.

— Sim, eu sou.

— Fico feliz.

— E você? — Ela queria saber se ele se casara novamente, mas ele riu.

— Não, querida. Não me casei. Estou perfeitamente feliz como estou. Seu pai tinha razão. Um homem deveria terminar sua vida solteiro. Faz muito mais sentido. — Deu um risinho, mas a maneira com que falou não renegava a vida que tiveram. Colocou o braço em volta dela e a puxou para perto.

— Sempre imaginava o que teria acontecido com você quando meus advogados disseram que não queria mais o dinheiro. Tive que me esforçar muito para não mandar investigadores procurá-la. Teve um momento em que decidi fazer isso, mas depois resolvi que você tinha o direito à sua própria vida. Foi minha promessa.

Ela assentiu, sentindo-se estranhamente séria e ainda encantada com a surpresa de estar ali nos braços de Ivo.

— Ivo... — Olhou para ele feliz, que correspondeu ao sorriso. — Estou tão feliz em ver você.

Era como voltar para casa. Por anos e anos ela quase esqueceu de onde viera e agora, lá estava Ivo em San Francisco, com os braços em volta dela. Estava tão feliz, que queria dançar.

— Você tem tempo para almoçar?

— Para você, pequenina? Sempre. — Deu uma olhada em seu relógio, pediu licença e foi até o telefone. Logo voltou, sorrindo.

— Estou aqui para visitar um amigo. Rawson. Lembra-se dele? É o editor de um jornal aqui e prometi lhe dar alguns conselhos. Mas tenho duas horas livres. Acha que está bom?

— Perfeito. Depois disso tenho que estar em casa para quando meu garotinho chegar.

— Que idade ele tem?

— Três. Seu nome é Alexander.

— Você abandonou o teatro?

Com um pequeno suspiro, ela fez que sim.

— Por quê? — Ele insistiu.

— Meu marido não aprova.

— Mas está escrevendo?

— Não, não estou.

Ele esperou até que estivessem confortavelmente sentados numa mesa no fundo do restaurante.

— Agora me fale por que essa bobagem de não estar escrevendo.

— Apenas não quero.

— Desde quando? — Ele a estava investigando cuidadosamente.

— Desde que me casei.

— E este seu marido é responsável por isso também?

— É, sim.

— E você aceita isto?

— Aceito. John quer que nossa vida seja normal e não acha que escrever seja "normal". — Era doloroso, mas era verdade.

Ele a observava e estava começando a entender. Aos poucos, pegou sua mão e falou:

— Você estaria muito melhor, querida, se tivesse tido uma vida normal desde o princípio. Se tivesse pai e mãe normais, se lhe fosse permitido ser uma menininha comum. Mas não foi, e você não viveu assim. Nunca houve nada "normal" na sua vida. Nem mesmo seu casamento comigo. Mas às vezes "normal" pode significar comum, chato, ou pode significar sem graça ou banal. E nada disso esteve próximo de você. Do momento que nasceu até agora, você nunca foi nenhuma destas coisas. Foi uma mulher extraordinária até agora. Não pode fingir ser outra coisa, querida. Não pode ser uma coisa que não é. É isso que está fazendo aqui, Bettina? Fingindo ser a esposa comum de um homem comum? É isso que ele quer que você seja?

Ainda em silêncio, ela concordou com a cabeça e ele soltou sua mão.

— Nesse caso, ele não a ama. Ama uma mulher que ele mesmo criou. Uma concha pintada onde forçou você a se esconder. Mas não poderá fazer isso para sempre. E não vale a pena. Tem o direito de ser quem você é. Seu pai não deixou nada material. Tudo que deixou foi um pouco de sua genialidade, um pouco de sua alma. Mas você está rejeitando esses preciosos legados a cada dia que finge ser outra pessoa e se nega a escrever. — E, após uma longa pausa: — Você não pode fazer as duas coisas, Bettina? Não pode escrever e também ser a esposa desse homem?

— Nunca me permiti considerar esta possibilidade. — Olhou para ele maliciosamente. — Estou considerando agora. E você?

— Faço a minha parte. Aquela exaustão que sentia, e você deve se lembrar, acabou sendo uma anemia que, graças a Deus, está curada. Escrevi um livro e agora estou no segundo. Nada como o que Justin fazia, é claro. Não é ficção.

— Eu adoraria ler.

— Vou te mandar um exemplar. — E, contrariado, olhou para ela.

As duas horas de que dispunham estavam no fim. Tinha que ir. — Vou embora hoje à noite. Você costuma ir a Nova York?

— Não vou lá há quase cinco anos.

— Não acha que está na hora?

— Acho que não. Meu marido detesta cidades grandes.

— Então venha sozinha.

Ela fez uma careta e riu. Deu esperanças a Ivo de poder ver o brilho de seus olhos que não estivera presente no almoço.

— Talvez quando tiver escrito minha peça, suponho que será o tempo certo.

Ver Ivo a fez perceber o quanto ela sacrificou pela peça. Teria sido por nada se não escrevesse...

— E seu marido? Vai lhe contar que esteve comigo hoje?

Pensou um pouco e com tristeza respondeu:

— Acho que não posso.

Ivo sentiu pena. Sempre pôde lhe contar tudo. A não ser aquela besteira em que se meteu com aquele ator no final.

Bettina abraçou Ivo com força.

— Foi como um sonho, sabia? Como se fosse algum anjo da guarda que apareceu para mudar o destino de minha vida.

— Se é assim que quer pensar sobre mim, querida, está bem. Mas tenha certeza de mudar. Nada dessa coisa absurda de ficar cuidando só da casa, ou volto para te assombrar, e aí você vai ter problemas. Agora prometa que vai me mandar o que escrever.

— Eu prometo.

Bettina olhou para ele solene, enquanto andavam de volta para o saguão. Era bom estar com Ivo novamente. Sentir-se pequena e elegante ao lado dele. Por um momento, teve saudades de seu antigo guarda-roupa, das caras roupas européias e das jóias. Como se soubesse no que ela estava pensando, Ivo falou suavemente:

— Você ainda tem aquele anel?

Bettina sabia que ele se referia ao diamante grande e concordou com seus grandes olhos.

— Claro, Ivo. Não o uso, mas ainda o tenho. Está guardado num cofre no banco.

— Bom. Não deixe ninguém pegá-lo. Guarde-o para você. Vale uma pequena fortuna agora, e nunca se sabe quando pode ser necessário.

Ivo lembrou-se de que ainda não tinha o novo endereço e o novo nome de Bettina. Ela passou para ele rapidamente, e os dois riram.

— Eles me chamam de Betty Fields. Betty Fields.

Ivo pareceu não gostar.

— Não fica bem em você.

— Eu sei — disse Bettina, envergonhada.

— Você vai escrever como Bettina Daniels?

Ela confirmou e era óbvio que ele aprovava. Então, Ivo puxou-a para seus braços e não falou nada. Apenas a abraçou, e ela o apertou num forte abraço. Foi Bettina quem finalmente quebrou o silêncio.

— Oh, Ivo... obrigada...

Seus olhos estavam estranhamente brilhantes quando olhou para ela.

— Tome conta de você, pequenina. Vai ter notícias minhas.

Beijou-lhe a testa com carinho, e ela se foi, deixando-o no saguão. Ficou olhando para ela até que desaparecesse na multidão do lado de fora do prédio, quando finalmente, com um suspiro, ele se virou. Como tinha mudado naqueles cinco anos. E como aquele homem deve ter domínio sobre ela para fazer com que renegue seu passado, renuncie a si mesma. Mas Ivo não deixaria que ela desaparecesse tão facilmente desta vez. No caminho para o elevador, ele pegou um caderninho preto de anotações e rabiscou diversas idéias.

32

— Como está se saindo, Betty?

Mary sorriu para ela enquanto passeava pelo jardim. Era um dia quente de abril.

— Nada mal. E você?

— Na mesma.

Mary estava novamente enorme pela gravidez, mas sempre tinha um olhar de paz e felicidade quando estava assim. Apesar das piadas e das falsas reclamações, estar grávida era algo que realmente não a incomodava.

— Quanto tempo acha que vai demorar para acabar?

Apenas Mary e Ivo sabiam da peça. Estava indo bem, agora. Bettina parou para pensar um momento.

— Talvez em duas ou três semanas.

— Só isso? — Mary estava impressionada. Bettina trabalhava na peça já fazia quase seis meses. — Você vai me vencer. — O bebê não era esperado até o final do mês.

— Quem der à luz primeiro fica devendo um almoço para a outra.

— Valendo — concordou Mary alegremente.

Conversaram um pouco sobre as crianças e, um pouco mais tarde, Alexander e os dois mais velhos de Mary vieram para casa. Bettina entrou em casa atrás do filho, segura de que tinha escondido bem as folhas de seu trabalho mas, meia hora mais tarde, entrou no seu quarto e encontrou Alexander olhando seriamente para a peça.

— O que é isto, mamãe?

— Uma coisa que estive fazendo. — Tentou parecer despreocupada, pois não queria que ele contasse a John.

— Mas o que é?
— É uma história — respondeu, depois de pensar um pouco.
— Para crianças?
— Não, para adultos.
— Como um livro? — Os olhos do menino se arregalaram em respeito, mas ela negou novamente, com um sorriso carinhoso.
— Não, querido. E para falar a verdade é uma surpresa para o papai, por isso não quero que conte para ele. Acha que pode fazer isso? Pela sua mamãe? — Olhou para ele esperançosa.
— Claro.
Saiu correndo para seu quarto e Bettina pensou que um dia deveria contar a ele sobre seu avô. Tinha o direito de saber que era parente de um homem como Justin Daniels. Até as pessoas que não gostavam dele admitiram que era um grande homem. E seus livros eram tão bons. Ultimamente Bettina releu vários deles nas noites em que John estava trabalhando. Ela os escondia do marido. Como fazia com as ligações que recebia de Ivo de vez em quando. Ivo só queria saber como ela estava e Bettina lhe assegurava que estava escrevendo e que tudo estava bem. Ele já tinha um agente literário ansioso em ler o primeiro rascunho assim que ela terminasse e, da última vez que falou com ele, prometeu que seria logo. Mas aconteceu mais rápido do que ela pensava. De repente, uma semana depois que falou com Mary, percebeu que a peça estava pronta em suas mãos. Olhou longamente para ela, os cabelos desalinhados, o rosto sujo de lápis, mas com um largo sorriso. Finalmente terminou. Nunca sentiu tanto orgulho em sua vida. Seu orgulho não foi vencido pelo de Mary, que deu à luz no dia seguinte um menino, fácil como sempre.
Após ler cuidadosamente mais quatro vezes, colocou no correio e mandou para Ivo.
— Como ficou? — Ivo parecia tão ansioso quanto ela.
— Maravilhosa. Eu adorei!
— Ótimo. Tenho certeza de que também vou gostar.
Uma semana mais tarde o agente ligou e disse que ela precisava trabalhar mais um pouco.
— O que quer dizer? — perguntou a Ivo quando ligou para choramingar.
— Só o que ele disse. Indicou onde deveria mexer. Não é novidade para você. Não se lembra de Justin reescrevendo pedaços? Não há nada de mais. Não esperava que fosse perfeita logo da primeira, esperava?
— Claro.
— Bem, você esperou quase trinta e dois anos para escrever, agora não pode se dedicar mais seis meses?
Mas não precisou de seis meses. Em três já fizera todas as corre-

ções que o homem pedira. Colocou no correio na época de quatro de julho, e dois dias mais tarde ele telefonou. Vitória! Estava pronta! Escrevera uma peça maravilhosa, fabulosa e fantástica. Ela se derretia com todos os adjetivos que ele usou, e ficou por uma hora deitada na cama, olhando para o nada, sorrindo alegremente.

— Por que está tão feliz, Betty? — John acabara de chegar de um jogo de tênis.

Ela sentou-se na cama sorrindo para ele, passou a mão pelos cabelos negros do marido e disse:

— Tenho uma surpresa para você, querido. — Havia preparado uma cópia encadernada para ele, mas estava esperando o agente dizer que era boa.

— O que é? — Parecia intrigado ao vê-la andar para o outro lado do quarto.

— Uma coisa que fiz para você. — Sorriu por cima do ombro, não diferente de Alexander quando trazia alguma coisa da escola.

Com um olhar de curiosidade, John a acompanhou até que ela pegasse um pacote numa gaveta. Virou-se para ele com um grande livro encadernado em azul.

— O que é? — Abriu devagar e depois parou como se tivesse levado um tapa quando viu o nome dela. Olhou para ela furioso e fechou o livro com força. — Isto é alguma piada?

— De jeito nenhum! — Sentiu suas pernas tremerem.— Isto representa nove meses de trabalho.

— O que é isto?

— Uma peça.

— Não podia encontrar alguma coisa melhor para fazer com seu tempo livre, Betty? As mulheres auxiliares do hospital precisam de uma presidente, seu filho gosta de ir à praia com você, posso pensar numa dúzia de coisas que podia fazer em vez disto.

— Por quê? — Era a primeira vez que o desafiava.

— Esta coisa provavelmente é uma besteirada. — Ele sorriu ironicamente e, num acesso de fúria, jogou o livro sobre ela. — Não me venha com esse lixo!

E sem dizer mais nada, bateu a porta do quarto e correu para baixo. Logo depois ela ouvia a batida da porta da frente. Da janela de seu quarto, viu o marido pegar o carro e sair e ficou imaginando o que ele faria. Talvez dirigiria um pouco e pararia para andar em algum lugar, depois voltaria para casa e nunca mais discutiriam o assunto. Nunca leria a peça nem falaria sobre ela. O assunto seria um tabu. Mas e se ela fosse montada? O que ele faria? Deprimida, ela pensou que talvez nunca precisasse pensar naquela possibilidade, mas era bom sonhar.

33

Logo depois do Dia do Trabalho, Alexander voltou ao colégio. Subitamente a vizinhança ficou calma outra vez. Mary, pelo menos, tinha o bebê, mas Bettina estava sem o que fazer. Como ela previra, John nunca mais mencionou o assunto, e a cópia que ela encadernou para ele em couro azul voltou à gaveta. John nunca viu a dedicatória para ele e Alexander. Fazia dois meses que ela mandara a peça para os agentes, e Ivo dissera que poderiam levar muitos meses antes de terem alguma notícia. Mas que notícias seriam? Que alguém queria produzir a peça? Que havia dúzias de patrocinadores? Que estava tudo pronto para começar a produção a qualquer dia? Fez uma careta ante a impossibilidade de qualquer destas coisas acontecerem e desceu para colocar os pratos na máquina de lavar. Da janela da cozinha, podia ver Mary pondo o bebê no carrinho e sorriu ao observar a cena. Talvez Mary tivesse a idéia certa, porque agora que sua peça estava pronta, Bettina pensava no que faria com sua vida. Ao colocar o último prato na máquina, ouviu o telefone tocar.

— Alô?

— Bettina?

— Sim. — Sorriu satisfeita. Era Ivo. — Não tenho notícias suas há semanas.

Sentia-se mentirosa em falar com Ivo e não contar para John, mas não tinha nada de mais e sabia disso. Decidira que tinha o direito de fazer algumas coisas e não contar a ele, e o que poderia contar? Que Ivo telefonara para falar da peça?

— Acabei de voltar do sul da França. Norton ia te ligar. — Seu coração parou de bater. Norton Hess era o agente de Ivo e, agora, o dela.

— Mas eu lhe disse que queria contar as novidades eu mesmo.

— Sobre o quê? — Tentou parecer indiferente ao sentar-se na cadeira.

Ivo riu do outro lado da linha.

— Sobre o que poderia ser? Sobre o tempo na Califórnia. — Ambos riram. — Não, querida. Para falar a verdade... — fez uma pausa muito longa, e ela quase rosnou. — É sobre sua brilhante peça.

— E aí?

— Não seja impaciente.

— Ivo! Fala logo!

— Está bem, está bem. Norton parece que conseguiu um exército de patrocinadores. Por um acaso da sorte, tem um teatro vago e eles estão pensando em estrear no final de novembro ou início de dezembro... — Ele estava rindo feliz. — Precisa dizer mais? Norton quer que você venha para Nova York no próximo avião. Pode discutir os detalhes com ele quando chegar.

— Fala sério?

— Nunca falei tão sério.

— Oh, Ivo... — Durante todo o tempo em que escreveu desejou e rezou, mas nunca imaginou que aconteceria assim, tão rápido. — O que eu vou fazer? — Não sabia se devia rir ou chorar.

— Quer dizer, sobre o seu marido?

— É. O que vou dizer a ele?

— Que você escreveu uma peça, que tem um produtor interessado e com sorte será um grande sucesso.

— Pare de brincadeiras.

— Não estou brincando.

— Quando eu tenho realmente que estar aí?

— O mais rápido possível. Tenho certeza de que Norton vai falar com você antes. A verdade é que estamos falando de uma data praticamente impossível para a estréia, e só será possível porque o teatro está livre e sua peça não pede muito cenário ou roupas. Então, é só uma questão de apoio financeiro, escolher o elenco e ensaiar. Quanto mais tempo você demorar para chegar aqui, mais vai demorar para estrear. Por que não vem amanhã?

— Amanhã? — Estava estupefata. — Para Nova York?

Não ia a Nova York há cinco anos e meio. Houve um longo momento de silêncio no telefone enquanto Ivo deixava Bettina digerir a idéia.

— Depende de você, pequenina. Mas acho melhor se arrumar agora mesmo.

— Vou falar com John esta noite e converso com Norton amanhã.

Mas Norton não foi tão paciente quanto Ivo. Ligou para ela meia hora depois e insistiu para que pegasse o vôo noturno imediatamente.

— Não posso. Isso é ridículo. Tenho marido e um filho pequeno. Preciso aprontar algumas coisas. Preciso...

Finalmente concordaram que ela iria no dia seguinte, o que significava que tinha que falar com John o mais rápido possível. Pensou em ir vê-lo no consultório, mas resolveu esperar. Vestiu alguma coisa mais atraente, serviu-lhe um drinque e colocou Alexander na cama o mais rápido que pôde.

— O que tem em mente, bela senhora?

Olhou para ela com interesse, e ambos sorriram, mas Bettina logo ficou séria, e colocou seu copo sobre a mesa.

— Há uma coisa que tenho que discutir com você, querido. E, não importa o que pense disto, quero que saiba que eu te amo. — Ela vacilou por um instante, odiando ter que lhe falar sobre a peça. — Por que eu te amo muito, muito, muito, e isto não tem nada a ver com amar você. Mas tem a ver comigo.

— E o que quer dizer? Deixe-me adivinhar. — Estava com espírito brincalhão naquela noite. — Você quer pintar o cabelo de louro.

— Não, John, é sobre a minha peça — respondeu com seriedade.

— Então é isso? O que é que tem? — Seu rosto ficou imediatamente tenso.

Não podia lhe contar que Ivo mandou para um agente, porque não lhe contou que se encontrou com Ivo.

— Eu a mandei para um agente.

— Quando?

— Em julho. Não, foi antes, mas ele pediu que eu fizesse algumas correções e eu fiz.

— Por quê?

Fechou os olhos por um momento e depois olhou para ele:

— Por que quero que ela seja comprada, John. É uma... coisa que eu sempre quis fazer. Tinha que fazer. Por mim, pelo meu pai. E de um modo engraçado, por você e Alexander.

— Mentira! Tudo que precisa fazer por mim e por Alexander é ficar aqui nesta casa.

— É tudo que quer de mim? — Olhou para ele com olhos tristes.

— É, sim. Você acha que essa é uma profissão respeitável, senhora escritora? Bem, não é. Veja só o seu pai, o famoso escritor. Acha que era um homem respeitável?

— Ele era um gênio! — Correu em sua defesa. — Pode não ter sido o que *você* chama de "respeitável", mas era brilhante, interessante e deixou sua contribuição para o divertimento de milhões de pessoas.

— E o que deixou para você, meu bem? Seu velho amigo devasso? O companheiro? Aquele veado que casou com você quando você tinha dezenove anos?

— Você não sabe o que está dizendo. — Estava lívida enquanto o encarava. — John, este não é o ponto. O assunto é a minha peça.

— Porra nenhuma! O assunto é minha esposa e a mãe de meu filho. Você acha que eu quero minha esposa vadiando por aí com pessoas como essas? O que você acha que isso faz de mim?

— Mas eu não tenho que "vadiar". Posso ir para Nova York, vender minha peça e voltar para casa. Moro aqui com você e Alexander, e a oito mil quilômetros daqui, em Nova York, eles encenam a minha peça. Você nem tem que assisti-la.

Mas ao ouvir-se implorando, começou a odiá-lo. Por que deveria dizer a ele que não precisava ver sua peça? Por que ele não gostaria de vê-la?

— Por que está fazendo tanta oposição? Eu não entendo. — Olhou para ele sentindo-se infeliz e tentando ficar calma.

— Não entende porque foi criada num ambiente tão porco, e não é isso que quero para o meu filho. Quero que ele seja normal.

— Como você? É só isso que é ser normal? — disse ela com amargura.

— Exatamente — respondeu ele bem depressa.

Ela ficou de pé:

— Nesse caso, John Fields, não vou mais perder meu tempo discutindo com você. Que droga, você não entende de onde eu venho, as pessoas educadas, os grandes gênios. Passei minha vida antes desta entre pessoas que alguns fariam tudo para conhecer. Todos, menos você, porque tem medo e se sente ameaçado. Veja só! Você nem vai a Nova York. Do que tem medo? Pois bem, vou até lá, amanhã, vender minha peça e volto para casa. E se não pode aceitar isso, que se dane, porque no fim de semana eu já estarei de volta, fazendo o que sempre fiz, cozinhando, arrumando as camas e cuidando de nosso filho.

John ficou no escritório por muito tempo, e não falou com ela quando foi para a cama. Na manhã seguinte ela explicou para Alexander que precisava ir a Nova York. Falou por que ia e falou sobre o seu avô. O menino ficou fascinado e encantado.

— Ele escrevia livros de história para crianças? — Olhava com os mesmos olhos verdes da mãe.

— Não escrevia não, querido.

— Você escreve?

— Ainda não. Só escrevi uma peça.

— O que é isso? — Sentou-se, olhando para ela fascinado.

— É como uma história que as pessoas representam em grandes palcos. Um dia te levo para ver uma peça para crianças. Gostaria de ver?

Ele concordou e seus grandes olhos se encheram de lágrimas. Então, abraçou as pernas da mãe.

— Não quero que você vá, mamãe!

— Não vou demorar muito, querido. Só um pouquinho. E se eu te trouxesse um presente?

Ele concordou e Bettina secou as lágrimas do menino depois de desfazer o abraço em suas pernas.

— Você liga para mim quando eu voltar da escola?

— Todo dia, prometo.

— Quantos dias? — perguntou, muito triste.

Ela levantou dois dedos, torcendo para que fosse suficiente:

— Dois.

E, chorando, ele concordou e estendeu a mão.

— Combinado. — Puxou Bettina para baixo para beijar-lhe o rosto. — Você pode ir.

E juntos saíram do quarto. Ela o levou para brincar na casa de Mary até que o carro da escola viesse buscá-lo e, meia hora depois de deixá-lo, estava a caminho do aeroporto, sozinha num táxi. John não quis mais discutir o assunto, e ela deixou um bilhete dizendo que estaria de volta em dois ou três dias, deixando o nome do hotel. O que ela nunca saberia é que quando ele chegou em casa, naquela noite, amassou o bilhete e o jogou no lixo.

34

Desceu correndo do avião, vestindo um conjunto preto com os brincos de pérola e ônix que foram de sua mãe e que não usava há anos. Eram grandes e charmosos como a gargantilha de pérolas que Ivo lhe dera. Ivo estava no aeroporto esperando, vestindo um conjunto em *tweed* e sorrindo. Bettina suspirou aliviada ao vê-lo. Esteve tensa por todo o vôo. Não podia imaginar como seriam as coisas em Nova York, outra vez. Se seriam um sonho ou um pesadelo. Enquanto o avião cruzava os céus, milhões de lembranças dançaram em sua mente... com o pai... com Ivo... no teatro... nas festas... com Anthony no sótão. Tudo foi um interminável filme que ela ainda não foi capaz de desligar. Mas agora, ao ver Ivo no terminal, veio um alívio. Pelo menos era real.

— Cansada, querida?

— Não muito. Apenas nervosa. Quando vou ver Norton?

— Tão logo cheguemos ao seu hotel.

Não houve nenhuma aproximação mais íntima. Há muito tempo Ivo abandonara seu outro papel. Estava de volta como o amigo de seu pai e que, de certa forma, ocupava o lugar de Justin, agora.

— Você está muito animada?

Mas ele só teve que olhar para ela para saber. Bettina concordou nervosamente, e depois dava risadinhas enquanto esperavam pelas malas.

— Mal posso agüentar, Ivo. Nem sei bem o que tudo isso significa.

— Significa que uma peça sua será apresentada na Broadway, Bettina. — Sorriu alegremente para ela, e depois falou com cuidado: — O que seu marido achou?

Bettina ficou séria por um instante, depois deu de ombros e sorriu:

— Nada.

— Nada? Quer dizer que ele não se importou?

Mas Bettina negou com a cabeça e riu:

— Quero dizer que ele não falou comigo do minuto em que eu lhe contei até a hora em que saí.

— E seu filho?

— Foi muito mais compreensivo do que o pai.

Ivo não disse mais nada, mas esteve pensando o que Bettina faria com o menino. Se a peça fosse produzida ela teria que ficar vários meses em Nova York. Traria o menino, ou deixaria com o pai? Ivo pensava, mas não queria falar do assunto antes da hora. Conversaram então sobre amenidades, enquanto esperavam as malas, que um porteiro ajudou a colocar no carro de Ivo. Ele tinha um novo motorista.

— Está muito diferente? — Ele perguntou ao cruzarem a ponte.

— De jeito nenhum.

— Não pensei que estivesse. Fico feliz.

Queria que ela achasse as coisas familiares, que se sentisse em casa na sua velha cidade. Por muitos anos viveu como uma estrangeira entre pessoas que não entendiam de onde ela vinha, e com um homem alienado. Mesmo sem o conhecer, Ivo não gostava dele. Não gostava das coisas que ele colocara na cabeça de Bettina, o repúdio pelo seu passado, pelo seu pai, por sua história e por ela mesma.

Enquanto corriam pela Terceira Avenida e depois Park Avenue, Bettina olhava as pessoas, os carros, a multidão, a ação começando a acontecer no início da noite, pessoas deixando seus escritórios, indo para festas ou jantares, correndo para restaurantes ou para casa. Havia uma certa eletricidade que, até no santuário que era a limusine, ambos podiam sentir.

— Não há nada como isso aqui, não é? — Ivo olhava à sua volta, orgulhoso.

— Você não mudou em nada, Ivo. Ainda fala como o editor do *New York Mail* — disse ela, sorrindo.

— Ainda sou, no coração.

— Sente falta de lá?

— Eventualmente, todas as coisas precisam mudar. — Deu de ombros.

Bettina quis dizer, "como nós", mas não o fez. Ficou quieta no carro e, alguns minutos depois, passaram pela ilha Shrubbery e pararam, na porta do hotel.

A fachada era principalmente dourada e com mármore, o porteiro vestido com lã marrom debruada de dourado, a recepção era de mármore e o recepcionista extremamente atencioso. Momentos depois Bettina foi levada para sua suíte. Olhou em volta, surpresa. Fazia anos que não via algo assim.

— Bettina? — Um homem pequeno e troncudo, com brilhantes olhos azuis e uma franja de cabelo grisalho andava em sua direção. Não era bonito, mas elegante, ao levantar-se de uma poltrona na sala da suíte e estender-lhe a mão.

— Norton? Estou tão feliz em te conhecer após todos estes meses falando pelo telefone.

Apertaram-se as mãos, calorosamente. Viu que suas malas eram colocadas no quarto e que Ivo deu a gorjeta para o carregador, depois ligou para o serviço de quarto e pediu bebidas. Norton sorria.

— Se não estiver muito cansada, adoraria levá-la para jantar. Me desculpe por estar aqui tão rápido, mas é que temos muito para conversar esta noite. E sei quão ansiosa está em voltar para casa. Amanhã temos que encontrar com os produtores e patrocinadores, e quero ter algum tempo livre com você para conversarmos...

— Eu entendo. Está ótimo e você está certo. Quero fazer o que for necessário e voltar para casa.

Por um instante, os olhos de Norton buscaram os de Ivo. Pensava se ela compreendia que precisaria passar alguns meses em Nova York. Mas não havia por que pressioná-la no primeiro momento. Isso ficaria claro para ela no dia seguinte.

— Quanto ao jantar, será um prazer. Ivo, você vem também?

— Com o maior prazer.

Os três sorriram e Bettina sentou-se em uma das cadeiras Luís XV. Parecia incrível estar de volta àquele ambiente após tantos anos. Parecia com todos os hotéis onde tinha se hospedado com o pai. A única diferença era que agora estavam lá por sua causa. Conversaram animadamente enquanto Bettina tomava vinho branco, e os cavalheiros seus martínis. Uma hora depois ela foi trocar de roupa, passando um pente nos cabelos. Colocou novamente os brincos de pérola e ônix de sua mãe, mas desta vez usava um vestido novo de seda preta. Vendo o vestido, Ivo percebeu como seu gosto tornou-se simples. Era bonitinho, mas, comparando com a sofisticação de seu antigo guarda-roupa, esta roupinha preta era muito sem graça.

Foram jantar às dez horas no La Grenouille, e enquanto se acomodavam Bettina sentia uma sensação de alívio. Era como se vivesse em outra atmosfera e agora, finalmente, estava em casa. Ivo estava animado ao observá-la e tudo que ela fez foi sorrir para ele. Todos comeram caviar de entrada, costeleta de carneiro com aspargos em molho holandês e, de sobremesa, suflê. No final da refeição os homens pediram conhaque com café e charutos cubanos. Bettina recostou-se observando-os, aproveitando o que via e os aromas familiares que sentia. Pareciam anos desde que comeu uma refeição como aquela ou sentia o rico aroma dos charutos cubanos. Pela centésima vez, olhou em volta, maravilhada com as mulheres, as maquiagens, as jóias, as roupas e seus cabelos. Tudo estava uma perfeição, tudo era feito para captar seu olhar e alegrá-la. Era um prazer olhar para tudo aquilo, e ao lado daquele luxo Bettina sentia-se insuportavelmente simples. De repente compreendeu, mais do que nunca, o quanto tinha mudado em cinco anos.

Só depois do conhaque Norton falou sobre a peça.

— Bem, Bettina, o que acha do nosso pequeno acordo?

Ele olhava para ela satisfeito, obviamente um homem que tinha vencido e estava orgulhoso. Tinha o direito de estar. O que foi oferecido para Bettina era uma proposta maravilhosa.

— Estou muito impressionada, Norton, mas ainda não sei os detalhes.

— Saberá, Bettina, saberá.

E no dia seguinte ela soube. Uma grande quantia em dinheiro, os melhores patrocinadores da Broadway, um produtor de quem as pessoas vivem atrás e um teatro que era nada menos que um sonho.

Tratava-se desses raros casos no teatro onde todos os detalhes se combinavam com perfeição. Normalmente, a peça não seria montada antes de seis meses, mas, devido à simplicidade da produção e ao fato de o teatro estar disponível, assim como o produtor e os patrocinadores, tudo foi ajeitado para acontecer em três meses. O produtor tinha certeza de que podia conseguir os atores que queria. A única coisa que faltava era a aprovação de Bettina. Tudo já estava engatilhado.

— Bem? — perguntou Norton, no final de um dia estafante. — Devemos assinar o contrato hoje e dar a luz verde para todos amanhã, madame? — Acenou para ela, apontando a montanha de contratos que tinha sobre sua mesa.

Ela não entendia nada, tecnicamente, do que estava acontecendo, mas compreendeu que se concordasse em receber aquela grande quantia em dinheiro e viesse para Nova York até o início da peça para cuidar de certos probleminhas e depois ficasse de olho no que acontecia até pouco depois da estréia, sua peça estaria pronta às vésperas do Natal. Era tudo muito simples. Mas ela parecia exausta e nervosa ao olhar para Norton, do outro lado da mesa.

— Qual é o problema?

— Não sei, Norton... eu... tenho que falar com meu marido. Não sei o que farei com meu neném. — Ela parecia muito assustada.

Ele ficou surpreso. Um neném? Ela tinha um neném?

— Que neném?

— Meu filhinho de três anos.

— Traga-o para Nova York e coloque-o num colégio por três ou quatro meses, e logo depois do Natal volte para casa. Que diabos! E se quiser traga o seu marido. Por Deus, eles estão pagando o suficiente para você trazer todos os seus amigos.

— Eu sei... eu sei... não quero parecer ingrata. Estou satisfeita, é só que... meu marido não pode vir, ele é médico e — ela parou, encarando Norton — sei lá, que droga, estou assustada. O que é que eu sei sobre a Broadway? Escrevi uma peça e agora estou tentando entender o que eu fiz.

— O que fez? — Olhou para ela com um olhar severo. — Não fez nada. Zero. Escreveu uma peça. Mas se não deixar que ela seja produzida, se não arriscar, minha querida, então você fez merda. Talvez o que você preferisse fosse levar sua peça de volta para a Califórnia e encená-la em algum teatro amador, onde ninguém a veria, e nunca mais ouviríamos falar em você. — O silêncio na sala era gritante, depois daquele discurso. — É isso que você quer, Bettina? Tenho certeza de que seu pai ficaria muito orgulhoso se pudesse ver a peça. — Sorriu bondosamente para ela, não preparado para sua reação e pulando para o lado quando ela socou a mesa.

— Que se dane meu pai, Norton, ou Ivo. Ou John. Todo mundo quer que eu faça o que lhes é conveniente, evocando os nomes que precisarem para conseguir o que querem. Bem, não estou fazendo isto pelo meu pai, pelo meu marido ou por Ivo ou por você. Se eu fizer, estarei fazendo por mim, Norton, por mim, você me entende? E *talvez* pelo meu filho. E a verdade é que não posso dar uma resposta agora e não vou assinar droga nenhuma hoje. Vou voltar para o hotel e pensar sobre o assunto. E de manhã vou para casa. Quando tiver tudo claro na minha mente, ligo para você.

— Apenas não espere muito tempo — disse Norton com calma.

Mas agora ela estava cansada dele, de todos. Cansada de ser pressionada para fazer as coisas.

— Por que não? Se a peça for tão boa quanto dizem, vão esperar por mim.

— Talvez. Mas podem perder o teatro, e isso pode modificar o acordo. Precisa de todos os detalhes prontos para serem acionados, e agora você os tem, Bettina. Eu não arriscaria isso muito se fosse você.

— Vou pensar. — Parecia perturbada ao se levantar, mas Norton sorriu quando deu a volta em sua mesa para a direção de Bettina.

— Sei que é difícil, Bettina. É uma grande mudança. Principalmente depois de ter se afastado por tanto tempo. Mas também é um bom risco, e boas coisas não acontecem se você não se arriscar. Poderia ser um grande sucesso, como eu sei que vai ser. Acho que vai definir sua carreira.

— Acha mesmo? — Olhava para ele confusa, e não entendia nada. — Mas por quê?

— Porque é sobre um homem e sua filha, porque fala muito sobre a nossa época, sobre homens, sobre você, sobre sonhos destruídos e sobre a esperança que de alguma forma tira do caminho as pedras, as urtigas e a merda. É um tema duro, mas muito bonito. Você falou de coisas que sente em seu coração, Bettina. Pagou um preço para entender isso e sentiu cada palavra do que escreveu ali, e a beleza da peça é que outros também vão sentir.

— Espero que sim — sussurrou, ao olhar com tristeza para ele.

— Então dê a eles a oportunidade, Bettina. Vá para casa e pense. E depois assine os papéis e volte para cá. Seu lugar é aqui, moça. Tem trabalho a fazer aqui mesmo, nesta cidade.

Ela sorriu e, antes de sair, deu-lhe um beijo no rosto. Não viu Ivo outra vez antes de deixar Nova York, nem falou com Norton. Na verdade, nem ficou no hotel para dormir. Telefonou para a companhia aérea e pegou o último vôo para casa. Entrou na casa de Mill Valey às duas da manhã e foi pé ante pé até o quarto, onde John estava dormindo profundamente. Mas como todos os médicos, ele tinha sono leve e sentou-se logo que ela fechou a porta.

— Algo errado?

— Não — sussurrou suavemente. — Volte a dormir. Acabei de chegar.

— Que horas são?

— Quase duas.

Ao responder, imaginou se ele entendia que ela teria voltado correndo por causa dele e ficou apenas uma noite em Nova York. Poderia ter ficado mais uma noite, outro jantar, outra noite num hotel chique, mas ela queria voltar para Mill Valley, para seu marido e seu filho. Enquanto ele se recostava calmamente na cama olhando para ela, Bettina sorriu e colocou as malas no chão.

— Senti sua falta.

— Não ficou muito tempo longe.

— Eu não quis. Não lhe disse que não ficaria?

— Você fez o acordo? — Apoiou-se no braço e acendeu a luz, e Bettina sentou-se na cadeira.

Por um instante não respondeu, mas logo negou com a cabeça.

— Não. Eu queria pensar mais no assunto.

— Por quê?

John olhava para ela com frieza, mas ao menos estava falando. Ela não queria lhe contar todos os detalhes. Não tão rápido. Não na sua primeira hora em casa.

— É mais complicado do que eu pensava. Podemos falar sobre isso pela manhã.

Mas ele estava bem acordado.

— Não. Quero falar agora. Essa coisa toda foi mantida em segredo por muito tempo. Você manteve segredinhos de mim desde que começou a escrever aquela droga. Agora quero tudo bem claro.

Então estavam de volta àquilo. Ela suspirou e passou a mão sobre os olhos cansados. Fora um dia interminável, e pelo horário de Nova York já seriam cinco da manhã.

— Nunca pensei em manter segredinhos, John. Não te falei, em parte porque queria fazer surpresa, e também porque tinha medo de que você não aprovasse a idéia. Era uma coisa que eu tinha que fazer. Talvez seja genético, sei lá. Gostaria que você visse o problema de forma mais aberta. Faria as coisas muito mais fáceis para mim.

— Então você não entende como eu me sinto, Bettina. Não tenho a menor intenção de tornar as coisas fáceis para você. Eu não quero isso. E se você fosse esperta esqueceria tudo. Eu lhe dei esta chance há cinco anos. Não entendo por que teve que voltar agora. Será que tenho que lembrá-la que tentou se suicidar, perdeu um bebê e que foi casada duas vezes e deixada sem nada pelo seu pai, jogada fora, até que veio cair aqui como uma órfã?

Não era um quadro bonito, e ela o interrompeu:

— John, por que não podemos nos prender ao assunto?

— Que assunto?

— Minha peça.

— Ah! — Olhou para ela furioso.

— Sim! O problema é o seguinte: já que você quer tudo às claras, se eu vender a minha peça tenho que passar alguns meses em Nova York. — Engoliu em seco e continuou, evitando seus olhos. — Provavelmente só até o Natal. Voltaria para casa depois.

— Não, não voltaria. — Sua voz estava gelada.

— Voltaria, sim. Norton, meu agente, disse que não tenho que ficar lá por muito tempo depois da estréia e eles querem estrear no final de novembro, início de dezembro. O que quer dizer que devo estar em casa para o Natal.

— Você não me entendeu. Se for a Nova York para isso eu não a quero de volta.

Olhou para ele horrorizada e sentou-se ao seu lado furiosa.

— Está falando sério? Me daria esse tipo de escolha, John? Não entende o que isso pode significar para mim? Poderia ser uma escritora, que merda, eu poderia ter uma carreira...

Sua voz foi diminuindo de intensidade ao perceber que ele não ligava a mínima.

— Não, você não poderia ter uma carreira, Betty. Não se continuar sendo minha esposa.

— É simples assim? Vou para Nova York com a peça e você me põe para fora?

— Exatamente. Então está resolvido, não? É uma escolha muito clara. Pensei que já tivesse entendido antes.

— Não entendi, ou não teria me dado ao trabalho de ir até Nova York.

— Bem, espero que não tenha desperdiçado seu dinheiro.

Ele deu de ombros e apagou a luz. Bettina foi tirar a roupa no banheiro e seus ombros começaram a tremer enquanto ela pegava uma toalha para esconder o rosto, silenciando o pranto.

35

— Sinto muito, Norton, não posso fazer nada. É meu marido ou você. — Sentia-se deprimida ao segurar o telefone. Havia chorado a noite toda.

Houve um longo silêncio, e depois Norton disse a verdade a ela.

— Acho que você deveria entender uma coisa, Bettina. A minha pessoa não está em discussão nesta história, mas você está. É seu marido ou você. Não está deixando você com uma escolha fácil. Espero que ele valha a pena.

— Eu acho que vale.

Mas ao desligar o telefone não tinha mais certeza, e teve menos ainda quando foi até a casa de Mary e olhava desanimada para seu café enquanto lágrimas escorriam de seus olhos.

Mary também estava desanimada.

— Eu não entendo.

— Ele se sente ameaçado. Odeia essa parte do meu passado. Não há nada que eu possa fazer.

— Você poderia deixá-lo.

— E fazer o quê? Começar tudo de novo? Achar um quarto marido? Não seja ridícula, Mary. Esta é minha vida, aqui. Minha realidade. A peça foi um sonho. E se for um fracasso?

— E daí? Você pode mesmo abandonar seus sonhos por este homem? — Olhou para Bettina, furiosa. — Ele é meu amigo, Betty e você também é, mas acho que ele está sendo ridículo. Se eu fosse você, correria os riscos e iria para Nova York.

— Você só está dizendo isso porque está cansada de crianças.

— Não estou. Eu adoro eles. Mas eu não sou você. Lembra-se da história da ave-do-paraíso que eu lhe contei? Bem, você está ridícula usando este bico cinza e marrom. Este não é seu lugar, Bettina. Você sabe, eu sei. Seth sabe, e até John sabe. É por isso que ele faz essa merda toda para te manter aqui. Provavelmente tem medo de perder você.

— Ele não me perderia — disse, num lamento.

— Então diga a ele. Talvez seja tudo que ele precise ouvir. Se não bastar isso, dane-se ele! Faça as malas, pegue Alexander e vá para o seu teatro.

Mas ao ver Bettina voltar para sua casa, Mary sabia que ela não faria aquilo. Não o deixaria.

Bettina passou a tarde entre ler um dos livros de seu pai ou ficar olhando pela janela, até que, mais tarde, o telefone tocou. Era Ivo.

— Você está louca? Por que se deu ao trabalho de vir a Nova York se ia voltar para se esconder?

— Não posso fazer nada, Ivo. Tem que ser assim. Por favor... não vamos mais falar sobre isso. Já estou bastante infeliz.

— É esse idiota com quem se casou?

— Ivo, por favor... — Ela titubeou.

— Está bem, que droga, está bem. Mas pelo amor de Deus, Bettina, pense melhor... Você sempre quis isso por toda a sua vida e agora, que teve a oportunidade, quer jogar fora?

Bettina sabia que o que Ivo dizia era verdade.

— Talvez eu tenha outra chance mais tarde.

— Quando? Quando seu marido morrer? Quando for uma viúva? Em cinqüenta anos? Por Deus, pense... pense sobre isso... sua peça poderia ser apresentada na Broadway e você a está condenando ao silêncio. É você quem está fazendo isso, ninguém mais.

— Eu sei. — Sua voz era pouco mais que um sussurro, e seus olhos se encheram de lágrimas. — Não posso mais falar, Ivo. Te ligo amanhã.

Mas quando ela desligou, foi novamente cegada pelas lágrimas. Imaginava se John sabia o quanto custava a ela renunciar ao sonho de sua vida.

Então, pensativa, secou as lágrimas com sua blusa e voltou para o livro. Por estranho que pareça era um dos livros de seu pai que ela não lia há anos, e Mary o tinha em sua estante. Bettina pegou emprestado havia alguns meses, e nunca teve a oportunidade de ler. Mas hoje parecia, de alguma forma, reconfortante. Como se ele entendesse. Como se ele tivesse escrito sabendo o que ela estava sentindo. Sentia sua presença enquanto continuava a ler, secando as lágrimas. Então ela encontrou. Um pedaço de que ele gostava tanto, que muitas vezes repetiu para ela. Algo que o pai dele dissera há muitos anos.

> "Não abandone seus sonhos ou o ato de sonhar. Não deixe a vida cortar o fio enquanto você puxa a linha dos seus sonhos...

segure firme... continue puxando... não desista... agarre a rede, e se parecer que eles estão prontos para pular fora depois que você os pegou, pule atrás deles e continue nadando até que se afogue, se for necessário... mas nunca deixe seus sonhos fugirem..."

Calmamente, Bettina fechou o livro. Desta vez riu ao deixar as lágrimas escorrerem. Foi devagar até a cozinha e ligou para Norton. Depois esperou o marido chegar em casa. Quando ele chegou ela lhe disse com calma e com firmeza que tinha tomado uma decisão.

36

— Promete que vai me ligar de vez em quando?

Mary olhava para ela com tristeza, o carro cheio de crianças e seus olnos cheios de lágrimas.

— Prometo.

Bettina abraçava sua amiga com força, beijou a todos e acenava depois de tirar Alexander do carro.

— Tchau! — O menino acenava freneticamente. Depois seguiu a mãe para o termınal, segurando forte sua mão.

Ela explicou a ele sobre a ida para Nova York por alguns meses, sobre o novo colégio, uma babá algumas vezes, assistir a uma peça para crianças, e encontrar-se com alguns velhos amigos de seu avô. Ele ficou triste em não poder trazer o pai, mas entendeu que este tinha que ficar para ajudar as pessoas doentes, e ele estava feliz de estar com a mamãe. Deixou um desenho bem grande para o papai e correu para arrumar nas malas seus brinquedos favoritos. Tudo aconteceu na noite anterior. Seu pai já tinha saído quando ele acordou de manhã. Alguém devia estar muito doente para ele ter saído tão cedo. E a tia Mary, da casa ao lado, os deixou no aeroporto. Tudo estava bem, a não ser pelo fato da sua mãe e da tia Mary chorarem muito.

— Você está bem, mamãe? — Ele parecia inseguro.

— Estou, querido. E você?

Mas Bettina olhava ansiosa pelo aeroporto enquanto se encaminhavam para o portão de embarque. John saiu antes que ela se levantasse e ainda tinha esperanças de que ele aparecesse para se despedir. Deixara uma carta dizendo que o amava muito, e ligara várias vezes para o consultório, mas nem mesmo a enfermeira estava lá e o serviço de recados não o encontrara. Ele não apareceu, e Bettina e Alexander embarcaram.

Era a primeira vez que Alexander viajava de avião. Distraiu-se brincando com as coisas que lhe davam e correndo pelos corredores. Havia mais três crianças para as brincadeiras, mas ele acabou dormindo no colo de Bettina. Quando chegaram ao aeroporto de Nova York, Ivo não pôde ir, mas mandou o carro.

Bettina estava encantada com o conforto, e o motorista os deixou no hotel que ela escolheu, mais bem localizado que o anterior. Queria que Alexander pudesse ir ao parque. Ficaram numa linda suíte decorada com tecidos coloridos, pinturas e muita luz do sol. A tarde de outono estava invadindo o quarto enquanto o carregador deixava as malas no chão. Havia flores mandadas por Norton, por Ivo e um grande buquê de rosas mandado pelo produtor da peça, com um cartão que dizia apenas:

"Bem-vinda a Nova York."

Naquela noite, Bettina ficou no hotel cuidando de Alexander e, antes de irem dormir, tentaram falar com John pelo telefone, mas ele não estava em casa quando ligaram. Tentaram Mary e Seth.

— Já está com saudades de casa?

— Nem tanto. Só queria dizer alô.

Mas Mary sabia que Bettina devia estar preocupada com John. Ela se acalmaria depois que começasse a trabalhar na peça. E John provavelmente tomaria juízo. E quem sabe ele até fosse encontrar com ela em Nova York. Mary expressou suas esperanças para Seth durante o jantar, mas ele apenas concordou vagamente.

Bettina colocou Alexander na cama num dos quartos da suíte e foi até o seu quarto e sentou-se na cama, soltando um suspiro. Havia desarrumado as malas rapidamente. Tudo que tinha a fazer no dia seguinte era encontrar-se com a babá e dar uma olhada no colégio que tinha escolhido para ele.

Deu um jeito de resolver aqueles dois problemas antes do meio-dia, e apareceu no escritório de Norton à uma hora para almoçarem juntos. A secretária trouxe as bandejas.

— Você está preparada?

— Completamente. A babá de meu filho é muito simpática e ele adorou a primeira manhã na escola. Agora posso trabalhar. Quando começo?

Norton sorriu ao vê-la. Parecia uma típica mãe e dona-de-casa do interior ao sentar-se lá com seu casaco de pele de camelo, calças pretas, um suéter, seus cabelos dourados e um chapeuzinho preto. Tinha estilo, mesmo vestida com aquelas roupas de quem foi levar o filho à escola, mas nela havia algo camuflado, muito escondido. Isso o fez desejar que ela rasgasse as roupas e pulasse sobre sua mesa.

— Sabe de uma coisa? Nunca pensei que a veria aqui, Bettina.

— Eu sei. Não pensei que viria, realmente.

— O que a fez mudar de idéia? Seria alguma coisa que eu falei?

Ela riu e negou:

— Não. Foi meu pai.

As sobrancelhas de Norton se ergueram. Que diabos ela dizia?

— Estava lendo um de seus livros e foi uma coisa que estava escrita lá. Percebi que não tinha escolha. Que tinha que vir.

— Fico tão feliz que tenha recuperado a razão. Acabei economizando uma passagem aérea.

— Ah, é? Como?

— Estava planejando ir a San Francisco e pular da ponte Golden Gate depois de lhe dar uma surra.

— Provavelmente eu chegaria lá primeiro. Estava tão deprimida que mal podia enxergar.

— Bem — recostou-se e pegou um charuto —, no final tudo deu certo. E amanhã começamos a trabalhar. Algum outro plano até lá? Alguma coisa que tenha vontade de fazer? Minha secretária poderá ajudar com o que você precisar.

Bettina ia dizer não, até que seus olhos brilharam:

— Faz tanto tempo que estive aqui... — Refletiu, radiante. — Acho que talvez... Bloomingdale's... — disse sorrindo.

— Mulheres. Minha mulher mora no Bergdorf's. Só vai para casa para comer.

Sorriu antes de deixá-lo, e quatro horas mais tarde voltou para o hotel, sentindo-se culpada por largar Alexander com a babá depois da escola, numa cidade nova. Mas quando voltou, cheia de caixas, Alexander estava comendo espaguete e tinha o rosto sujo de sorvete de chocolate.

— Nós comemos primeiro o sorvete e depois o espaguete. Jennifer disse que minha barriga não vai saber quem chegou primeiro se comer os dois.

Ele sorria feliz, um retrato em vermelho e marrom. Certamente não parecia ter sentido a sua falta, e Bettina se divertiu muito.

Um bilhete na mesa dizia que Ivo partira para Londres e que o produtor estaria no hotel para vê-la às dez horas da manhã seguinte. Era óbvio que John não tinha telefonado. Mas ela afastou as apreensões e foi para o seu quarto experimentar os quatro vestidos novos, três suéteres e um conjunto. Gastou quase mil dólares. Mas podia fazê-lo agora e se distraiu muito. Além disso, precisaria de roupas novas, já que estava de volta a Nova York. Nada do que trouxera parecia adequado.

E foi gratificada na manhã seguinte quando se encontrou com o produtor num lindo vestido de *cashmere* creme.

— Nossa, você está linda, Bettina. Temos que colocar você no palco.

— Dificilmente, mas obrigada.

Trocaram sorrisos calorosos e foram trabalhar. Por agora, tudo com que precisava se preocupar era melhorar algumas articulações. Ele se preocupava com o mecanismo geral e com os contratos, desde atores até o diretor. Mas deviam estar sob um encantamento mágico, pois tudo estava pronto em uma semana.

— Já? Que milagre!

Ela recebeu a boa nova quando ligou para Norton. Assistiu a todos os testes finais e adorou os atores que eles escolheram. Algumas vezes teve medo de que Anthony aparecesse, mas nem sabia se ele ainda estava nos Estados Unidos, e seis anos era muito tempo. Desde aquela época não o via. Mas qualquer que fosse a razão, ele não apareceu.

Só duas semanas mais tarde recebeu um telefonema de Ivo. Acabava de chegar do teatro e jantava com Alexander, usando uma velha camiseta e *jeans*.

— Você acabou de chegar de Londres?

— Ontem à noite. Como você está?

— Ótima. Ah, Ivo, você precisa ver como anda a peça. Está uma beleza e conseguiram atores maravilhosos para o papel da menina e do pai.

Era fácil perceber pela sua voz que ela estava animada.

— Que bom, querida. Por que não me conta sobre isso no jantar? Vou jantar no Lutèce com um amigo.

— Que chique, Ivo, estou impressionada!

Ainda era o restaurante mais caro da cidade.

— Ficará mais impressionada em saber com quem estou jantando. O novo crítico de teatro do jornal.

— Oh, não!

— Não se preocupe, mas precisa conhecê-lo. É um rapaz muito simpático mesmo.

— Como é o nome dele? Será que eu o conheço dos velhos tempos?

— Provavelmente não. Esteve trabalhando no *Los Angeles Times* pelos últimos dezessete anos. Nós acabamos de contratá-lo... — riu de seu ato falho e ela riu dele. — Eles acabaram de contratá-lo, me desculpe, há uns seis meses. Seu nome é Oliver Paxton. É muito jovem e muito sensível para ter sido um dos amigos de seu pai.

— Parece ser superchato. Preciso mesmo me encontrar com ele?

— Ele não é chato, e você deveria. Vamos, querida, será bom para você. Não veio aqui só para trabalhar.

— Vim, sim.

Estava sendo muito cuidadosa em não cometer o mesmo erro de quando estava na *tournée* com Anthony, há sete anos. Ela não estava saindo com a equipe ou os produtores, nem buscava amizades. Fazia exatamente o que prometeu para John. Trabalhava, cuidava de Alexander quando era possível, visitava seu agente, e era só. Com exceção de Ivo, mas ele era um amigo especial. Não estava arriscando nenhum envolvimento. Queria montar a peça, mas também queria manter o casamento.

— Então, vai se encontrar conosco?

Bettina pensava enquanto via Alexander brincar com a comida.

— Eu estava jantando com Alexander.

— Que emocionante! Claro que pode se encontrar conosco depois, Bettina. Além disso, o cardápio não pode ser tão gostoso assim.

— Realmente não. — Havia pedido cachorro-quente e pudim de chocolate, sendo que dois para ela.

— Bem, então... a que horas estarão lá?

— Combinei com Ollie às oito e meia. Ele tinha um encontro às seis.

— Parece um daqueles dias dos velhos tempos, Ivo.

— Parece mesmo, não? Mas ele não é tão elegante.

— E sem dúvida também não é tão charmoso.

— Julgue você mesma.

37

Bettina saltou do táxi na rua 50, lado leste, esquina com Terceira Avenida, e correu para dentro do restaurante com um sorriso de ansiedade. Seria a primeira vez que se encontrava com Ivo desde que concordara em fazer a peça e veio para Nova York com Alexander. Estava feliz em vê-lo, apesar de ter preferido estar com ele sozinha. Mas não importava tanto. Era divertido sair à noite, em vez de ficar sozinha, fazendo anotações no hotel. Deixou o casaco com a recepcionista e depois esperou pelo *maître* para perguntar se Ivo já tinha chegado. Mas logo percebeu que vários homens a olhavam, e ficou pensando se teria se vestido adequadamente. Era um dos vestidos novos, e ainda não tivera oportunidade de usá-lo. Era de veludo lilás pálido e ficava maravilhoso com sua pele creme e com a cor de seu cabelo. Tinha cortes simples e retos, mas era muito bonito, indo até o meio da perna. A simplicidade e a cor a lembravam do Balenciaga que usara, há anos, com a linda túnica verde. Mas era muito mais simples e ela usava apenas com um longo colar de pérolas que fora de sua mãe, com os brincos combinando. Estava linda, parecendo recatada, enquanto esperava lá, pequena e delicada com seus grandes olhos verdes. Ivo a observava de uma mesa distante e sinalizou com um sorriso caloroso. Assim que o viu, passou pelo *maître*, indo até a mesa que tinha um tipo de jardim coberto atrás.

— Boa noite, pequenina, como está?

Ele se levantou e deu-lhe um beijo, e ela retribuiu com um abraço apertado. De repente notou um gigante em pé ao seu lado. Tinha um jeito amigo, com olhos cinzas, ombros largos e cabelos cor-de-areia, típico da Califórnia.

— Este é Oliver Paxton. Há algum tempo que eu queria que vocês se conhecessem.

Educadamente, apertaram-se as mãos e todos se sentaram, enquanto Oliver a observava com admiração, tentando imaginar o que havia entre seu amigo e aquela menina. Pareciam ter uma amizade muito próxima, quase uma relação familiar, e então se lembrou do que Ivo lhe contou antes de ir para Londres; que ele e o pai de Bettina foram muito amigos. Ela era filha de Justin Daniels e acabara de escrever uma peça que estava sendo anunciada como a sensação da temporada.

— Agora sei quem você é! — Deu um grande sorriso.

— Quem eu sou?

— Você é a filha de Justin Daniels e acabou de escrever o que dizem ser uma peça maravilhosa. Tem algum outro apelido?

Ela negou com a cabeça, dando uma gargalhada.

— Não em Nova York. Na Califórnia alguns amigos mais chegados usam um apelido que detesto, mas não vou lhe dizer.

— Em que lugar da Califórnia?

— San Francisco.

— Há quanto tempo mora lá?

— Quase seis anos.

— Gosta?

— Adoro.

Seu rosto se iluminou com um sorriso, e o dele também. A noite começou bem. Oliver era de Los Angeles, freqüentou a Universidade em San Francisco e tinha um carinho especial por lá, apesar de não ser um sentimento comum a Ivo.

Os três pediram o jantar e a conversa foi calorosa pelas próximas três horas. Já era quase meia-noite quando Ivo, finalmente, pediu a conta.

— Não sei sobre vocês, crianças, mas este velho de cabelos brancos está pronto para ir dormir. — Escondeu um bocejo e riu.

Foi uma noite maravilhosa e era fácil ver que eles estavam se divertindo. Bettina ria feliz, e implicou com Ivo.

— Isso não é justo, Ivo. Você tem cabelos brancos desde os vinte e dois anos.

— Talvez, querida, mas agora já faço jus a eles e posso evocá-los quando me convier.

Oliver olhou para ele com admiração. Era uma espécie rara em jornalismo, além de ser alguém a quem respeitou toda a sua vida.

Ivo acenou-lhes um caloroso adeus enquanto entrava no seu carro, onde o motorista esperava. Oliver assegurou a Ivo que tomaria conta de Bettina, levando-a para o hotel.

— Não vai seqüestrá-la ou fazer qualquer coisa imoral?

Oliver riu da sugestão, e havia um certo brilho em seus olhos.

— Seqüestrá-la, Ivo, não. Prometo não fazer isso, e gosto de pensar que nada do que faço pode ser considerado imoral, pelo menos não se for visto com o olho direito.

— Deixarei isso por conta da srta. Daniels. — Acenou para eles, apertou o botão que levantava a janela e afastou-se em sua limusine enquanto os dois acenavam.

Oliver olhou para Bettina satisfeito, enquanto caminhavam e passavam por casas de pedra, apartamentos, lojas e escritórios.

— Há quanto tempo conhece Ivo, Bettina?

— Por toda a minha vida.

Ela riu. Ele não sabia de nada. A próxima pergunta demonstrava isso.

— Ele era amigo de seu pai, não?

Fez que sim com a cabeça, ainda sorrindo, e decidiu contar tudo. O sorriso não se apagou, e era algo que ela podia falar livremente agora. Não a envergonhava. Era algo de que se lembrava com carinho e orgulho.

— Sim, era amigo de meu pai. Mas também fomos casados por seis anos, há muito tempo.

Ele pareceu muito surpreso, com os elegantes olhos cinzentos admirados.

— O que aconteceu?

— Ele pensou que eu tivesse me cansado dele. Mas não era verdade. Agora somos apenas amigos.

— É uma história realmente incrível. Você sabe? Não fiz a menor idéia de que fosse isso. — Assumiu um tom cerimonioso. — Vocês ainda... se encontram? — Titubeou sem jeito e ela riu. — Quero dizer... não quis... acha que ele ficou chateado quando disse que te levaria para casa?

Ele estava em agonia, e tudo o que ela podia fazer era rir.

— Não, claro que não.

Na verdade, ela suspeitava de que havia algum motivo secreto para aquela apresentação, mas não disse nada para seu novo amigo. Ou Ivo queria que ele gostasse dela para falar bem de sua peça, ou pensava que ela precisava de um acompanhante enquanto estivesse na cidade.

— Puxa, quem diria!

Andaram um pouco em silêncio, sua mão confortavelmente nos braços de Oliver.

— Acha que poderíamos ir dançar? — Ele sugeriu.

— Esta noite? Mas é quase uma da manhã.

— Eu sei. Mas, como Ivo disse, as coisas são diferentes em Nova York. Está tudo aberto ainda. Acha uma boa idéia?

Estava pronta para dizer não, mas alguma coisa nele a divertia muito, e percebeu que ria ao dizer sim. Rapidamente tomaram um táxi e rumaram para o lado leste da cidade alta. Ele a levou a um lugar com música ao vivo e um monte de gente comprimida, rebolando com a música, rindo, bebendo e se divertindo. Era bem diferente da elegância restrita do Lutèce, e Bettina se divertiu muito. Uma hora depois, saíram com pena.

Enquanto se dirigiam para o hotel de Bettina, falaram da estréia da peça.

— Aposto que é uma excelente peça, Bettina. — Seu olhar era amistoso e inspirava segurança.

— O que o faz pensar assim?

— Porque você a escreveu, e você é uma pessoa muito especial.

— Eu gostaria que você não fosse um crítico.

— Por quê? — Oliver estava surpreso.

— Porque eu gostaria que você pudesse vir ver a peça e me dizer o que acha. Mas já que você é quem é, Ollie — sorriu ao perceber que usou o apelido —, os produtores teriam um ataque. Será você a fazer a crítica?

— Provavelmente.

— Que pena! — Parecia triste.

— Por quê?

— Porque você certamente vai ser bonzinho e só falar bem. Vou me sentir estranha com você e você ficará sem jeito. Será muito chato...

Mas ele ria de suas previsões de tristeza e desespero.

— Então só há uma solução para o problema.

— E qual é, sr. Paxton?

— Que nos tornemos grandes amigos antes da estréia, assim não vai se importar com o que eu escrever quando tiver que fazer a crítica. O que acha da idéia?

— Deve ser realmente a única solução.

Quando chegaram ao hotel, ele a convidou para o último drinque. Ela disse que o filho estava dormindo e queria ter certeza de que estava tudo bem.

— Um filho... você e Ivo tiveram um filho? Oh, não, que coisa confusa.

— Não, este é o filho que tive com meu terceiro marido.

— Hum, que moça mais popular. E qual a idade do menino?

Ele não pareceu impressionado com os três casamentos, e Bettina sentiu-se melhor.

— Tem quatro anos e seu nome é Alexander. Ele é uma gracinha.

— E, deixe-me adivinhar: é seu único filho?

— É sim.

— E o pai do jovem rapaz? Foi dispensado ou também está em Nova York?

A maneira dele falar a fez rir, apesar das sérias preocupações que tinha com John.

— Bem, ele não ficou muito feliz com nossa vinda para Nova York, pois pensa que é Sodoma ou Gomorra. E está furioso comigo. Mas ainda estamos casados, se é esta a sua pergunta. Ele ficou em San Francisco. Mas eu quis trazer Alexander comigo.

— Posso conhecê-lo?

Era a única coisa que ele poderia ter dito para aproximar-se mais do coração de Bettina.

— Você gostaria?

— Muito. Por que não jantamos cedo amanhã, antes do teatro, e o levamos? Depois podemos trazê-lo de volta para o hotel e saímos. Parece atraente?

— Maravilhoso, Ollie. Obrigada.

— Por nada.

Fez uma reverência e depois chamou um táxi. Assim que chegou ao quarto, Bettina começou a se preocupar. O que estava fazendo, saindo com aquele homem? Era uma mulher casada e prometeu a si mesma que não sairia com ninguém enquanto estivesse em Nova York. Mas afinal, ele era amigo de Ivo.

Não teve notícias de John desde o dia em que partiram. Não respondia às ligações de Bettina, nem às cartas, e sua secretária sempre dizia que ele tinha acabado de sair. Bettina deixava o telefone de casa tocar por muito tempo, mas nunca havia resposta. Ele nunca atendia ou nunca estava em casa. Talvez não fosse tão ruim que ela jantasse com Oliver Paxton. E não importava o quanto gostasse dele, não teria um caso.

Ela lhe disse isso diretamente na noite seguinte, depois que saiu do teatro e foram comer *blini* de caviar e tomar drinques no Russian Tea Room.

— E quem disse que quero isso? — Ele a olhou, achando muita graça. — Madame, não é a senhora que eu quero, é seu filho.

— Já foi casado?

— Não, nunca me pediram.

— Falo sério, Ollie.

Ele estava se tornando um verdadeiro amigo rapidamente. E qualquer que fosse a atração que um sentia pelo outro, ambos entendiam que não iria mais longe do que uma amizade. Pelo ponto de vista de Bettina, não podia ir além disso, e Oliver a respeitava.

Estava sorrindo para ela quando as *blini* chegaram, e ele atacou o prato.

— Também falo sério. Nunca me casei.

— Por que não?

— Nunca encontrei alguém com quem quisesse ficar o resto da vida.

— É uma maneira bonita de colocar o problema.

— Então o número três não aprova nada disto, não é?

Começou a tentar defendê-lo, mas não poderia, e apenas balançou a cabeça dizendo que não.

— Não é de se estranhar.

— Por que não?

— Porque é difícil para muitos homens aceitar que a esposa tenha tido outra vida, um passado ou um futuro, e você tem os dois. Mas fez o que tinha que fazer.

— Como você sabe disso?

Ela parecia tão ansiosa, que ele não pôde evitar um carinho em seus cabelos.

— Eu nem sei se você se lembra, mas tem uma coisa num dos livros de seu pai. Eu me deparei com ele um dia, quando estava tentando decidir se deveria aceitar o emprego neste jornal e vir para Nova York. Seu pai aprovaria a sua escolha...

Ela olhou para ele e seus olhos se arregalaram. Ambos citaram a passagem juntos, palavra por palavra.

— Puxa vida, Ollie. Foi o que eu li no dia em que decidi vir para cá. Foi isso que me fez mudar de idéia.

— Foi o que me ajudou também.

Silenciosamente, brindaram ao pai de Bettina, terminaram a *blini* e foram de braços dados para o hotel. Ele não subiu. Mas marcaram um encontro para irem no sábado ao zoológico, levando Alexander.

38

No final de outubro, Bettina trabalhava na peça dia e noite. Passava longas horas no teatro frio e depois mais tempo tarde da noite no hotel, fazendo alterações. Voltava ao teatro na manhã seguinte para experimentar e alterar novamente. Nunca se encontrava com Ivo, muito raro com Ollie, e só conseguia ver Alexander meia hora por dia. Mas sempre arranjava tempo para o filho e às vezes, quando estava no teatro, Ollie vinha brincar com o menino. Pelo menos ele tinha um homem com quem conviver. Ainda não tinham tido notícias de John.

— Não entendo por que ele não me telefona. — Bettina olhou para Ollie irritada enquanto desligava o telefone. — Poderia ter acontecido alguma coisa conosco ou com ele e nunca saberíamos. Eu não entendo. É ridículo. Não responde as minhas cartas, não atende minhas ligações e nunca telefona.

— Tem certeza de que ele não disse alguma coisa mais definitiva quando você saiu de casa, Bettina?

Ela negou com a cabeça e, apesar de uma estranha premonição, ele não ousou dizer mais nada. Entendia que ela se considerava casada e respeitava sua maneira de sentir. O assunto mudou rápido para suas últimas aflições com a peça.

— Acho que nunca estaremos prontos para a estréia.

Bettina parecia cansada e mais magra, mas havia algo maravilhosamente vivo em seus olhos. Ela adorava o que fazia e era fácil de ver. Ollie sempre a encorajava quando lhe contava os problemas.

— Estará pronta, sim, Bettina. Todo mundo passa por isso. Você vai ver.

Ela pensava que Oliver estava louco a cada semana que se aproximavam do dia da estréia. Pelo menos não haveria mais mudanças. Foram se apresentar em New Haven por três noites, e depois Boston, para mais duas apresentações. Fez mais algumas mudanças antes das excursões e então ela e o diretor sorriram satisfeitos. Tudo que podia ser feito já fora feito. Tudo que faltava era dormir bem ao menos uma noite antes da estréia e passar um dia terrível esperando. Oliver ligou para ela naquela manhã e Bettina já estava acordada desde seis e quinze.

— Por causa de Alexander?

— Não, boboca, por causa dos meus nervos.

— Foi por isso que eu liguei. Posso ajudar você a passar o dia de hoje distraída?

Mas não podia. Naquele dia ele era o inimigo, o crítico, o comentarista. Não poderia suportar passar o dia com ele e depois vê-lo dilacerar sua peça. Porque tinha certeza de que era o que ele faria.

— Apenas me deixe ficar aqui me sentindo péssima. Adoro isso.

— Bem, amanhã isso já terá acabado.

— E talvez minha peça também — disse, olhando para o espaço.

— Ah, pare com isso, boba. Tudo vai dar certo.

Mas ela não acreditava nele, e depois de ficar andando pela suíte e agredir Alexander, chegou ao teatro às sete e quinze. Não podia suportar qualquer outro lugar. Ficou nos bastidores, andou pelo teatro, sentou-se, levantou e andou pelos corredores, voltou para a platéia, de volta para o palco, novamente para a poltrona. Finalmente decidiu andar em volta do quarteirão e não estava nem aí se fosse assaltada. Esperou para que todos os retardatários tivessem entrado no teatro, e só então sentou-se num lugar vago numa das últimas filas. Dessa forma, se não pudesse suportar a tensão, poderia sair facilmente sem que a platéia pensasse que alguém detestou tanto a peça que saiu mais cedo.

Bettina não viu Oliver no teatro, e quando acabou nem quis uma carona no carro de Ivo. Não falou com ninguém e saiu o mais rápido que pôde, chamou um táxi e voltou para o hotel. Pediu à telefonista que dissesse a todo mundo que ela estava dormindo, e ficou sentada numa cadeira a noite toda, esperando ouvir a porta do elevador se abrir e o entregador trazer o jornal. Às quatro e meia, ouviu o jornal caindo, deu um pulo e correu para a porta. Abriu o pacote do jornal, em pânico. Tinha que ver... tinha que... o que ele teria escrito... o que ele...? Ela leu e releu várias vezes enquanto lágrimas escorriam de seus olhos. Trêmula, foi até o telefone e discou um número. Gritando, rindo e chorando, xingou o amigo.

— Seu grande idiota... oh, Ollie... eu te amo... você gostou? Quero dizer, gostou mesmo? Oh, Deus, Ollie... gostou?

— Você é louca, Daniels, sabe disso? Louca! Louquinha de pedra. São quatro e meia da manhã e tentei falar com você a noite toda... agora me liga justamente quando eu desisto e vou para a cama.

— Mas eu tinha que esperar para ver os jornais.

— Sua retardada, eu poderia ter lido a crítica para você ontem à noite, às onze e quinze.

— Eu não suportaria. E se você tivesse odiado a peça?

— Não poderia ter odiado, sua idiota, é maravilhosa. Simplesmente fantástica.

— Eu sei. — Ela falou radiante. — Eu li a crítica.

Ele estava rindo e feliz, e prometeu se encontrar com ela para tomarem café em algumas horas, depois de dormirem um pouco. Mas antes de se despir e ir para a cama, pediu à telefonista outra ligação. Talvez o encontrasse em casa àquela hora. Ele poderia ser pegado de surpresa e atender o telefone. Mas não teve nenhuma resposta. Ela queria tanto contar a John que a peça foi um sucesso. Então ligou para Mary e Seth, que ficaram muito felizes, enquanto tomavam café com as crianças. Eram sete e quarenta e cinco na costa Oeste. Finalmente o sol se levantou e Bettina ajeitou-se na sua cama com um largo sorriso e o jornal espalhado.

39

— E então, princesa? Agora que está na estrada da fama.

Ollie sorria para ela feliz, enquanto comiam ovos pochê e tomavam champanhe. Encontraram-se no hotel de Bettina para o café e ela ainda estava surpresa, cansada, exultante e chocada, tudo ao mesmo tempo.

— Não sei. Acho que fico por aqui mais algumas semanas para ter certeza de que tudo está bem e depois vou para casa. Disse a John que voltaria para o Natal e acho que volto mesmo.

Mas seu olhar era um pouco vago. Não teve notícias de John por três meses e estava seriamente preocupada com ele e com o que teria de contar para o filho.

— E profissionalmente, Bettina? Alguma outra idéia de gênio?

— Não sei ainda. Ando com uma idéia na cabeça, mas ainda não me dediquei a ela.

— Quando tiver escrito alguma coisa, posso ler?

Oliver parecia quase tão feliz quanto ela.

— Claro. Gostaria mesmo de ler?

— Adoraria.

Ao olhar para ele, Bettina entendeu que sentiria muito a sua falta. Acostumou-se com seus longos papos, os telefonemas diários, os almoços freqüentes e os jantares ocasionais com Ivo e, quando possível, sozinhos. Ele se tornou quase um irmão. Afastar-se dele seria como sair de casa.

— O que está pensando de tão mórbido de repente?

Ele percebeu o jeito triste da amiga.

— Estava pensando que deixarei você quando for para casa.

— Não fique preocupada com isso, Bettina. Voltará para cá antes que se dê conta, e provavelmente vai me ver mais do que gostaria. Eu vou e volto para a Califórnia várias vezes por ano.

— Ótimo. Por falar nisso, gostaria de jantar comigo e Ivo na nossa última noite em Nova York?

— Adoraria. Aonde vamos?

— Faz alguma diferença? — disse ela sorrindo.

— Não, mas imagino que será algum lugar maravilhoso.

— Sempre é assim com Ivo.

E foi. Foram ao La Côte Basque, na sua mesa favorita, e o jantar pedido especialmente estava divino. Começaram com *quenelle*, depois de tomarem champanhe com caviar; comeram uma fina salada de palmitos, filé-mignon, pequenos *champignons* trazidos especialmente da França e, de sobremesa, suflê Grand Marnier. Os três comeram com adoração e depois se recostaram para o café e o licor.

— Então, pequenina, vai nos deixar. — Ivo a olhava com um sorriso gentil.

— Mas não por muito tempo, Ivo. Devo estar de volta logo.

— Espero que sim.

Mas quando Ollie a levou para o hotel, Bettina pensava que Ivo esteve estranhamente melancólico. Virou-se para ver o amigo.

— Ouviu o que ele me disse quando se despediu? "Voe bem, pequeno pássaro", depois só me deu um beijo e entrou no carro.

— Deve estar cansado e talvez triste em te ver partir. Assim como eu.

Ela concordou. Também estava triste por ter de partir e deixá-lo. Odiava ter que se afastar de ambos. De repente sentia-se como se lá fosse seu lugar. Havia recolocado suas raízes no solo de Nova York naqueles três meses. Era fria, árida, cheia de gente, os motoristas de táxi eram grosseiros e as pessoas nunca seguravam a porta para você passar, mas havia um alvoroço, uma animação. Seria duro se acostumar em Mill Valley, esperando Alexander voltar da escola. Até mesmo o menino sentiu e não estava ansioso em voltar, a não ser para ver o pai.

Ollie os levou ao aeroporto e acenou longamente enquanto Alexander andava, relutante, em direção ao avião. Jogou um beijo para Bettina, deixou o aeroporto, foi para casa e tomou um porre. Mas Bettina não podia se dar a esse luxo. Tinha que estar sóbria para enfrentar John. Não lhe escreveu avisando que estava chegando e não avisou nem a Mary e Seth. Queria fazer uma surpresa para todo mundo. Suas malas estavam cheias de presentes de Natal para John, Mary, Seth e todas as crianças.

Quando chegaram ao aeroporto, o tempo estava agradável e fresco. Eram apenas cinco e meia da tarde. Conseguiram um táxi que os levasse para Mill Valey e entraram. Alexander começava a ficar animado. Finalmente estaria com seu papai, após três longos meses. E contaria a ele sobre o zoológico, sobre Nova York, seus amigos, e o que fizeram no colégio. Ele pulava em cima de Bettina e ela sorria impassível com suas cotoveladas e joelhadas, preparando o que iria dizer.

Pareceu uma eternidade antes de chegarem àquela calçada familiar, e Bettina não pôde esconder o sorriso. O motorista começou a retirar as malas do carro e ela foi abrir a porta. Mas quando colocou a chave na porta, descobriu que sua chave não servia. Tentou de um jeito, depois de outro, empurrou a porta, mexeu na maçaneta e então entendeu o que acontecera, muito chocada. John mudara a fechadura. Um truque muito infantil.

Num total estado de choque, Bettina correu para a casa ao lado. Havia pago ao motorista e pediu apenas que empurrasse as malas para a garagem. Pegou Alexander pela mão e atravessou o quintal até a casa de Mary.

— Oh, meu Deus, Betty!

Abraçou-a e depois a Alexander, que estava sendo calorosamente recepcionado pelos amigos.

— Senti tanto sua falta! — Depois gritou para dentro da casa. — Seth! Eles voltaram.

Ele apareceu na porta, sorrindo e abrindo os braços. Mas o calor da recepção se apagou rapidamente quando ela explicou sobre a chave.

— Não entendo. — E enquanto se dirigiam para a sala. — Acho que John deve ter mudado a fechadura.

Mas Mary parecia deprimida, e Seth começou a falar.

— Bettina, querida, sente-se. Tenho algumas coisas sérias para contar.

Oh, Deus, alguma coisa aconteceu. Teria acontecido alguma coisa com ele enquanto estiveram fora? Mas por que ninguém avisou? Sentiu que seu rosto ficou branco, mas Seth balançou a cabeça devagar.

— Não foi nada disso. Mas, como advogado dele, tive que manter segredo. Ele veio até a mim no dia seguinte de sua partida e insistiu em que eu não falasse nada para você. Está muito — ele gaguejava de modo estranho —, está sendo muito difícil, tenho que admitir.

— Está tudo bem, Seth. Seja lá o que for, pode me dizer agora.

Gesticulou com a cabeça e olhou para Mary antes de encará-la.

— Eu sei que tenho que dizer, Betty, é que ele deu entrada no pedido de divórcio no dia seguinte ao de sua partida.

— Ele fez isso? Mas eu não recebi nenhum papel.

— Não é necessário. Lembra-se de quando se divorciou de seu último marido? Neste Estado chama-se de dissolução, e tudo que é necessário é que um dos cônjuges dê entrada. Foi o que ele fez. E isso é tudo.

— Tão fácil e simples. — Bettina respirou fundo. — E quando acaba o processo?

— Vou verificar, mas acho que em três meses.
— E ele mudou a fechadura da porta?
Agora entendia por que nunca respondia suas cartas ou seus telefonemas. Mas Seth negou novamente.
— Ele vendeu a casa, Betty, não mora mais aqui.
Desta vez ela realmente ficou chocada.
— Mas e as nossas coisas? Minhas coisas... tudo que compramos juntos...
— Deixou algumas caixas para você e malas com suas roupas e todos os brinquedos de Alexander.
Começou a sentir sua cabeça girar.
— E Alexander? Ele não vai lutar pela posse dele?
Sentiu-se satisfeita por ter levado o menino para Nova York. E se ele desaparecesse com o filho? Ela teria morrido. Novamente Seth hesitou antes de falar.
— Ele... ele não quer mais ver o menino, Betty. Disse que é todo seu.
— Oh, meu Deus!
Levantou-se devagar e foi até a porta, de onde podia ver o filho. Ele olhou para ela com os olhinhos cheios de perguntas.
— Onde está o papai, mãe?
— Não está aqui, querido. Foi fazer uma viagem.
— Como a gente? Para Nova York?
Ele parecia intrigado e Bettina lutou para engolir o pranto.
— Não, querido, não para Nova York.
E então olhou para a mãe de forma estranha, como se soubesse.
— Nós vamos voltar para lá, mamãe?
— Eu não sei, meu filho, talvez. Você gostaria?
Ele olhou para ela com um largo sorriso.
— Gostaria, sim. Estava contando sobre o zoológico grande.
Bettina ficou chocada de ver que ele não perguntava mais pelo pai, mas talvez fosse melhor assim. E então virou-se para encarar Mary e Seth com os olhos cheios d'água e um sorriso forçado.
— Bem, isso é tudo para Betty Fields.
Mas ela não usava aquele nome há três meses. Em Nova York, como teatróloga, assinava Bettina Daniels. E ela entendeu que era quem ela devia ser. Olhou de volta para os amigos.
— Podemos ficar com vocês alguns dias?
— Por quanto tempo quiserem. — Mary abriu os braços para a amiga e a abraçou com força. — Querida, nós sentimos muito. Ele é um idiota.
Não era a ave-do-paraíso que ele queria. Sempre quis aquele marrom e cinza. No íntimo, Bettina sempre soube disso.

40

Bettina e Alexander deixaram San Francisco no dia seguinte ao Natal. Após meditar muito, ela mandou seus pertences em caixas para o hotel de Nova York.

— Mas eu morei aqui por seis anos, Mary.

— Eu sei. Quer realmente ficar?

Bettina pensara sobre isso incansavelmente nas duas semanas solitárias que passaram lá e, quando o Natal chegou, sabia que o que Mary dizia era mais do que uma questão de em qual cidade queria morar. Todos que ela conhecia em San Francisco eram amigos de John. De repente, pessoas que tinham sido gentis e amistosas a ignoravam completamente quando a encontravam na rua. Não era mais o estigma do divórcio, mas do sucesso.

E então, um dia depois do Natal, pegaram um avião e Oliver os encontrou no aeroporto. Era estranho, mas Bettina não se sentia como se tivesse acabado de sair de casa. Sentia-se como se acabasse de *chegar* em casa. Ollie abraçou Alexander e o enrolou em seu casaco de *racon*.

— Onde conseguiu este casaco? É lindo.

— Meu presente de Natal para mim.

E tinha vários presentes para Bettina e Alexander no banco de trás da limusine que alugou para buscá-los no aeroporto. Nevou um dia antes do Natal e ainda havia algumas camadas de neve no chão.

Mas enquanto se encaminhavam para a cidade que ela tinha deixado apenas duas semanas antes, sentiu algo diferente em Ollie, que estava quieto e tenso. Esperou até que Alexander estivesse ocupado com seu ursinho de pelúcia, o carro de bombeiro com sirene e os carros de pilha que estavam no chão da limusine e então olhou para Oliver.

— Tem alguma coisa errada?

Negou com a cabeça, sem convencer.

— E como está você, Bettina?

Ela deu de ombros e sorriu:

— É bom estar de volta.

— É mesmo? Foi difícil resolver tudo por lá?

— Mais ou menos. Acho que não esperava nada disso. Quando chegamos, fomos até a casa e eu pensei que ele tivesse mudado a fechadura.

— Ele mudou?

— Não. Vendeu a casa.

— Sem falar com você? — Ollie pareceu horrorizado. — Como ele contou isso?

Bettina sorriu, melancólica.

— Não contou. Foram nossos vizinhos que me contaram. Nunca falei com ele enquanto estivemos lá. Parece que deu entrada no divórcio há três meses e meio, logo que viemos para Nova York.

— Meu Deus, e ele não falou com você? E...?

Gesticulou em direção a Alexander e ela sinalizou que entendia.

— Disse que isso acabou também.

— Não quer vê-lo? — Pareceu muito chocado.

— Disse que não.

— E você entendeu isso?

— Mais ou menos. Foram duas semanas interessantes. E estas eram as más notícias. As boas eram que sempre que eu encontrava com alguém que conhecesse, colegas ou velhos amigos, eles me esnobavam. Às vezes abruptamente, às vezes cheios de dedos. — Deu um riso aliviada de ter deixado tudo aquilo. — Foram duas semanas horríveis.

— E agora?

— Vou procurar um apartamento amanhã, colocar Alexander na escola logo depois das férias de Natal e voltar ao trabalho em minha nova peça.

Bettina o observava enquanto o amigo olhava para fora pela janela. Finalmente, tocou com carinho em seu braço e olhou fundo em seus olhos.

— Ollie... você está bem?

— Estou bem — disse ele, evitando olhar para ela.

— Tem certeza?

— Sim, mamãe, tenho — disse com um risinho. — Estou tão feliz de você estar de volta. Mas sinto que tenha tido tantos problemas.

— Acho que era previsível. A única que não imaginou isso fui eu.

— Tenho que admitir que quando soube que ele nunca entrou em contato com você aqui, temia que algo assim acontecesse. Mas pensei que talvez ele estivesse muito furioso e quando a encontrasse recuaria e vocês começariam tudo de novo.

— Não tive essa sorte. — Ficou melancólica alguns minutos, depois olhou de volta para ele. — E, por falar nisso, tem visto Ivo?

Oliver começou a dizer alguma coisa e depois negou com a cabeça.

— Liguei para ele um dia antes do Natal dizendo que estávamos voltando e ele disse que passaria o Natal na casa de amigos em Long Island, mas que estaria de volta hoje à noite e me convidou para almoçar amanhã. — Olhou feliz para Oliver. — Quer vir também?

Novamente ele balançou a cabeça. E foi poupado de mais explicações porque chegaram ao hotel. O porteiro descarregou as malas, solicitaram a antiga suíte que milagrosamente fora desocupada naquele dia.

— É como voltar para casa, não é?

Alexander correu para seu quarto e Jennifer, a babá, deveria voltar para eles no dia seguinte. Bettina ia lhe oferecer um emprego fixo cuidando de seu filho, logo que se mudassem.

— Gostaria de jantar, Ollie?

— Não, obrigado.

Ela pediu um hambúrguer para Alexander e um pequeno bife para si, sentou-se no sofá grande e passou a mão pelo seu cabelo desalinhado.

— Amanhã começo a procurar apartamento.

Mas de repente Oliver sentou-se perto dela com os olhos cheios de amargura.

— Bettina...

— Por Deus, o que há? Parece que você acaba de perder seu melhor amigo.

Devagar, ele concordou com a cabeça e seus olhos se encheram de lágrimas.

— Ollie... o que houve?... Ollie?

Bettina estendeu os braços para ele e o abraçou forte, mas ao fazê-lo percebeu que não procurava conforto, mas oferecia carinho para ela.

— Ollie?

— Benzinho, não queria te falar no aeroporto, mas aconteceu uma coisa horrível na noite passada.

Oliver puxou-a mais para perto e sentiu que ela tremia ao afastá-lo gentilmente.

— Ollie...? — Então olhou para ele, apavorada, achando que entendia. — Oh, não... eles tiraram minha peça de cartaz?

Mas ele sorriu e negou com a cabeça.

— Não foi nada disso. — Então respirou fundo e pegou a frágil mão de Bettina nas suas. — Bettina, é Ivo. — Fechou os olhos por um segundo. — Ele morreu na noite passada.

— Ivo? — Deu um pulo e ficou de pé olhando para o amigo. — Não seja bobo. Falei com ele dois dias atrás, ele estava indo para Long Island. Ele ia... — Tremendo muito, caiu no sofá encarando Ollie. — Ivo?... Morto?

Começou a banhar-se em lágrimas e Ollie a abraçou novamente.

— Oh, Ollie... não... Ivo não... ah, não... ele não... ele não...

Oliver a levou até seu quarto antes que Alexander a visse e, devagar, fechou a porta. Depois a acomodou na cama e deixou que ela chorasse. Era como perder seu pai outra vez, ainda pior, porque perdia seu amigo da vida inteira e ele fora tão bom com ela, melhor do que o pai, e ela nunca parou de amá-lo, até o final.

— Eu ia almoçar com ele amanhã, Ollie...

— Eu sei, querida, eu sei... — Acariciava seus cabelos com carinho enquanto ela novamente escondia o rosto. — Sinto muito, eu sinto tanto... Sei que o amava muito.

Quando seus olhos passaram pelo jornal que estava no chão, viu a foto de Ivo na primeira página com a notícia. Ficou satisfeita de não ter visto antes.

— Ele é o responsável por tudo de bom que aconteceu comigo — disse para Oliver enquanto finalmente levantava o corpo e enxugava as lágrimas. — Agora ele se foi.

41

O funeral aconteceu dois dias depois. Governadores, senadores, magnatas dos jornais, alta sociedade, escritores, teatrólogos, estrelas de cinema, todos compareceram. E Bettina estava na primeira fila.

Ollie a pegou pelo braço ao deixarem a catedral e ninguém falou nada enquanto voltavam para o carro. Ela estava em silêncio e com os olhos secos por todo o caminho até o hotel, segurando a mão do amigo. Bettina estava branca como marfim com sua figura perfeita, como se fosse um camafeu em contraste com o céu cinza.

— Quer subir para tomar um café? — Olhou com ar ausente para Oliver e se virou depois que ele concordou e a seguiu.

Mas Alexander estava lá em cima e ela tentou ao menos manter um sorriso. Depois de meia hora, quando acabaram o café com *croissant* e Alexander contou suas histórias para a mãe sobre as alegrias de brincar no Central Park, o sorriso era mais do que fingimento. Oliver estava aliviado de ver que ela parecia melhor.

— Bettina? Que tal fazermos uma caminhada esta manhã? Acho que precisamos de ar. E depois, quem sabe, um almoço e talvez tomar o café em seu apartamento. — Oliver decidiu que não a deixaria sozinha. — O que acha? Você poderia vestir algo confortável e nós podemos passear um pouco. Gosta da idéia?

Não muito, mas sabia que ele queria ajudá-la e não queria magoá-lo.

— Está bem, está bem. — Jogou as mãos para cima com um sorriso forçado.

Desceram em silêncio no elevador, e dez minutos depois andavam pela calçada do parque. O tráfego estava menos intenso do que o normal porque era sábado, e de vez em quando uma charrete de aluguel passava por eles. Andaram por mais de uma hora, falando pouco e ficando muito tempo em silêncio, e finalmente ela sentiu um braço gentil em volta de seus ombros e olhou em seus olhos.

— É um bom amigo, sabia, Ollie? Você foi parte de minha decisão em voltar para cá. — Hesitou um instante. — Você e Ivo.

Afastou as lágrimas rapidamente com suas mãos cobertas pelas luvas brancas. Falou devagar, enquanto esperavam para atravessar a rua:

— A vida nunca mais vai me dar alguém como Ivo.

— Não, não vai — concordou ele.

De mãos dadas, andaram por mais uma hora, quando finalmente pararam para recuperar o fôlego.

— Gostaria de almoçar no Plaza?

Ela negou. Não se sentia bem para lugares sofisticados ou festivos. Ainda queria ficar sozinha.

— Acho que não, amor, mas agradeço.

— Muita confusão lá, não é?

— Mais ou menos.

— Que tal um chá com sanduíches em meu apartamento? Parece melhor?

Bettina sorriu ante a perspectiva e concordou. Ele chamou um táxi. Subiram rápido as escadas de seu apartamento de fachada de pedras e ele abriu a porta. Era um apartamento com um jardinzinho atrás e, enquanto ele enchia a chaleira para o chá, Bettina tirava seu casaco e admirava o pequeno jardim coberto de neve.

— Tinha me esquecido de como é bonito aqui, Ollie.

— Eu gosto. — Sorriu para ela e começou a fazer os sanduíches.

— Espero encontrar algum lugar bonito como este.

— Vai encontrar. Demora um pouco para encontrar os melhores, mas vale a espera.

O quarto era lindo, com o teto de vigas aparentes e uma lareira. Tinha uma sala muito confortável e uma cozinha antiga com uma parede de tijolos e as outras revestidas de madeira, chão de madeira, forno para pão e o jardim, o que era um prêmio raro em Nova York.

— Como encontrou este lugar?

— Nos classificados do *Mail*, é claro. O que exatamente está procurando?

— Algo bem maior do que este, infelizmente, com uns três quartos.

— Por que tantos?

Entregou a ela um prato com um simpático sanduíche de salame, presunto defumado e queijo.

— Preciso de um quarto para Alexander, um lugar para escrever e um quarto para mim.

— Está pensando em comprar?

Bettina olhou para ele confusa e deixou de lado o prato.

— Gostaria de saber. Não sei o que vai acontecer, Ollie. Agora tenho todo este dinheiro da peça, mas quem sabe se isso vai durar.

Ela o olhou com ar deprimido e ele sorriu.

— Posso te garantir que vai, Bettina.

— Você não tem como saber.

— Tenho sim. Você escreveu uma peça maravilhosa.

— Mas e se eu não conseguir outra? E se tudo parar?

— Você é exatamente como todos os outros, menina. Todos os escritores parecem viver sob o mesmo encantamento. Ganham milhões com o último livro, ficam nas listas dos mais vendidos por seis meses e choram sobre "e amanhã?", podem ainda escrever? E o próximo livro? E se... e assim por diante. Você é exatamente como eles.

— Não tenho mais certeza, mas acho que meu pai era assim — disse Bettina, sorrindo. — Mas olhe para ele, Ollie, morreu sem um tostão. Não quero que isso aconteça comigo.

— Ótimo, então não compre sete casas, nove carros ou contrate vinte e três empregados. Tirando isso, você poderia ficar muito bem.

Bettina tinha contado a ele tudo sobre os problemas de seu pai e a dívida de quatro milhões de dólares que ele deixou ao morrer.

— Sabe, Ollie, por toda a minha vida fui dependente de homens. Meu pai, Ivo, o ator com quem casei — ela nem ao menos pronunciava seu nome — e depois John. Esta é a primeira vez em que não dependo de ninguém a não ser de mim mesma. Acho que gosto disso.

— É uma sensação muito boa.

— É, mas é também meio apavorante. Sempre tive alguém à mão. Agora, pela primeira vez em minha vida, não tenho. Nem tenho mais Ivo. Tudo o que tenho sou eu.

— E eu — disse Oliver com carinho.

Ela tocou em seu braço afetuosamente.

— Você tem sido um grande amigo. Mas sabe de uma coisa engraçada?

— O quê?

— Não me importo em ter que contar comigo. Às vezes me assusta muito, mas é uma sensação gostosa.

— Bettina. — Seu olhar era cheio de candura. — Detesto ter que lhe dizer isto, mas acho que você acaba de se tornar adulta.

— Já?

Ela olhou para ele e começou a rir, e fizeram um brinde com a xícara de chá.

— Ei, você está muito adiantada neste jogo. Sou nove anos mais velho que você e não estou certo de que já me tornei adulto.

— Claro que sim. Sempre contou com você. Nunca foi dependente como eu.

— Ser independente também tem suas desvantagens. — Olhava triste para o jardim. — Você fica tão ocupado com o que está fazendo, para onde está indo e como chegar lá que nunca sobra tempo para se aproximar de outra pessoa.

— Por que não?

Ela falava com muito carinho naquela grande e confortável cozinha, enquanto olhava para ele.

— Não dá tempo. De qualquer jeito, eu estava muito ocupado sendo importante, esperando ser a primeira pessoa do jornal em Los Angeles.

— E você quase conseguiu isso aqui. E agora?

— Ainda não, Bettina. Sabe o que eu queria? Queria ser como Ivo, ser o editor de um grande jornal numa cidade importante. E sabe o que aconteceu? De repente não estou nem aí. Gosto do que estou fazendo. Estou adorando viver em Nova York e, pela primeira vez em quarenta e dois anos, não estou nem um pouco preocupado com o amanhã. Estou apenas me divertindo como agora, aqui mesmo.

— Sei exatamente o que quer dizer.

Ela inclinou-se um pouco para a frente e, sem perceber, Oliver moveu-se em sua direção. Naquele impulso, eles se beijaram por muito tempo. Quando finalmente ela se afastou para respirar, olhou-o surpresa.

— Como aconteceu isso?

Tentou esclarecer as coisas, mas ele não deixou. Subitamente havia algo muito sério em seus olhos.

— Foi um longo caminho, Bettina.

Estava pronta para negar, mas concordou:

— Acho que sim. Eu pensei... eu pensei que... seríamos apenas amigos.

— Nós somos. Mas tenho uma confissão para fazer, srta. Daniels. É uma coisa que queria dizer há muito tempo.

— Verdade, sr. Paxton? E o que é?

— É que eu te amo... na verdade, amo muito.

— Oh, Ollie.

Ela escondeu o rosto em seu peito com um suspiro, mas ele pegou seu queixo e, gentilmente, fez com que ela olhasse para ele.

— O que isso quer dizer? Está chateada?

Por um minuto ele ficou triste, mas ela balançou a cabeça com um jeito envergonhado.

— Não, não estou chateada. Como poderia estar? Eu te amo também. Mas pensei... pareceu tão simples... do jeito que era.

— Tinha que ser assim. Você era casada. Agora não é.

Ela pensou e depois o olhou bem de frente.

— Eu nunca vou me casar outra vez, Oliver. Quero que saiba disso agora mesmo. — Estava terrivelmente séria. — Pode entender isso? Você aceita minhas idéias?

— Posso tentar.

— Você tem o direito de se casar, nunca fez isso antes. Tem o direito de ter uma esposa e filhos e todas estas coisas. Mas eu já terminei com tudo isso. Chega, e nunca mais quero tentar.

— E o que quer?

Ele a segurava nos braços e a acariciava com o olhar.

— Companheirismo, afeição, alguém com quem rir e dividir minha vida, alguém que respeite a mim e meu trabalho e goste de meu filho...

Ela silenciou e seus olhos se encontraram. Foi Oliver quem finalmente quebrou o silêncio:

— Isso não é pedir muito, Bettina.

Sua voz era gentil enquanto ele acariciava seus cabelos cor de cobre. Ela se aconchegou em seus braços como um gato perto da lareira no inverno e seus olhos brilhavam ao falar com ele.

— E você, Ollie. O que quer?

Ele pareceu hesitar por algum tempo.

— Quero você, Bettina.

E ao dizer isso, suas mãos se moveram dos cabelos brilhantes que emolduravam seu rosto e começaram, devagar, a tirar suas roupas. Ela se deixou ser despida, desfiada como um novelo de lã, até que finalmente estivesse nua e incandescente em sua cama, uma espécie de cetim creme por debaixo das suaves mãos que a acariciavam. E então, como o coro de uma canção que ela há muito tempo sonhava, ele disse e repetiu várias vezes:

— Eu te quero, Bettina... minha querida... te quero... meu amor...

E de repente, ela sentia as chamas de sua paixão, há tanto tempo esquecidas, tomarem conta dela enquanto Oliver rapidamente e como um *expert*, trazia seu corpo de volta à vida. Logo ela estava se mexendo e crescendo em seus braços, tirando com pressa as roupas dele, até que ambos estivessem nus, sem respiração e famintos, queimando com o desejo insaciável pelo amor do outro. E então, a chama que eles queimaram tão avidamente se transformou em pequenas brasas enquanto descansavam nos braços um do outro e sorriam.

— Feliz?

Oliver olhou para ela com um brilho em seus olhos que indicava que agora ela pertencia a ele.

— Sim. Muito feliz. — Sua voz era um sonolento sussurro, enquanto ela enlaçava seus dedos nos dele e se aninhava em seu corpo. — Eu te amo, Ollie.

Era um sussurro pequeno e baixo, e ele fechou os olhos e sorriu. Puxou-a para perto dele e deixou que sua boca faminta procurasse a dela, e seus membros e sua alma e todo o seu ser buscavam por ela outra vez.

— Ollie...

Desta vez ela sorriu quando ele a tomou nos braços. Era o jogo deles agora. E ambos estavam se sentindo muito bem em fazer amor, finalmente.

— É assim mesmo que deve ser?

Ela olhou para ele com um sorriso suspeito quando acabaram.

— Assim como? — Seu sorriso era tão malicioso quanto o dela. — Você quer dizer despreocupado?

Ele sorria abertamente ao passar as mãos em volta dela e segurar seu traseiro.

— Madame, alguém já te falou ultimamente que tem a bunda mais linda da cidade?

— Tenho? — Sorriu travessamente. — Talvez devêssemos escrever isso no cartaz da minha peça...

Parecia que ela ponderava sobre a possibilidade, e Oliver ria e bagunçava seu cabelo.

— Venha cá, sua... — Mas as mãos eram gentis, mesmo quando as palavras eram de brincadeira. — Mulher, não pode fazer idéia do quanto eu te amo.

Ele ficou em silêncio por algum tempo e ela olhou para ele com a nova vida pela frente, refletida em seus olhos.

— Posso sim, Ollie... ah, posso sim.

— Pode mesmo? Como?

Mas ela não estava brincando agora. Abraçou-o com toda a sua força, seus olhos bem apertados, seu coração estendido para ele ao suspirar estas palavras:

— Porque eu te amo com todo o meu ser.

Ao dizer isso, ela sentiu que aquela era sua última chance. Seus olhos se abriram, olhou para Oliver Paxton e sorriu quando este se inclinou para beijá-la mais uma vez.

42

Bettina estava olhando para Ollie em sua cozinha enquanto colocava mais chá em sua xícara. Pelas últimas duas semanas, eles passaram longas horas no apartamento. Ela alugava a suíte do hotel por mês, mas a casa de Ollie ainda se parecia mais com um lar.

— Não fique tão feliz, querida. Eu prometo que sou honesto, trabalhador e muito limpo. — Ele acenou para o caos que reinava em volta deles: jornais de quatro dias, o seu robe e as roupas de Bettina. — Está vendo?

— Não seja engaçadinho. E este não é o assunto em questão.

— Então o que é? — Oliver sentou-se confortavelmente na mesa de carvalho e pegou a mão de Bettina.

— Se eu pensar em vir morar com você, vai começar tudo de novo. Vou ficar dependente, você vai querer se casar. Agora tenho que pensar em Alexander. Não está certo.

Ela parecia infeliz, e o olhar de Oliver era uma tentativa de consolo. Estavam discutindo aquele assunto a semana toda.

— Eu entendo seu cuidado com Alexander e me preocupo com ele também. Mas não faz sentido pensar assim. Você fica correndo daqui para o hotel e de volta para cá, nunca tem tempo de trabalhar e vai ser uma coisa idiota se você alugar outro apartamento. Passará pelo menos metade de seu tempo aqui. — Ele inclinou-se e a beijou. — Sabe o quanto eu te amo?

— Não, me diga.

— Eu adoro você.

— Que bom.

Deu uma risadinha e inclinou-se para lhe dar um beijo por cima da mesa e sentiu sua mão subir pela sua perna. Estava sendo assim desde a primeira vez. Ele era tão gentil e divertido e agradável de se conviver. Entendia seu trabalho e a compreendia, amava Alexander de verdade. Mas o melhor de tudo era que eles tinham uma amizade maravilhosa. Ela não queria nada mais do que viver com ele, mas não queria que os mesmos pesadelos acontecessem novamente. E se ele começasse a reclamar de seu trabalho? E se Alexander o perturbasse? E se ele a enganasse e ela a ele?

— Então? Vamos procurar um apartamento juntos? — Olhava para ela em triunfo.

— Alguém já falou que você é chato?

— Com freqüência, mas eu nem ligo.

— Bem, Ollie. — Olhou para ele com firmeza. — Eu não pretendo ceder.

— Ótimo. Então arranje seu apartamento, não durma, fique aqui até às cinco da manhã e depois corra para casa para que seu filho não descubra que você dormiu fora, o que significa que vai precisar de outro quarto, sabia?

— Por quê?

— Vai precisar que Jennifer more com vocês como ela faz no hotel, mas eu garanto que ela vai querer um quarto para ela. Você não pode sair e deixar Alexander sozinho durante a noite.

— Maldito seja!

— Ah, você sabe que estou certo.

— Oh, merda... bem, deixa eu pensar um pouco.

— Claro, senhora. Cinco minutos é suficiente?

— Oliver Paxton! Você é impossível!

Ela levantou-se e gritou, mas cinco minutos depois ele a tinha levado de volta para a cama.

Dois dias depois Oliver resolveu o problema. Chegou na suíte do hotel com um grande sorriso.

— É perfeito, Bettina.

Seu olhar era de vitória ao entrar, e Alexander imediatamente se atirou nas suas pernas.

— Pare com isso, Alexander... o que é?

Bettina estava com dois lápis no cabelo. Andava muito absorvida em sua nova peça.

— Encontrei o apartamento perfeito.

Ela lhe lançou um olhar diabólico e sentou-se na cadeira:

— Ollie...

— Espere um minuto e escute. É sensacional. Um amigo meu está indo para Los Angeles passar seis meses e alugaria o apartamento dele para nós. É simplesmente maravilhoso, um dúplex, quatro quartos, totalmente mobiliado, num ótimo condomínio do lado Leste. O aluguel é mil dólares. Podemos pagar sem problemas. E ficamos com ele por seis meses enquanto ele está fora e fazemos um teste. Se gostarmos, podemos procurar nosso apartamento ao final dos seis meses, e se não der certo, cada um segue seu caminho. E para te deixar menos nervosa, eu subalugo o meu, assim não vai sentir que eu estou preso a você no final dos seis meses. Não parece uma idéia razoável? — Ele a olhava esperançoso. — Além diso, por quanto tempo mais pode ficar pagando contas de hotel?

— Eu não sei se você é um mágico ou um charlatão, Ollie Paxton, mas uma coisa é certa: você às vezes aparece com umas idéias maravilhosas.

— Você gosta? — Estava eufórico.

— Claro que sim. — Levantou-se e envolveu sua cintura. — Quando podemos nos mudar?

— Eu, é... vou ter que perguntar a ele.

Mas ao olhar para ele, ela já sabia da verdade.

— Ollie... — Tentou parecer furiosa, mas só conseguiu rir. — Você já está com o apartamento?

— Eu?... Claro que não, que bobagem...

Mas ela o conhecia bem.

— Já acertou tudo!

— Já.

— Já temos o apartamento, então? — Olhou para ele, com ar divertido.

— Já.

— Mas e se eu dissesse não?

— Então eu ficaria com um apartamento chique pelos próximos seis meses.

Ambos riram por um bom tempo, até que o rosto de Bettina ficou sério:

— Mas quero deixar uma coisa muito clara, Ollie.

— Sim, senhora.

— Vamos dividir o aluguel. Eu tenho Alexander, então pago dois terços.

— Oh, não! A liberação feminina. Não acha que poderia deixar eu cuidar disso?

— Não, e se é isso que quer, então não vou. Ou dividimos ou não nos mudamos.

— Maravilha. Mas o que acha de pagar a metade?

— Dois terços.

— Metade.

— Dois terços.

— Metade. — E agarrou sua bunda com firmeza. — E se disser mais uma palavra sobre isso, Bettina Daniels — sussurrou enquanto Alexander voltava para seu quarto —, vou te agarrar aqui mesmo.

Estavam rindo e ainda discutindo quando entraram correndo no quarto de Bettina e fecharam a porta.

43

— Você gosta? — perguntou Oliver.

— Está brincando? É maravilhoso!

Ela olhava em volta, extasiada. Era um daqueles raros apartamentos do lado Oeste, mais do que elegante, simplesmente sensacional. Um dúplex, os quatro confortáveis quartos ficavam no andar de cima, a sala de jantar e de estar ficavam no andar de baixo e o teto era da altura dos dois andares. As duas salas revestidas de madeira, e até mesmo Ollie podia andar dentro da lareira, de tão alta que era. As janelas, enormes; tinha uma vista para a Quinta Avenida do outro lado do parque. Havia um pequeno estúdio onde eles podiam escrever e os quartos eram lindos, com estilo totalmente francês.

— De quem é este apartamento? — Ainda fascinada, sentou-se numa cadeira francesa.

— De um produtor de cinema que conheci há algum tempo.

— Qual é o nome dele?

— Bill Hale.

— Acho que já ouvi falar. Ele é famoso?

Mas ela sabia que deveria ser, para ter um apartamento como aquele. Ollie estava rindo e começou a enumerar o nome dos filmes e peças que ele produziu.

— Não é muito diferente de você.

— Que simpático!

— Não, falo sério. Ele escreveu uma peça e foi um sucesso, depois fez diversos filmes e depois mais peças. Agora trabalha a maior parte do tempo fora de Hollywood, mas tudo começou com um sucesso e ele entrou no caminho da fama. — Estendeu os braços para Bettina e a segurou num abraço apaixonado. — Vai ser assim com você. Só vou esperar para ver.

— Bem, é bom esperar sentado. O que está fazendo em Hollywood agora?

— Casando-se. É outra coisa que tem em comum com você. Acho que ele tem uns trinta e sete anos e esta é sua quarta esposa.

— Eu não achei graça, Ollie.

Seu rosto mostrou que estava muito chateada e Ollie fez uma careta para ela.

— Não fique tão séria, Bettina. Não perca seu senso de humor.

— Além disso, só me casei três vezes.

— Bem que eu poderia ajudar você a se igualar a ele.

— Não, obrigada.

Estava indo em direção à cozinha e, quando chegou lá, se engasgou. Ele ouviu que Bettina o chamava enquanto ajudava Alexander a trazer uma caixa de brinquedos.

— Ollie, venha até aqui!

— Estou indo, só um segundo...

Mas quando chegou lá ele também assoviou. A cozinha parecia uma estufa de plantas e tinha uma pequena varanda cheia de tulipas rosas, vermelhas e amarelas.

— É maravilhoso. — Bettina olhava para ele encantada. — Gostaria de poder ficar com ele para sempre.

— Tenho certeza de que Bill também quer ficar com ele para sempre.

Mas os meses passaram surpreendentemente rápido e ela terminou a outra peça no final de maio. Era sobre uma mulher muito parecida com Bettina e recebeu o título de *Ave-do-paraíso*, o que fez Ollie sorrir.

— Você gosta?

Estava ansiosa quando Oliver lhe devolveu os originais no café da manhã. Estavam na cozinha, aproveitando o sol da primavera e um lindo céu azul.

— É melhor que a primeira.

— Acha mesmo? Oh, Ollie! — Atirou-se em seu pescoço. — Vou fazer uma cópia e mandar hoje para Norton.

Mas aconteceu que Norton ligou para ela antes de receber a peça nova.

— Que tal vir me fazer uma visita hoje, Bettina?

— Claro, Norton, o que há?

— Tem uma coisa que quero discutir com você.

— Eu também. Ia mesmo te mandar a minha nova peça.

— Ótimo. Que tal um almoço?

— Hoje?

Estava surpresa. Geralmente Norton não era apressado, mas entendeu por que na hora do almoço. Sentaram-se a uma mesa calma do Club 21, comeram bife tártaro com salada de espinafre e Bettina ficou espantada quando ele contou o que tinha em mente.

— Então, esta é a oferta, Bettina. O que acha?

— Eu nem sei o que dizer.

— Eu sei. Parabéns. — Estendeu a mão. — Acho que você terá que ir para lá. Mas ainda pode esperar algumas semanas. Eles não querem começar antes de julho.

Estava perfeito, porque era exatamente quando ela e Ollie teriam que devolver o apartamento, mas ainda não sabia o que dizer. Tudo que Norton acabara de lhe dizer ainda estava girando em sua cabeça. Deu um jeito de se controlar até o final do almoço, e depois correu até o jornal para falar com Ollie que estava terminando sua matéria.

— Tenho que falar com você.

Parecia muito nervosa e ele logo ficou preocupado.

— Algum problema? Alexander... Bettina, fala...

— Não é nada disso. Acabei de almoçar com Norton. — Então olhou para ele confusa. — Eles querem fazer um filme com a minha peça.

— Que peça? A nova? — Ficou tão surpreso quanto ela.

— Não. A outra.

Ele começou a rir:

— Não se preocupe. Vão acabar fazendo da nova, também.

— Ollie, pare com isso. Me escute!... O que é que eu vou fazer?

— Fazer o filme, claro, sua pateta. Eles querem que você escreva o roteiro também?

Ela disse que sim e Oliver deu um pulo de alegria.

— Aleluia! Você conseguiu. Esta é sua hora, minha querida.

Ela queria perguntar sobre o que aconteceria com ele.

— Mas eu vou ter que ir para Hollywood fazer o filme, Ollie. Será feito lá.

— E daí?

Então era isso que tudo significava para ele. Seis meses de uma companhia agradável. Agora entendia. E ela se apegara demais a ele naqueles meses.

— Não fique assim. Não é o fim do mundo.

— Eu sei disso... — Abaixou o tom de sua voz. — É que eu pensei...

— O quê? — Ele parecia intrigado.

— Deixa pra lá.

— Não, agora me diga o que há.

Ele agarrou-a pelo braço.

— Ollie, tenho que ir para Los Angeles fazer o filme, e não queria deixar você.

— E quem disse que tem que me deixar?

Falavam em sussurros, por estarem na redação.

— Que diabos quer dizer com isso? E seu emprego?

— O que tem meu emprego? Me demito, e daí? Não tem nada de mais.

— Você está louco? Você é o crítico de teatro número um, não pode sair assim.

— É mesmo? Espere e verá. Eu te disse há seis meses que todas estas ambições da juventude não significavam mais nada. Você é que está com uma carreira em ascensão e por coincidência eu amo você. Então eu me demito e nós nos mudamos.

— Não está certo. — Ela balançava a cabeça com tristeza.

— Lembra-se daquela frase de seu pai sobre se agarrar aos sonhos? — Falou isso segurando-a com os dois braços.

Bettina fez que sim e Oliver aumentou a pressão nos seus braços.

— Este é o meu sonho.

Ela o olhou agradecida.

— Mas onde vai trabalhar?

— Não se preocupe, acho alguma coisa. Talvez pegue meu antigo emprego de volta.

— Mas você quer isso?

— Por que não?

Bettina ficou abismada em ver que ele abandonaria o emprego tão prontamente por ela e estava sinceramente agradecida a ele. Não tinha percebido ainda, naqueles quatro meses em que estavam juntos, que ela era muito mais ambiciosa do que ele. Tudo o que ele queria agora era um emprego e uma vida feliz com sua esposa e talvez até filhos. Vivia encantado com Alexander, e Bettina sabia que ele queria ter seus próprios filhos.

— Então acha que devo aceitar?

— Fala sério, Bettina? Ligue para Norton agora mesmo e diga sim.

Mas ela abaixou a cabeça meio envergonhada e sorriu.

— Foi o que eu falei a ele depois do almoço.

— Sua tratante. Quando vamos?

— Meio de julho.

Ele concordou e ela o beijou, saindo do escritório poucos minutos depois.

Naquela mesma noite, quando ele chegou em casa, ligou para seu antigo chefe do jornal de Los Angeles e dois dias depois ligaram de volta oferecendo um emprego. Era melhor do que o anterior, mas ainda não tão bom quanto o de Nova York. Por um instante Bettina sentiu-se culpada, mas ele rapidamente interferiu. Abraçou-a por um longo tempo e ficaram sozinhos na agradável biblioteca revestida de madeira, enquanto ele acariciava seus cabelos dourados.

— Bettina, mesmo que não tivesse conseguido nada, eu iria com você.

— Mas, Ollie, isso não está certo. Seu trabalho é tão importante quanto o meu.

— Não é não, querida. E nós dois sabemos disso. Você tem uma grande carreira pela frente, e tudo o que tenho é um emprego.

— Mas você também poderia ter uma grande carreira. Poderia ser como Ivo...

Sua voz estava sumindo e, com um sorriso, Ollie negou com a cabeça.

— Acho que não, gatinha.

— Por que não?

— Porque não é isso que eu quero. Estou com quarenta e três anos, Bettina, e não quero mais me matar numa mesa de escritório até oito da noite todo dia. Não vale a pena. Eu quero ter uma vida boa. Mas você terá um grande futuro, querida.

Ela também queria uma vida boa, mas queria um pouco mais além.

— Acha mesmo?

Começava a gostar da idéia, agora. Era muito atraente.

— Acho, sim.

44

No final de julho eles relutantemente abandonaram o apartamento dois dias antes de Hale voltar, e Oliver, Bettina e Alexander voaram para Los Angeles, onde um corretor já tinha arranjado uma pequena casa mobiliada.

— Oh, não... — Bettina olhava em volta quando entraram na casa. — Não sei se devo vomitar ou desmaiar.

Oliver ria muito.

— Que tal os dois?

O lado de fora da casa estava pintado de lilás e a parte de dentro era basicamente rosa. Havia alguns toques dourados, e partes com imitação de leopardo. Havia coleções de objetos por todos os lados intercalados com conchas. A única vantagem era que ficava na praia de Malibu e que era bem na areia. Alexander ficou encantado e logo correu para brincar na areia.

— Acha que pode agüentar, Bettina?

— Depois de onde ficamos em Nova York, vai ser difícil. Mas acho que vamos ter que nos acostumar. Como puderam fazer isso conosco?

— Fique feliz, são só seis semanas.

Ela concordou agradecida e voltou para dentro, mas nas semanas seguintes mal tiveram tempo de reparar onde moravam. Oliver estava ocupado se readaptando ao novo emprego e Bettina trabalhava doze a quinze horas por dia no estúdio durante as primeiras semanas, decidindo o que entraria no roteiro, diferente do que foi feito no palco. Mas no final de agosto as coisas estavam mais calmas e Bettina cuidou melhor da casa. Chamou o corretor e conversaram sobre o assunto. Sabia o que queria, mas a dúvida era se ele acharia o que procuravam. Uma coisa estava certa, já estavam cheios de morar na praia e Bettina estava ansiosa para encontrar algum lugar onde pudesse se esconder e trabalhar.

Teve esperanças nas primeiras semanas, mas depois caiu em desespero.

— Nem me fale, Ollie, nada ainda?

Quase se sentaram sobre uma concha.

— Não agüento mais este lugar idiota. Tenho que trabalhar e estou ficando louca.

Ele veio abraçá-la.

— Calma, gatinha. Vamos descobrir alguma coisa. Prometo.

Ela tinha reativado a amizade com Mary e Seth, e um dia estava se lamentando com Mary ao telefone por causa da casa.

— Estou começando a perder as esperanças. Este lugar é para loucos.

— Vai encontrar alguma coisa, amiga. Enquanto isso, você é novamente a ave-do-paraíso.

Tinha visto casas que se pareciam com palácios, com piscinas internas e externas, lugares com estátuas gregas e uma casa com catorze banheiros de mármore rosa. Finalmente encontrou o que queria, e voltou para casa com o brilho da vitória nos olhos.

— Encontrei, Ollie. Achei! Espere até ver.

Ele esperou. Era perfeita. Uma casa linda e elegante na parte de trás de Beverly Hills. Conseguia ser imponente e graciosa sem ser pretensiosa, uma raridade naquela parte da cidade. Era um pouco maior do que queria, mas tão bonita que ela nem ligou. Tinha cinco quartos no andar de cima e um pequeno estúdio. Na parte de baixo ficava o terraço, a sala de estar e de jantar, uma cozinha enorme e outro estúdio confortável. Podiam usar todos. Ela trabalharia no de cima e Ollie ficaria com o outro e tinha decidido contratar alguém para ajudar com Alexander, então um dos quartos poderia ser para a babá, e ainda sobravam dois.

— O que vamos fazer com todos esses quartos, menina?

Oliver sorria para ela enquanto dava partida no carro.

— Usar como quarto de hóspedes, eu acho. — E pareceu preocupada. — Acha que é muita coisa?

— Não, acho que está ótima, mas estava pensando numa coisa quando perguntei.

— Já pensei nisso. — Olhou para ele, orgulhosa. — O estúdio de baixo é seu.

Mas ele apenas sorriu:

— Não era nisso que eu estava pensando.

— Não? — Ela parecia surpresa e depois confusa, enquanto dirigiam de volta para Malibu. — Então no que estava pensando?

Oliver hesitou um momento e depois parou o carro no acostamento.

Olhou sério para ela e falou o que tinha em mente há algum tempo:

— Bettina, eu gostaria que nós tivéssemos um filho.

— Fala sério?

— Falo sério.

— Agora? — Mas ela tinha que fazer o filme... e se a nova peça fosse montada?

— Eu sei, está pensando no seu trabalho. Mas você disse que se sentiu bem quando estava grávida de Alexander. Poderia escrever esse roteiro enquanto estivesse grávida e depois eu tomo conta. Se for preciso, podemos contratar uma enfermeira.

— E isso é bom para o bebê?

— Eu não sei. Mas te digo uma coisa. Eu daria a essa criança tudo que eu tenho. Cada momento, cada sorriso, cada alegria e todas as horas que eu pudesse compartilhar.

— Significa tanto assim para você?

Ele fez que sim, e ela sentiu a dor do arrependimento atingir seu coração, mas negou com a cabeça, devagar.

— Por quê? Por causa do seu trabalho?

— Não. Provavelmente poderia dar um jeito nisso.

— Então por quê?

Ele a pressionava. Seu desejo por um filho era mais forte.

— Não. — Ela negou novamente e depois o encarou. — Ninguém vai fazer com que eu passe por tudo aquilo novamente.

Ficaram algum tempo em silêncio e depois ele pegou carinhosamente sua mão. Lembrava da história horrível que ela lhe contara.

— Não precisaria passar por isso, Bettina. Nunca deixaria alguém fazer uma coisa dessas com você.

Mas ela se lembrava muito bem do que John dissera, que estaria ao lado dela também.

— Sinto muito, Ollie. Não posso. Pensei que tinha deixado isso claro para você desde o começo.

Ela deu um suspiro e ele recolocou o carro em movimento.

— E deixou. Mas não sabia o quanto isso ia me incomodar. — Olhou para ela com um sorriso sem jeito. Estava magoado com sua resposta e assim ficaria por muito tempo. — Você é uma mulher e tanto, Bettina, e não há nada que eu queira mais neste mundo do que um filho seu.

Ela se sentiu um monstro, mas não havia nada a dizer enquanto voltavam para casa. Eventualmente a conversa mudou para a casa nova e no dia seguinte ela fez uma oferta. Uma semana mais tarde a casa cra deles.

— Um pouco cara. — Como dizia a Mary ao telefone. — Mas espere só para ver, é maravilhosa, você vai adorar. Decidimos ficar por aqui.

Mary sentia-se feliz por ela.

— Como está Ollie em seu novo emprego?

— Na verdade é seu antigo emprego, mas ele gosta. — Houve um momento de silêncio enquanto uma sombra passava pelos olhos de Bettina. Hesitou um pouco, depois sentou-se com o telefone apoiado em seu ombro. Estava sozinha na casa de Malibu naquela manhã e olhava com tristeza para a praia. — Mary, estou com um problema.

— O que é, amiga?

— É Ollie. Ele quer filhos.

— E você não.

— Ganhou o prêmio por adivinhação.

— Por quê? Sua carreira? — Mary não parecia estar acusando Bettina. Ela entenderia.

— Não, não é isso, é...

— Não me diga: McCarney.

Mary disse isso e quase rosnou. Bettina teve que rir.

— Nossa! Acho que você o odeia mais do que eu.

— Tenha certeza disso. — E depois, com uma voz mais gentil. — Mas esta não é uma razão para não ter um filho. Eu te disse, há cinco anos, que não precisava ser como foi. Por Deus, Betty, mesmo sendo complicado, um médico decente te daria uma anestesia e algumas injeções e você nem saberia o que aconteceu. Estaria dopada e só perceberia quando estivesse com um nenenzinho no colo.

Bettina sorriu ao ouvir a amiga.

— Você faz com que pareça tão fácil.

— E é fácil.

— Eu sei. Amo Alexander e sei que amaria um filho de Ollie, mas é que... Oh, Deus, Mary, não poderia...

— Faço um acordo com você. O que você decidir sobre isso é um problema seu, mas se você engravidar, vou até aí e fico com você para o nascimento da criança.

— Como uma enfermeira? — Bettina parecia intrigada.

— Como as duas coisas. Enfermeira e amiga. O que você quiser e o que o médico disser. Provavelmente eu seria mais útil a você como amiga, mas você é quem sabe. E Ollie poderia ficar com você. Sabe, mesmo em cinco anos, muitas coisas mudaram. Com todo este papo sobre filhos, vocês estão pensando em se casar?

— Nossa, não!

— Não pensei que quisesse, apenas perguntei.

— Disso, pelo menos, ele já desistiu.

— Então talvez desista de filhos também.

— Talvez.

Mas Bettina achava que não e não tinha certeza se queria que ele desistisse. Acabara de fazer trinta e quatro anos e, se fosse ter outro filho, já era hora.

45

Eles se mudaram da casa lilás um mês depois que o contrato de seis semanas acabou e foram para a linda casa de pedra, e por algum tempo conviveram com salas vazias. Mas Ivo deixara para Bettina toda a mobília do apartamento de Nova York. Ela ligou para o depósito onde estava guardada e tratou da remessa. Os dois fizeram algumas compras, foram a leilões, compraram cortinas e passaram um dia inteiro escolhendo tapetes. Três semanas depois o lugar estava ótimo, para começar. Os objetos de Ollie vieram do pequeno apartamento que ele desmontara em Nova York.

Ollie nunca mais mencionou o bebê, mas Bettina pensava nisso enquanto fechava o maior dos dois quartos extras. Não teve tempo de arrumá-los como quartos de hóspedes, porque precisava sentar-se e começar a escrever o roteiro do filme. Parecia interminável, e quatro meses depois ainda estava soterrada num monte de anotações, modificações e rascunhos no seu pequeno estúdio ensolarado. Ficava bem em frente do quarto do casal, e Ollie podia ouvi-la datilografando, tarde da noite, quando ia dormir. Mas só depois do Natal ele percebeu que ela parecia muito cansada.

— Você está se sentindo bem?

— Estou, sim. Por quê?

— Não sei. Não parece bem.

— Oh, querido, obrigada. — Riu para ele. — O que esperava? Estou trabalhando como louca nesta droga.

— E como está indo?

Soltou um profundo suspiro e deixou-se cair numa confortável cadeira.

— Não sei. Acho que já está quase pronto, mas não admito isso. Fico mexendo e remexendo, até que fique perfeito.

— Já mostrou para alguém?

Ela negou com a cabeça.

— Talvez ajudasse.

— Tenho medo de que eles não entendam o que estou fazendo.

— Mas é o trabalho deles, gatinha. Por que não experimenta?

Duas semanas mais tarde ela aceitou o conselho e deu para Norton e para os produtores lerem. Eles a parabenizaram pelo roteiro pronto. Mas em vez de ficar melhor, ela parecia fisicamente pior.

— Que tal ir a um médico?

— Não preciso de médico. Tudo de que preciso é sono.

Aparentemente ela estava certa. Pelos próximos cinco dias ela mal saiu da cama e nem comia

— Está tão exausta assim? — Ollie estava realmente preocupado, mas tinha que admitir que ela trabalhou como uma louca por quatro meses e meio.

— Mais do que isso. Sempre que me levanto, tudo que quero fazer é voltar para a cama.

Dois dias depois ele ficou nervoso e insistiu em que ela fosse ao médico. Marcou hora para ela, que reclamou muito quando ele a pegou depois do trabalho, para levá-la.

— Que é que tem de mais ir ao médico?

— Não preciso de médico. — Ele também notara que ela estava agressiva e que pouco comia. — Só estou cansada.

— Bem, talvez ele possa fazer alguma coisa para melhorar o seu humor.

Mas ela não ria mais de suas piadas e, quando entrou no consultório do médico, Oliver achou que ela estava quase chorando. Quando saiu de lá, ele teve certeza disso e ela não disse nada.

— E então?

— Estou bem.

— Ótimo. O que o fez achar que está? Sua maravilhosa disposição ou esse brilho saudável em seus olhos?

— Você não está sendo engraçado. Não pode me deixar em paz?

Mas quando chegaram em casa, ele a agarrou pelo braço e a empurrou para o estúdio de baixo para que pudessem falar sozinhos.

— Chega desse papo, Bettina. Quero saber que diabos está acontecendo.

— Nada! — Mas quando ela o olhou, seus lábios tremiam e seus olhos se encheram de lágrimas. — Nada, está bem?

— Não, não está! Está mentindo! O que o médico disse? — Ela ia sair e ele agarrou seu braço. — Bettina... querida... por favor...

Mas ela apenas fechou os olhos e negou com a cabeça.

— Me deixe em paz.

Devagar, ele a virou em sua direção. Talvez fosse alguma coisa horrível. Um tremor passou por ele, e tentou disfarçar. Não podia suportar a idéia de perdê-la. Sua vida nunca mais seria a mesma.

— Bettina!

Agora sua voz tremia, também, mas finalmente ela olhou para ele com lágrimas escorrendo pelos olhos.

— Estou grávida de três meses e meio, Oliver. — Engoliu em seco. — Estava tão envolvida na droga do roteiro, que nem notei. Tudo que fiz foi trabalhar dia e noite, e nunca pensei... — Chorou mais alto. — Nem posso fazer um aborto. Estou duas semanas fora do prazo.

Ele olhou para ela, momentaneamente em choque:

— E era o que você queria?

— O que adianta isso agora? Não tenho escolha.

E então, lutando para soltar as mãos de Ollie, saiu do estúdio. Um momento depois, Oliver ouviu a porta do seu quarto bater com força, e Alexander veio correndo lá de cima.

— O que a mamãe tem?

— Só está cansada.

Mas Alexander parecia irritado:

— Ainda?

— Ainda, garotão.

— Tá bem. Quer vir brincar?

Mas Ollie estava distraído e balançou a cabeça vagamente. Tudo que queria era ficar sozinho.

— Que tal mais tarde?

O menino pareceu chateado.

— Mais tarde eu tenho que ir para a cama.

— Nesse caso... — Oliver parou para dar um grande abraço nele. — Você vai ter que me desculpar. Quer fazer um grande desenho para mim? — O menino concordou, satisfeito. Com um volteio, Ollie pegou papel e lápis e deu para ele. — Este está bom?

— Tá bom.

Alexander saiu do quarto para procurar a babá, e Ollie caiu numa cadeira. Ainda estava surpreso com o que Bettina dissera sobre um aborto. Será que realmente o faria? Será que diria a ele? Como podia fazer isso? Mas ele se forçou a entender que não era aquilo que estava acontecendo. Ela teria um filho seu... seu filho... Percebeu que sorria, mas franziu a testa novamente, em agonia por ela. E se fose tão ruim quanto da última vez? E se ela nunca o perdoasse? Como pôde fazer aquilo com ela? Sentiu que começava a entrar em pânico e, quase sem pensar, procurou o caderno de telefone de Bettina e discou um número em Mill Valey. Eles mal se conheciam, mas ele sabia que ela poderia ajudar.

— Mary? Aqui é Oliver Paxton, de Los Angeles.

— Ollie? — Houve um momento de silêncio. — Alguma coisa errada?

— Eu... não... é que... tem sim.— E, com um suspiro, contou a ela toda a história. — Eu nem sei por que estou ligando, a não ser porque... Oh, Deus, eu não sei. Mary, você é uma enfermeira e amiga... estava lá da outra vez... droga, você acha que isso podia matá-la?... Eu não sei o que dizer. Ela está histérica. Nunca a vi tão chateada.

— E tem o direito de estar.

— Foi tão ruim quanto ela se lembra?

— Não. Provavelmente muito pior.

— Oh, meu Deus! — E então, odiando a si mesmo pelo que dizia: — Pode ser feito um aborto quando já se está grávida de três meses e meio?

— Se for preciso, mas é muito perigoso. — E, depois de um instante: — É isso que você quer?

— É o que ela queria. Ela disse isso. — Parecia estar quase às lágrimas.

— Está apenas assustada. — E, com calma, ela contou como foi. Quase fez ele gritar. — Ela realmente teve um parto doloroso, mas foi principalmente por causa do médico. Ele fez com que fosse o mais doloroso possível.

— E ela sabe disso?

— Conscientemente sim, mas na alma não. Ela tem um grande trauma e eu sei disso. Nós já discutimos isso. Ela decidiu naquela época que nunca mais teria um filho e, se eu tivesse passado pelo que ela passou, também tomaria a mesma decisão. Mas, Ollie, desta vez vai ser completamente diferente.

— Como pode saber?

— Qualquer médico pode dizer isso. Na verdade, o dela já deve ter dito.

— Mas ela nem foi a um obstetra.

— Bem, então cuide para que ela vá imediatamente. Ela deve falar com outras mulheres, outros médicos. Ollie, veja bem quem é o médico de todas as formas possíveis. É importante. Ela não deve passar por aquilo outra vez.

— E não vai. Obrigado, Mary. Sinto muito perturbá-la com nossos problemas.

— Não seja bobo. Ollie... estou feliz.

Ele suspirou novamente.

— Eu também, mas droga, detesto ter que fazê-la passar por isso.

— Ela logo vai se acalmar. Só tem que conseguir um bom médico.

Ele providenciou o médico logo que desligou o telefone. Ligou para quatro amigos do jornal que tiveram filhos há pouco tempo. Milagrosamente, três mulheres tiveram o mesmo médico e todas disseram que foi maravilhoso. Escreveu o nome dele num pedaço de papel e ligou para a telefonista de informações e nervosamente ligou para ele. Três minutos depois o médico estava ao telefone.

— Dr. Salbert, meu nome é Oliver Paxton... — Contou a história para ele.

— Traga-a aqui pela manhã. Digamos, por volta das dez e meia.

— Ótimo. Mas o que faço agora?

O médico riu.

— Dê a ela uma boa bebida.

— E não faz mal ao bebê?

— Não se for só um pouco.

— Que tal champanhe? — Oliver nunca se sentiu tão agitado e nervoso, mas o médico apenas riu.

— Sem problemas. Até amanhã.

— Claro... obrigado, doutor.

Desligou o telefone e saiu correndo do estúdio.

— Aonde você vai? — Alexander gritou atrás dele.

— Volto logo.

E voltou, com uma enorme garrafa de champanhe francesa gelada. Cinco minutos depois ele arrumou a garrafa, dois copos e alguns amendoins numa bandeja e batia devagar na porta do quarto.

— Que é?

Podia ouvir a voz de Bettina abafada lá dentro.

— Posso entrar?

— Não.

— Ótimo. — Abriu a porta. — Adoro ser bem recebido.

— Oh, não! — Ela se virou na cama quando viu o champanhe. — Isso é uma comemoração, Oliver?

— Cuide da sua vida, Daniels. Eu comemoro a vinda de meu filho ao mundo da forma que eu quero. Além disso — colocou a bandeja na mesa e olhou para ela carinhosamente — estou terrivelmente apaixonado pela mãe dele.

Sentou-se perto dela e acariciou seu cabelo, mas ela se afastou.

— Não... não estou com clima para isso.

Mas ele ficou lá olhando para ela, com todo o seu amor estampado nos olhos.

— Querida, sei o que está sentindo. Falei com Mary e entendo como deve ter sido um pesadelo. Mas não vai ser assim novamente. Nunca, nunca, eu juro.

— Você ligou para Mary? — Ficou surpresa e depois suspeita. — Por que fez isso?

— Porque te amo, estava preocupado e não quero que você fique com medo.

Ela começou a chorar outra vez.

— Oh, Ollie... eu te amo... querido... — Soluçava em seus braços.

— Vai dar tudo certo.

— Promete? — Ela parecia uma menininha.

— Eu prometo. E amanhã vamos a um médico que muita gente adora.

— Você já conseguiu um médico para mim?

— Claro, sou incrível. Não tinha notado isso?

— Já... para falar a verdade, já... Como descobriu um médico? — Ela sorria para ele, que abaixou para beijar-lhe a orelha.

— Perguntei a alguns amigos cujas mulheres acabaram de ter filhos e depois liguei para ele. Pareceu simpático.

— E o que ele disse?

— Que você devia tomar um pouco de champanhe. — Sentou-se, sorrindo. — Ordens do médico. — Abriu a garrafa e estendeu para ela o copo com o líquido borbulhante.

— E não faz mal ao bebê? — Seu olhar era de dúvida ao segurar o copo. John a proibira de beber enquanto esperava Alexander.

— Não, querida. Não vai fazer mal ao bebê. — Estava satisfeito em saber que ela se preocupava. — Vai ser um bebezinho lindo, Bettina.

— Como pode saber? — Ela sorria, bem à vontade.

— Porque é nosso.

46

— Ei, gordinha, é para você.

Oliver gritou de dentro da casa enquanto Bettina brincava com Alexander no quintal. Tinha comprado um novo balanço e, com sua enorme barriga, empurrava o mais alto que podia.

— Volto num minuto, querido. — Correu para a cozinha o mais rápido que pôde, com um olhar de reprovação para Oliver. — Não fale assim comigo, seu gigante de boca grande. Só engordei seis quilos e meio.

— Tem certeza de que aquele cara sabe ler a balança direito?

Mas o médico que ele descobriu sabia fazer mais do que isso. Em quatro meses, Bettina desenvolveu uma relação baseada na confiança e já não se apavorava tanto.

— Deixa pra lá. Quem é ao telefone?

— Norton.

— O que ele quer?

— Não sei. Pergunte a ele.

Pegou o telefone e trocaram um beijinho. Sua relação era cheia de brincadeiras e alegrias. Ollie estava eufórico com o filho e sentia-se infinitamente protetor para com ela. Até mesmo Alexander tinha decidido que talvez não fosse ruim, desde que fosse menina.

— O quê? — Bettina encarava o telefone, sem acreditar.

Ollie olhou para ela, tentando fazer perguntas, mas ela balançou a cabeça e virou de costas. Pareceram horas até que finalmente ela desligou o telefone.

— Bem, o que foi? Não faça suspense.

Ela sentou-se, pálida.

— Vão produzir minha segunda peça. Não só vão fazer a peça, como já têm um acordo para o filme.

— E você está surpresa? Eu avisei. A única coisa que me surpreende é que tenha demorado tanto. — Demorou quase um ano para vender a segunda peça. Então, ele pareceu preocupado. — Quando querem começar?

Olhou para Oliver, divertida.

— Foram compreensivos sobre isso. Norton contou que eu estava grávida e eles vão esperar um pouco.

— O que quer dizer isso?

— Outubro. — O bebê era esperado para julho. — O contrato diz que só tenho que passar três meses em Nova York. — E então ela pareceu preocupada. — Pode conseguir uma licença por tanto tempo?

— Se for preciso. — Ele não ficou preocupado. — Podemos levar um bebê tão pequeno assim para Nova York?

— Claro. Ele já vai estar com dois meses.

— Não ele, ela. — Oliver corrigiu. Insistia em que queria uma menina. Olhava para Alexander com orgulho, dizendo que já tinha um filho. Era uma das razões pela qual ele ainda queria se casar, para que pudesse adotar Alexander e dar a ele seu nome. Mas Bettina ainda estava firme em sua recusa.

— É mais divertido desse jeito, todos temos nossos nomes: Daniels, Paxton e Fields.

— Parece uma empresa.

Mas ela não se importava. Agora estava sentada, pensando em sua peça, e Oliver perguntou:

— E quando vão começar o filme?

— Depois do Natal. Imagino que vai demorar uns seis meses, o que vai me manter ocupada até junho. Ao todo, serão nove meses de trabalho.

Mas Oliver ainda estava preocupado.

— Não vai ser muita coisa para você logo depois de ter um bebê?

— Não vai ser *logo* depois. Terei dois meses para descansar. Pode acreditar, a parte pior não é depois.

Ela ainda tinha seus medos, mas fizeram cursos juntos e partilhavam cada consulta com o médico. Oliver tinha esperado muito tempo para aquele evento e não queria perder um minuto. Aos quarenta e quatro anos, ele dizia que era o acontecimento de sua vida.

Bettina se descobriu dividindo toda sua excitação com a peça e o bebê. Só no último mês de gravidez que sua ansiedade sobre a peça ficou obscurecida. Parecia que tudo o que ela queria era estar com Ollie e sentar-se pacificamente na sombra, observando Alexander brincar. Dormia cedo, comia bem e lia um pouco, mas era como se sua mente estivesse totalmente em paz. Não queria novos desafios, não queria falar com Norton ou se preocupar com acordos. Estava se preparando para uma coisa muito importante que lhe tomava toda a concentração. Parecia absorver toda a sua vida.

Dois dias antes da data esperada, Mary veio de San Francisco de avião. Deixou todos os filhos com a mãe, e Seth foi acampar com os amigos.

— Pode acreditar, prefiro muito mais estar aqui do que acampando. — Olhava feliz para Bettina. — Então? O que está acontecendo por aqui?

— Absolutamente nada. Me transformei num vegetal. Talvez nunca mais consiga escrever uma peça.

Ela nem ligava. Só podia pensar no bebê. Nem estava mais muito preocupada com Oliver. Só com sua barriga e com o filho. Era uma estranha existência egoísta, mas Oliver entendia, porque o médico tinha lhe avisado que seria assim no final.

— O que diz o médico?

— Nada. Só que pode nascer a qualquer hora. Mas não acho que vá ser na data marcada.

— Por que não?

— As coisas não acontecem assim.

— Claro que sim. — Mary ria enquanto os três entravam no carro. — Tudo que precisa fazer é preparar algum programa chique como um belo jantar em algum lugar ou uma ida ao teatro, e pode apostar que vai nascer naquela noite.

Os três riram e Oliver decidiu que gostava da idéia.

— Que tal jantarmos no Bistrô?

— Na data marcada? — Bettina pareceu apavorada. — E se acontecer alguma coisa?

— Vai estragar o tapete deles e depois nunca mais voltamos lá.

Ele deu um risinho e Bettina fez uma careta. Mas ele insistiu e, de casa, fizeram uma reserva para a noite seguinte.

— Oh, meu Deus. — Bettina olhava para ele nervosa e levou Mary para o andar de cima para desfazer as malas. O acordo que fizeram com o médico foi que ela estaria na sala de parto só como amiga. Mas ele fora amável em aceitar quantos observadores eles quisessem, dentro de certos limites.

— Nada de cachorros ou crianças pequenas.

Na noite seguinte, os três marcharam para o Bistrô para jantar. Estava lindo como sempre, com luz difusa com os vitrais e a elegante decoração. Bettina estava radiante, com um esvoaçante vestido de verão e uma gardênia colocada atrás da orelha.

— Você está bastante exótica, sra. Daniels. — Ollie sussurrou suavemente. — E eu te amo.

Ela sorriu e procurou sua mão por baixo da mesa, dizendo a mesma coisa. Depois que pediram o jantar, Mary notou uma estranha mudança no rosto de Bettina. A princípio não disse nada, mas quando aconteceu novamente, cinco minutos mais tarde, ela falou:

— Eu estava certa, Betty?

— Talvez.

Oliver não tinha escutado, pois pedia o vinho.

— Então, senhoras, todas felizes?

— Demais.

Mary respondeu depressa e Bettina sinalizou para ela. Não queria dizer nada ainda. Mas quando o jantar chegou ela só ciscou o prato. Não queria exagerar e, se fosse realmente entrar em trabalho de parto, queria estar se sentindo leve.

— Mas você nem comeu, querida. Está se sentindo bem?

Ele se inclinou para ela enquanto esperavam pela sobremesa.

Mas ela sorriu, feliz.

— Nada mal para uma baiaca pronta para ter um filho.

— Quando? — Ficou confuso. — Agora? — Pareceu em pânico e Bettina sorriu.

— Não neste minuto, eu espero, mas daqui a pouco. Comecei a sentir dores pouco antes do jantar, mas não tinha certeza.

— E agora tem? — Ele rapidamente agarrou seu braço, e ela ria.

— Quer parar com isso, Ollie? Estou bem. Coma a sobremesa e tome seu café. Depois vamos para casa e ligamos para o médico. Relaxe.

Mas era impossível. Antes do café chegar, ela também tinha dificuldade em relaxar. Como da primeira vez, as dores vieram muito rápido, aumentando a intensidade.

Mary controlava o tempo das contrações enquanto esperava na calçada. Bettina apoiava-se em Ollie.

— É melhor levá-la para o hospital, Betty. Talvez não tenha tempo de ir para casa.

— Seria muita sorte.

Ela sorriu, mas pelo jeito de seu olhar Ollie sabia que sentia dores, e subitamente sentiu o pânico tomando conta dele. E se esta vez fosse tão ruim quanto a primeira? Mas Mary viu o que estava acontecendo e agarrou seu braço com firmeza, pouco antes de entrarem no carro. Bettina já estava deitada no banco de trás.

— Ela estará bem, Ollie. Acalme-se. Ela *está* bem.

— De repente, não pude deixar de pensar...

— Provavelmente ela pensa a mesma coisa. Mas tudo vai dar certo.

Ele gesticulou com a cabeça e Mary entrou no carro rapidamente.

— Como está indo, Betty?

— Do mesmo jeito. — E, um momento mais tarde, enquanto Ollie levava o carro para fora do estacionamento: — Estou sentindo outra pontada.

Ele olhou para Mary, apavorado:

— Devo parar?

— Por Deus, não.

As duas mulheres começaram a rir. Subitamente Bettina parou de rir e, quando chegaram ao hospital, não queria mais falar.

Uma enfermeira correu para avisar ao médico enquanto duas outras a levavam rapidamente para uma pequena sala. Por um instante Bettina olhou para Mary com um brilho alegre nos olhos.

— Pensei que você tivesse dito que as coisas mudaram.

Foi numa sala como aquela que ela passara catorze horas em agonia, amarrada à mesa enquanto gritava.

— Calma, Betty.

Devagar, Mary ajudou-a a tirar as roupas, mas tinha que parar freqüentemente por causa das dores. Finalmente, ela segurou Ollie com firmeza e eles a ajudaram a se deitar.

— Você está bem, gatinha? — Sentia-se inútil e assustado, tudo que sabia era que se machucassem ela ou o bebê ele os mataria. Tinha certeza disso.

Com calma ela sorriu para ele, segurando sua mão com força.

— Estou bem.

— Tem certeza?

Ela balançou a cabeça e depois engoliu em seco, enquanto sentia outra dor se aproximando. Mas desta vez Ollie se lembrou do que aprenderam juntos, e ajudou-a a respirar. Quando terminou, ela olhou para ele abismada.

— Sabe de uma coisa? Funciona.

— Que bom!

Ficou extremamente orgulhoso, e na outra vez que aconteceu eles fizeram de novo. Quando o médico chegou, tudo estava sob controle.

Ele lhe disse que estava indo muito bem e só o breve exame a lembrou do passado, mas era a rotina. Ao menos, desta vez ninguém a tinha amarrado. As enfermeiras eram gentis, o doutor sorria e Mary estava em algum canto da sala. Bettina sentiu-se rodeada de pessoas que se preocupavam com o que estava acontecendo e, além disso, Ollie estava com ela, segurando sua mão, ajudando-a a respirar e a ficar controlada.

Meia hora depois as dores ficaram mais fortes, e por alguns minutos Bettina não sabia se podia agüentar. A respiração ficou estranha e ela tremia. Sentiu seu estômago enjoado e sentia muito frio. Ollie olhou nervoso para Mary, que estava dividindo um olhar experiente com a enfermeira. Bettina estava em transição e ambas sabiam que seria o pior momento. Meia hora depois ela se agarrou nervosa a Ollie e começou a gritar.

— Não posso... Ollie... não posso, não! — Gritou mais forte, enquanto outra dor se aproximava e depois berrou quando o médico a examinava com a mão.

— Está com nove. — Parecia satisfeito, e começou a encorajá-la também. — Só mais alguns minutos, Bettina. Vamos lá... você pode... está indo tão bem... vamos lá...

Enquanto o suor escorria pelas têmporas de Oliver, de alguma forma conseguiram convencê-la e, quinze minutos mais tarde, o médico gesticulou com a cabeça e todos em volta dele começaram a se movimentar.

— Ollie, oh, Ollie...

Ela o segurava desesperadamente, e Mary viu que ela começava a empurrar: estava na hora. Foram para a sala de parto. Ela se agarrou com vontade nas alças de cada lado do leito.

— Tenho que usar os estribos? — Olhou para o médico desesperada, e ele sorriu.

— Não, não precisa.

Tinha uma enfermeira de cada lado ajudando a segurar as pernas, e ele orientou Oliver para ampará-la pelos ombros. Subitamente, tudo que ela queria era empurrar. Sentia como se estivesse subindo uma montanha, tirando grandes pedras do caminho com o nariz e de vez em quando era muito para ela, que descia um pouco da montanha. Mas todas as vozes se misturavam, encorajando-a e incentivando-a e finalmente, num último empurrão, Ollie sentiu que seu corpo todo ficou duro enquanto fazia força e de entre suas pernas apareceu um pequeno rosto vermelho soltando um gemido. Ele olhou para a criança admirado, ainda segurando seus ombros com as mãos.

— Meu Deus, é um bebê!

E todos riram com alívio. Mais duas empurradas e o resto da filha deles apareceu.

— Oh, Ollie... oh, Ollie, ela é tão linda.

Ela estava rindo e chorando de alegria, assim como Ollie e Mary. Só o médico tinha os olhos secos, mas sentia-se tão feliz quanto eles.

Meia hora depois Bettina estava num quarto com o bebê e Oliver ainda estava abalado pelo que tinha visto. Sua mulher parecia calma e arrumada, e orgulhosa do que tinha feito. Todo o processo durou menos de duas horas e ela olhava para eles enquanto segurava o bebê, e sorria.

— Sabe de uma coisa? Estou morrendo de fome.

Mary sorriu para ela.

— Eu também sempre ficava.

Mas Oliver só podia ficar lá olhando a menina, em completa fascinação.

— Vocês me enjoam. Como podem pensar em comida num momento destes?

Mas Bettina podia e comeu dois sanduíches de rosbife, um *milk shake* e um bolinho doce.

— Você é um monstro. — Ele ria enquanto olhava para ela devorando a refeição. Mas seus olhos nunca foram tão gentis, e finalmente ela estendeu a mão para ele com um sorriso feliz.

— Eu te amo, Ollie. Não teria conseguido sem você. Algumas vezes pensei que ia desistir.

— Eu nunca pensei nisso.

Ele também teve medo algumas vezes, somente porque parecia tão doloroso e tão trabalhoso, mas lá estava ela, menos de uma hora depois, com o rosto lavado, os olhos brilhantes e o cabelo penteado. Era difícil de entender. Mary tinha descido para tomar uma xícara de café e deixou os dois sozinhos.

— Você foi maravilhosa, estou tão orgulhoso, querida.

Olhavam um para o outro sem parar em admiração mútua e por um instante ele quis pedi-la em casamento. Mas sabia que não devia fazer isso e, mesmo assim, ele não se importava. Já tinham escolhido o nome para o neném: Antonia Daniels Paxton. E isso bastava.

47

— Alexander, o que acha de sua irmã?

A mãe perguntava, divertida, e ele deu de ombros. Bettina e o bebê estavam em casa há dois dias.

— Bem bonitinha, para uma menina.

Já havia superado a decepção inicial depois que Bettina deixou que ele a segurasse.

— Nossa, é tão pequena! — Mas até que ele gostava dela e devolveu-a para a mãe, sorrindo. E mais tarde, quando estava sozinho com a mãe, deixou escapar uma coisa: — Fico bem feliz de você ter sido casada com meu pai quando eu era um garotinho.

— Fica? Por quê?

Bettina estava curiosa, pensando por que ele teria tocado naquele assunto.

— Porque, e se as pessoas soubessem? Talvez dissessem coisas chatas. — Ele olhou para ela, franzindo a testa. — Eu não ia gostar.

Alexander acabara de completar seis anos em junho.

— Suponho que não, querido. Mas será que isso é muito importante?

— Para mim é.

Bettina fez que sim em silêncio e ficou pensando quando Ollie veio até o quarto visitá-las. O médico deixou que saíssem do hospital bem rápido porque o parto tinha sido muito fácil, mas queria que ela fizesse algum repouso em casa ao menos por uma semana.

— Por que este olhar tão sério, senhora?

— Alexander. Acaba de dizer uma coisa muito estranha.

Contou a ele.

— Talvez esteja apenas sensível sobre essas coisas agora. — Tentou parecer neutro sobre o assunto, mas havia uma luz de esperança nos seus olhos.

— E se a neném se chatear com isso daqui a seis anos?

— Então falamos para as pessoas que somos casados.

Olhou para ele de modo estranho:

— Talvez devêssemos.

— O quê? Falar para as pessoas que somos casados? — Ele parecia confuso, mas ela negava com a cabeça, devagar.

— Não, quero dizer nos casar.

— Quer dizer agora?

— É, acho que sim.

— Você gostaria?

Bettina deu um grande sorriso.

— Sim, eu gostaria.

— Tem certeza?

— *Tenho*. Pelo amor de Deus, Ollie...

— Eu não acredito. Nunca pensei que chegaria este dia.

— Nem eu, então cale a boca antes que eu mude de idéia.

Oliver correu para fora do quarto e um momento mais tarde estavam rindo e bebendo champanhe. Três dias mais tarde, após conseguir as devidas licenças e com Mary e Seth na cidade, foram ao cartório no centro para fazer os votos.

Bettina olhou para o certificado de casamento, desconfiada.

— Ao menos não diz que você é o meu quarto marido.

Ele riu, mas depois olhou para ela com seriedade.

— Bettina, você não precisa sentir vergonha de nada que tenha feito. Fez tudo honestamente. Não tem nada de errado.

Ele sempre se sentiu assim sobre sua vida e ela o amava por isso. Fazia com que se sentisse orgulhosa.

— Obrigada, querido.

E depois, de mãos dadas, desceram as escadas do cartório. Mas quando chegaram em casa ele estava pensativo e gentilmente estendeu a mão para ela.

— Tem mais uma coisa que eu gostaria de modificar, sra. Paxton.

Mas ela sabia que ele só estava brincando. Tinham concordado que ela manteria seu nome.

— O que é, sr. Paxton?

Ele estava sério quando respondeu.

— Quero adotar Alexander. Acha que posso?

— Quer dizer, se John deixaria? Tenho certeza que sim.

Eles nunca mais tiveram notícias dele. Ela olhava com carinho para o marido.

— Acho que Alexander ia adorar.

Ollie sorriu para ela.

— E eu também. Vou ligar para o advogado amanhã.

Assim o fez, e quatro semanas depois estava resolvido. Havia quatro Paxtons vivendo sob o mesmo teto.

48

No primeiro dia de outubro, todos os Paxtons voaram para Nova York. Ollie tirou uma licença de três meses, conseguiram uma enfermeira para ajudar Bettina com a menina e colocaram Alexander na antiga escola. Agora ele era um viajante sazonal. Ollie foi rápido ligar para os velhos amigos do *Mail*. A peça deu muito trabalho para Bettina, mas ela adorava e estava totalmente recuperada do nascimento de Antonia. Quando finalmente estreou, foi outro sucesso imediato. Passaram o Natal em Nova York na suíte do hotel Carlyle, e cinco dias depois voltaram para casa.

— É bom, não é?

Oliver sorria para ela feliz, enquanto se deitavam na própria cama.

— E como — disse Bettina.

— Espero que dê um tempo antes de escrever outra peça.

— Por quê?

Olhou para ele, confusa. Ele sempre a encorajava no trabalho, e estava rindo.

— Porque estou cansado de ficar congelando em Nova York. Não pode ficar um pouco só nos filmes?

— Ao menos pelos próximos seis meses.

Mas ela odiava admitir que estava pensando numa nova peça. Sua carreira explodiu e teve diversas ofertas só para fazer filmes. Muito ávido em procurá-la estava Bill Hale, o homem de quem eles alugaram o apartamento em Nova York, mas ela não desejava trabalhar com ele e nunca respondia aos seus chamados.

— Quando vai começar a trabalhar no filme?

— Daqui a três semanas, eu acho.

Ele assentiu e um pouco depois estavam ambos dormindo. Na manhã seguinte ele voltou ao trabalho enquanto ela reorganizava sua vida. A menina já estava com quase seis meses e estava linda como nunca. Alexander ainda estava nas férias de Natal e acabou sendo uma grande ajuda com a irmã. Adorava segurar a menininha e era muito eficiente em dar de mamar e fazê-la arrotar. Bettina sorria enquanto o via fazer isso na hora do almoço, quando ouviu o telefone. A babá estava fazendo alguma coisa nos fundos.

— Eu atendo. — Pegou o telefone na terceira chamada, ainda olhando Alexander segurar o bebê. — Sim, sou a sra. Paxton. — Depois houve um longo silêncio. — Por quê? — Subitamente seu rosto ficou pálido e ela se virou para que Alexander não a visse chorar. — Está bem. Vou já para aí.

Eles ligaram do jornal, mas quando ela chegou já era muito tarde. Um grupo de bombeiros estava parado em fila dupla na rua. Lá em cima todos o circundavam. Ele estava deitado no chão, sem vida.

— Foi um ataque cardíaco, sra. Paxton. — O editor olhava para ela pesaroso. — Ele se foi.

Ela ajoelhou-se devagar perto dele e tocou seu rosto. Ainda estava quente.

— Ollie? — sussurrou suavemente. — Ollie?

Mas não houve resposta e lágrimas começaram a banhar seu rosto. Ouviu alguém mandar os curiosos voltarem ao trabalho, ou ao menos deixá-la sozinha. Ouviu também uma voz dizer:

— Essa não é Bettina Daniels?

— É... era a esposa dele.

Mas o nome Daniels não ajudava agora. Nem o sucesso na Broadway, no cinema, nos roteiros, nem o dinheiro, nem a casa em Beverly Hills o trariam de volta. Aos quarenta e cinco anos de idade, o homem que só queria ter uma boa vida, que queria muito ver o nascimento de sua primeira filha, morreu de ataque cardíaco no chão de seu escritório. Oliver Paxton não existia mais. Era o terceiro homem que Bettina amara e que morrera daquela forma. Enquanto observava colocarem Oliver na maca com cuidado, ela soluçava de raiva tanto quanto de dor.

49

Mary e Seth Waterston vieram para o enterro, e Mary ficou com Bettina por mais quatro dias, enquanto Seth voltava ao trabalho. Mas elas falavam muito pouco. Mary ajudava principalmente com as crianças. Bettina parecia irremediavelmente recolhida. Não se mexia, não falava, não comia. Apenas ficava sentada fixando os olhos no vazio. De vez em quando Mary tentava trazer a menina até ela, mas nem isso ajudava. Ela apenas gesticulava vagamente pedindo que a levassem embora e continuava sentada lá, perdida em si mesma. Estava ligeiramente melhor na noite em que Mary foi embora.

— Não pode fazer isso com você, Betty.

Como sempre, Mary estava sendo sincera, mas Bettina só a olhava.

— Por que não?

— Porque sua vida não acabou, não importa quão duro seja isso.

Mas ela olhou para a amiga, com raiva.

— E por que não, merda? Por que não fui eu em vez dele? — E depois seus olhos recomeçaram a encher de lágrimas, olhando para o nada. — Ele era uma pessoa tão boa.

— Eu sei. — Os olhos de Mary também estavam úmidos. — Mas você também é.

— Quando tive o neném. — Seus lábios tremiam violentamente. — Não teria conseguido se não fosse por ele.

— Eu sei, Betty, eu sei.

A amiga abriu os braços e Bettina entrou naquele abraço parecendo chorar com toda a sua alma. Mas estava melhor quando Mary partiu no dia seguinte.

— O que vai fazer agora? — Mary olhava para ela profundamente enquanto esperavam no terminal.

Bettina deu de ombros.

— Tenho que cumprir meu contrato. Vou escrever o roteiro para o filme da minha segunda peça.

— E depois?

— Só Deus sabe. Eles sempre estão atrás de mim querendo fazer outros acordos, mas não sei se vou aceitar.

— Vai voltar para Nova York?

Mas Bettina fez que não, determinada.

— Não, por enquanto. Quero ficar aqui.

Abraçaram-se longamente antes de Bettina beijar o rosto da amiga e Mary desaparecer dentro do avião.

Duas semanas depois, como combinado, ela apareceu no estúdio para começar a discutir o trabalho que faria para adaptar sua peça. Os encontros eram secos e extenuantes. Mas Bettina não parecia se dobrar. Não falava com ninguém se não tivesse que falar, e finalmente se refugiou em sua casa para escrever o roteiro. Demorou menos tempo do que o esperado e, quando ficou pronto, estava melhor do que eles imaginavam. Fizeram um longo discurso sobre quão talentosa ela era. E em pouco tempo Norton começou a receber milhares de telefonemas. A reputação de Bettina Daniels estava feita.

— O que quer dizer com não está trabalhando? — Ouviu chocado e horrorizado quando ligou para ela.

— Apenas o que eu disse. Vou tirar umas férias de seis meses.

— Mas pensei que você quisesse começar a nova peça.

— Não. Nem uma nova peça nem um novo filme. Absolutamente nada, Norton, podem todos ir para o inferno.

— Mas Bill Hale acabou de...

— Dane-se Bill Hale. Não quero nem ouvir...

— Bettina. — Ele parecia em pânico.

— Se sou assim tão boa, eles esperam seis meses. Senão, paciência.

— Não é isso que está em questão, mas por que esperar quando pode conseguir o que quiser hoje? Diga o preço, o nome do filme. Boneca, é todo seu.

— Então dê tudo de volta para eles. Eu não quero.

— Por que não? — Não podia entender.

— Norton, perdi Ollie há cinco meses. Desde então estou me sentindo sem rumo.

— Eu sei. Eu entendo. Mas não pode só ficar parada aí. Não é bom para você.

Mas ela sabia que também não era bom para ele.

— Talvez seja. Talvez toda esta merda não seja tão importante quanto eu pensava.

— Oh, Deus, Bettina, não faça isso. Não fique nessa de apenas ir à praia sozinha. Está para atingir o ponto alto de sua vida.

Mas ela já conhecera tudo. Quando o bebê nasceu... quando se casou com Ivo... quando partilhou alguns dos grandes momentos com o pai... havia mais do que trabalho e sucesso. Não queria explicar a ele.

— Não quero falar sobre isso, Norton. Diga a todos que deixei o país por seis meses e não pode me encontrar. E se me chatearem, fico um ano.

— Perfeito. Vou dizer a eles. E Bettina, se mudar de idéia, pode me ligar.

— Claro, Norton. Sabe que ligo.

Mas ela não o fez. Passou o tempo em paz com seus filhos. Uma vez foi visitar Mary e Seth. Mas raramente saía de casa ou deixava as crianças e parecia ter ficado estranhamente quieta desde a morte de Oliver. No dia de ação de graças, Mary e Seth notaram isso quando vieram com a turma. Foi um dia celebrado muito bem em família, mas a presença de Oliver era dolorosamente sentida.

— Como está indo, Betty?

Mary a olhava de perto enquanto sentavam-se no jardim. Alguma coisa bem no fundo dela parecia mudado. Estava quieta, fria, mais evasiva, mas também mais segura. Parecia bem mais velha do que no ano anterior.

Bettina sorriu devagar.

— Estou indo bem, mas ainda sinto a falta dele. E ainda tem coisas em que penso que gostaria de ter mudado.

— Como o quê?

— Gostaria de ter casado com ele antes. Ele ficou tão feliz. Eu não sei por que evitei até quase o final.

— Você ainda estava crescendo. Ele entendia isso.

— Sei que sim. Olhando para trás, percebo que ele entendia muito. Tudo era para o meu bem, tudo que fazia era por mim. Abandonou seu emprego em Nova York, pediu uma licença aqui para poder ir comigo para Nova York quando fiz a peça. Voltando para trás, tudo parece muito injusto. — Olhava para Mary, infeliz, mas Mary negava com a cabeça.

— Não se importava. Me disse isso uma vez. A carreira dele não era tão importante para ele quanto a sua para você.

Nem ousava dizer-lhe que precisava agora de um homem poderoso e com sucesso, como ela. Até seu rosto estava diferente. Tinha um tipo de beleza angular que chamava atenção, e a simplicidade de seu vestido de lã preta e as jóias indicavam sucesso. Havia finalmente desentocado as jóias de seu pai e de Ivo e as usava quase todos os dias Olhava para o grande diamante, sorrindo, e Mary a observava.

— Eu não sei. Talvez esteja passando muito tempo remoendo o passado.

— Você está apenas remoendo, ou está entendendo melhor?

— Nem sei, Mary. — Seus olhos pareciam sonhar e estarem longe. — Acho apenas que o aceito melhor. De alguma forma, se tornou uma parte de mim.

Mary olhou para ela com um pequeno sorriso de prazer e fez que sim. Sempre esperara aquilo. Que Bettina aceitasse quem e o quê ela era. A única coisa que a fazia infeliz era vê-la vivendo uma vida atrás de portas trancadas.

— Você conversa com alguém?

— Só com você e as crianças.

— E por quê?

— Eu não quero mais nada. Por que deveria? Para que possam fofocar dizendo que finalmente me conheceram, a escritora com quatro maridos... a filha excêntrica de Justin Daniels...? Quem precisa disso? Por agora, estou bem mais feliz vivendo assim.

— Não chamaria isto de estar vivendo, Betty. Acha que é?

Bettina deu de ombros.

— Eu tenho o que quero.

— Não, não tem. Você é uma mulher jovem, merece mais do que solidão, Bettina. Merece pessoas, festas e risos. Merece aproveitar o seu sucesso.

Bettina sorriu.

— Olhe para isso. — Mostrou a beleza do jardim e da casa.

— Não é disso que eu falo, Bettina, e você sabe. Isto é bonito, mas não é um substituto para amigos. — Ela hesitou um instante e depois disse: — Ou um homem.

Bettina olhou para ela de frente.

— É isso que esta conversa significa, Mary? Um homem? É isso que é vida? Nunca está completa sem um homem? Você não acha que já tive o suficiente?

— Aos trinta e seis? Espero que não. O que pretende de sua vida? Ficar aqui e desistir?

— O que está sugerindo? Que eu saia à cata e comece tudo de novo? Não acha que quatro maridos já é uma quota muito alta para qualquer um? Está sugerindo que eu tente o quinto? — Parecia com raiva.

— Talvez. Por que não?

— Porque talvez eu não precise mais de marido. Talvez eu não queira me casar novamente.

Mas Mary não se deixava vencer fácil.

— Se eu pensasse que você acha que esta é a verdadeira razão, eu a deixaria em paz. Ninguém tem que se casar, Bettina. Este não é o único nome do jogo. Mas não pode passar o resto de sua vida sozinha porque tem medo do que as pessoas vão dizer. E é nisso que você está pensando, não é? Acha que as pessoas vão marcar você como vagabunda? Bem, está errada, droga. E muito. Eu amo você e Seth também. Não ligo a mínima se se casar doze vezes ou se não casar mais. Mas existe alguém, Bettina, alguém que seja forte e especial e com tanto sucesso quanto você. Você merece encontrá-lo, deixar que ele conheça você para que não fique sentada aqui pelo resto de sua vida. Não precisa se casar se não quiser, quem se importa? Mas não fique aqui, Bettina, atrás destas portas idiotas.

Bettina olhava para ela com tristeza, e Mary viu lágrimas em seus olhos. Pensou que talvez a tivesse atingido e, quando ela entrou sem responder, teve certeza disso.

Eles foram embora no final da semana e, antes de entrarem no avião, Bettina abraçou Mary apertado.

— Obrigada.

— Pelo quê? — E então ela entendeu. — Não seja boba. — Sorriu para ela. — Um dia você pode ter que me dar um belo pontapé, também.

— Duvido. — E depois deu um grande sorriso. — Mas também, sua vida não foi tão exótica quanto a minha.

E por um instante, um pequeno momento, Mary pensou que Bettina sentia-se orgulhosa.

— O que vai fazer agora, Betty? — Seth aproximou-se e perguntou.

— Ligar para Norton e dizer a ele que estou pronta para voltar ao trabalho. Acho que já deve ter até desistido de mim.

— Duvido muito.

Mary foi rápida em responder, e depois embarcaram no avião.

50

— Então, Rip van Winkle, está saindo da hibernação?

— Ora, Norton, foram apenas seis meses. — Ela riu.

— Poderiam ter sido seis anos. Você faz alguma idéia de quantas pessoas eu despachei desde que decidiu se aposentar temporariamente? Nossa Senhora!

— Não me diga. — Ainda sorria. Era primeiro de dezembro, e se sentia bem.

— Bem, o que tem em mente, antes que recomecemos nosso contato?

— Absolutamente nada.

— Não começou a escrever uma nova peça?

— Não. Para falar a verdade, eu não quero. Quero ficar aqui por algum tempo. Vai ser ruim para as crianças se eu ficar arrastando-as para Nova York todo ano.

— Está bem, isso não faz diferença. Você tem bastante ofertas para escrever filmes que a manterão ocupada pelos próximos dez anos.

— De quem, por exemplo? — Estava desconfiada, e ele começou a enunciar os nomes. Quando terminou ela aprovou. — São muitos. Com quem sugere que eu converse primeiro?

— Bill Hale. — Ele respondeu imediatamente, e ela fechou os olhos.

— Oh, não, Norton, ele não.

— Por quê? É um gênio. E está fazendo produções agora. Na verdade, ele é tão brilhante quanto você.

— Ótimo. Então encontre alguém um pouco menos brilhante que queira conversar comigo.

— Por quê? — Estava intrigado.

— Porque dizem que ele é um idiota.

— Nos negócios? — Norton estava abismado.

— Não, pessoalmente. Ele coleciona mulheres, esposas, amantes, quem precisa disso?

— Ninguém pediu que você se case com ele, por Deus, Bettina. Apenas discuta a idéia do filme que ele tem em mente.

— Preciso mesmo?

— Você o faria se eu dissesse que sim? — Parecia esperançoso.

— Provavelmente não. — Ambos riram. — Olhe, é que eu não quero me colocar em situações estranhas. O cara tem um caso lendário de calças quentes e eu ouvi que as usa para trabalhar.

— Então leve uma bandeja de cubos de gelo e dois socos ingleses, mas faça-me um favor, Bettina, após seis meses quieta aí, sem responder ao telefone, ao menos vá almoçar com o cara. Vocês dois são as pessoas mais importantes neste negócio hoje em dia. É uma loucura não ouvir o que ele tem a dizer.

— Está bem, Norton. Você venceu.

— Quer que eu arrume as coisas daqui, ou você faz?

— Você faz. Não quero ser incomodada.

Subitamente a voz de seu pai ecoou em sua cabeça. Então era assim que ele se sentia...

— Algum lugar em particular?

— Não. Se ele for o grande imbecil que penso que é, provavelmente vai querer me encontrar no Salão Pólo do Hotel Beverly Hills para bancar o sr. Hollywood e ser chamado a cada cinco minutos ao telefone.

— Então ligo para você a cada cinco minutos, está bem assim?

— Ótimo.

Subitamente ele se lembrou de uma coisa, mas não quis perguntar a ela. Tinha certeza de que ela e Ollie alugaram o apartamento dele uma vez, há muito tempo, em Nova York. Mas imaginou que era melhor não tocar no nome de Ollie. Já sofria bastante, e ele sabia que tinha sido um golpe muito duro. Ela já passara por tantas coisas, deu de ombros enquanto ligava para Bill Hale. Mas teve muita coisa boa também. Em alguns aspectos, a história dela não era diferente da de Bill Hale.

Falou com a secretária de Bill bem rápido e um momento mais tarde falava com ele. Concordaram sobre a segunda-feira seguinte, bem diferente do que Bettina previu. Ele perguntou se podiam se encontrar na casa dela, depois do almoço.

— É uma brincadeira? — Ela estava chocada quando Norton ligou. — Por que ele quer fazer uma coisa dessas?

— Disse que tem menos coisas para interferir. Num restaurante há garçonetes e telefones, e pensou que talvez você não se sentisse bem indo conversar na casa dele.

— Então, que assim seja.

Ela deu de ombros e desligou. Na segunda-feira, vestiu-se com calma uma hora antes da hora marcada: um conjunto lilás escuro que viera de Londres e era de um lindo tom de anêmona numa lã bem fina; uma blusa de seda branca e os brincos de ametista que o pai lhe dera. Seu cabelo estava macio e solto, com a cor do outono da Nova Inglaterra e, ao dar a última olhada no espelho, ouviu a campainha tocar. Não importava muito como ela estava, mas já que voltava ao trabalho era melhor ser ela de novo. Não a filha de Justin Daniels ou a esposa de Ivo Stewart, nem a sra. John Fields, nem mesmo a sra. Oliver Paxton. Ela era Bettina Daniels. E seja lá mais o que fosse, sabia que era uma excelente teatróloga e, depois de muito sofrer e errar, sabia outra coisa: era íntegra.

— Sr. Hale?

Ela o olhou enquanto ele entrava na casa. Também se vestira para a ocasião, e usava um terno risca de giz azul-escuro, uma gravata azul-escura Christian Dior e uma camisa branca especialmente engomada. Ela teve que admitir que ele era atraente e bem vestido, mas não se importou muito. Ele fez uma pequena mesura quando a viu e estendeu sua mão direita.

— Bill, por favor, sra. Daniels.

— Bettina.

As formalidades terminadas, ela o levou para a sala de estar e apontou uma cadeira. A governanta apareceu um momento mais tarde com uma linda bandeja de laca. Havia um bule de café e uma chávena de chá, um prato com pequenos sanduíches e biscoitos em que Alexander estava de olho desde que saiu para a escola, pela manhã.

— Por Deus, eu não queria que se incomodasse.

Bettina disse algo vago como não era incômodo algum, enquanto tentava decidir se ele era de plástico ou real.

Após alguns momentos ele tomava café e ela bebericava seu chá. Começaram a falar de trabalho e só pararam duas horas depois. Ela tinha que admitir que adorou a idéia e estava sorrindo quando eles deram o encontro por encerrado.

— Devo ligar para seu agente e discutir as partes menos nobres do acordo com ele?

Ela riu e concordou.

— Sabe de uma coisa, gostei muito mais de você do que eu imaginava — disse ele.

Bettina ficou dividida entre espanto e divertimento.

— Por quê?

— Bem, você sabe, filha de Justin Daniels... — Ele parecia se desculpar. — Poderia ser uma grande esnobe.

— E não sou?

— Não, claro que não.

E então, sentindo-se corajosa ao olhar para ele, riu também.

— Gostei mais de você, também.

— E o que tinha contra mim? Não tive nenhum pai famoso.

— Não, mas tem outros pecados, pelo que ouvi.

Ela o olhou com franqueza e ele assentiu, encontrando seus olhos verdes com os azuis dele.

— A reputação de barba-azul?

Ela confirmou.

— Charmoso, não? — Ele não parecia irritado, apenas solitário, e depois seus olhos se encontraram novamente. — As pessoas adoram fofocas, falam muito de coisas que não entendem. — E então ele falou para ela honestamente. — Fui casado quatro vezes. Minha primeira esposa morreu num acidente de avião, a segunda me deixou, depois... — pareceu hesitar um momento —... depois que nossa vida foi destruída. A terceira era uma sonhadora e, seis meses depois que nos casamos, decidiu que realmente queria se unir à organização mundial da paz. — Parou com um largo sorriso. — E a quarta, era uma grande filha da puta.

Por um instante, Bettina riu com ele e depois, devagar, alguma coisa gentil brilhou em seus olhos.

— Não tenho nenhum direito de ironizar sobre isso.

— Por que não? É o que todo mundo faz.

Ficou impressionada com a honestidade dele e envergonhou-se pelo que pensou. Mas subitamente estava rindo e escondeu-se atrás do guardanapo. Tudo que ele podia ver eram seus olhos verdes dançando.

— Também fui casada quatro vezes.

Logo os dois riam.

— O quê? Você... e eu estava me sentindo culpado!

Ele parecia um menino que tinha descoberto um amigo com alguma coisa em comum, mas ela se sentou com um olhar de menininha.

— Você se sente culpado?

— Claro que sim. Quatro esposas, está brincando? Isso não é direito.

— Oh, puxa... eu também me sinto.

— Deveria. E deveria se sentir muito mais por não ter me contado antes. — Ele brincava com um biscoito, recostado na cadeira. — Então me fale dos seus.

— Um homem maravilhoso que era muito mais velho que eu.

— E quanto é muito? Você tinha dezesseis e ele dezenove?

— Eu tinha dezenove e ele sessenta e dois.

— Fiu!... — Ele assoviou. — Isso *é* muito mais velho.

Mas seu sorriso era gentil e não uma reprovação. Apenas interesse.

— Um homem maravilhoso, amigo de meu pai. Na verdade, você deve conhecê-lo.

Mas ele levantou a mão quando ela começou a dizer o nome.

— Não, por favor, não. Vamos deixar os casamentos anônimos. Não vamos estragar as coisas. A próxima coisa que vai descobrir é que fui casado com duas primas suas e vai me detestar novamente.

Ela riu e depois olhou para ele com seriedade.

— É isso que as pessoas fazem em Hollywood? Ficam conversando sobre os seus últimos quatro maridos e esposas?

— Só os debilóides, Bettina. O resto de nós apenas cometeu erros humanos, nem todos acreditam nisso. Quero dizer, quatro é pouco demais. Mas vamos lá, continue.

— O segundo parece com sua esposa que se uniu à organização de paz. Ele queria o visto de permanência no país. Também ficamos casados por seis meses. — Mas seu rosto ficou nublado por alguns momentos ao pensar no filho que perdeu. — Meu terceiro era um médico em San Francisco, e por cinco anos tentei levar uma vida de "esposa normal".

— E o que faz uma esposa normal? — Olhou para ela com ar de dúvida, enquanto pegava outro biscoito.

— Para dizer a verdade, eu nunca soube. Só sabia que o que quer que fosse, eu não conseguia fazer direito. Uma das minhas amigas diz que tem que ser como um pássaro cinza e marrom.

Ele ficou dividido entre riso e compaixão, enquanto o olhar voltava-se para os cabelos chamejantes e o vestido lilás.

— E definitivamente você não é isso.

— Obrigada. Bem, mesmo assim eu estraguei tudo quando escrevi minha primeira peça.

— Ele não gostou?

— Ele pediu o divórcio no dia em que eu voei para Nova York, vendeu nossa casa e eu só descobri quando voltei.

— Ele não te falou?

Ela negou com a cabeça.

— Que simpático! E depois?

— Depois me mudei para Nova York e — pareceu hesitar um instante e depois continuou — encontrei meu quarto marido. Era muito especial. — A voz de Bettina ficou mais melancólica, enquanto ele a observava. — Tivemos uma filha, e há quase um ano ele morreu.

— Sinto muito.

Ficaram um pouco em silêncio e depois ele falou, com gentileza:

— Veja, Bettina, é exatamente o que quero dizer. As outras pessoas, as que estão lá fora, pensam que ficamos aqui, rindo, colecionando divórcios e pagando pensões, e se divertem com nossa interminável lista de ex-mulheres, mas o que eles não entendem é que isso pode acontecer com pessoas reais, tragédias, erros e pessoas em quem acreditamos e acabamos desapontados. É tudo incrivelmente real, mas ninguém entende. — Olharam um para o outro por um momento interminável. — Minha segunda esposa e eu tivemos dois filhos, mas ela tinha um problema com bebida de que eu não sabia ao me casar. Passou a maior parte de nosso casamento entrando e saindo de hospitais. — Ele suspirou e depois continuou: — Ela estava dirigindo o carro com as duas crianças e — sua voz ficou presa na garganta. Sabendo o que ele ia dizer, Bettina chegou-se até ele, que pegou sua mão. — Ela espatifou o carro e as duas meninas morreram. Mas ela não. E nunca mais foi a mesma. Tem sido constantemente internada. — Ele deu de ombros e sua voz mudou de rumo. — Eu até pensei que conseguiríamos... mas não deu. — E então ele olhou gentilmente para ela e afastou a mão. — Como você está depois de ter perdido seu marido? Foi por isso que ficou incomunicável por todos estes meses? — Agora ele entendia.

— Sim, foi por isso. Estou melhor. A princípio pareceu tão, tão injusto.

— E é. Essa é a merda toda. As boas pessoas, aqueles com quem se pode conseguir... — Ele não terminou a frase. — Minha primeira esposa era assim. Puxa, ela era tão boa e tão divertida, ela era uma atriz e eu era um escritor. Ela conseguiu sua primeira maldita *tournée* e... fim da linha. Eu tinha vinte e três anos e pensei que ia me matar. Quase me matei de tanto beber no primeiro ano. — Olhou firme para Bettina. — Isso não é incrível? Há dezesseis anos... Depois surgiram três mulheres em minha vida que foram importantes o bastante para eu me casar. Se alguém tivesse me falado isso depois que Anna morreu, eu o mataria. É estranho, o tempo faz coisas estranhas.

— Fico feliz que pense assim. Uma vez ou outra pensei que não justificava o trabalho de viver mais um dia.

— Mas vale a pena, não? — Ele sorria suavemente. — A coisa mais impressionante é que sempre vale. Sempre tem outra coisa acontecendo, outra pessoa, uma mulher por quem se apaixonar, um amigo que você visita, uma criança que deseja ter... alguma coisa que faz com que você continue. Tem sido assim para mim.

Ela assentiu, adorando o que ele estava dando a ela, porque suas palavras a estavam libertando. Colocava todas as peças juntas e revelava um quadro, não apenas completo, mas mostrava que ainda tinha mais a ser revelado, algo que ainda veria.

— Você tem outros filhos?

Ele negou com a cabeça, devagar.

— Não. A senhora organização de paz não durou tempo bastante para ter um filho. E a número quatro e eu fomos casados três anos, mas — ele riu suavemente — estes foram os três anos mais longos de minha vida.

— Eu me lembro de quando estava se casando. — Sorriu abertamente para ele. — Eu vivi em seu apartamento em Nova York.

— Foi mesmo? — Estava boquiaberto. — Quando?

— Quando se casou. Você estava na costa Oeste. Era um apartamento lindo no lado Oeste.

— Meu Deus. — Olhou para ela, estupefato. — Eu o aluguei para Oliver. Oliver Paxton... por Deus... Então é quem você é, Bettina. A esposa de Oliver Paxton.

Mas ela olhou para ele, sentando-se muito ereta em sua cadeira, calmamente balançando a cabeça.

— Não, não sou.... — Era como ouvir uma dúzia de ecos e negar todos eles, finalmente. Nem mesmo para Ollie ela podia ser só isso. — Sou Bettina Daniels.

Por um instante ele ficou espantado, mas então entendeu, enquanto fazia que sim com a cabeça e estendia a mão. Ela não era mais do pai ou de Ivo ou de Oliver... Ela era dela mesma, agora... e ele entendia isso, da mesma forma com que ela o entendia. Seus olhos se encontraram enquanto eles se cumprimentavam cuidadosamente por cima da mesa.

— Olá, Bettina. Sou Bill.

* * *

Impresso no Brasil pelo
Sistema Cameron da Divisão Gráfica da
DISTRIBUIDORA RECORD DE SERVIÇOS DE IMPRENSA S.A.
Rua Argentina 171 – Rio de Janeiro, RJ – 20921-380 – Tel.: 2585-2000